Rouler sans pétrole

Catalogage avant publication de Bibliothèque et Archives nationales du Québec et Bibliothèque et Archives Canada

Langlois, Pierre, 1951-

    Rouler sans pétrole

    Comprend des réf. bibliogr.

    ISBN 978-2-89544-130-4

    1. Transports routiers - Aspect de l'environnement. 2. Véhicules à hydrogène. 3. Véhicules électriques. 4. Automobiles propres. 5. Carburants de remplacement. 6. Bioénergie. I. Titre.

TD195.T7L36 2008   363.739'2   C2008-942046-2

Du même auteur chez le même éditeur

Sur la route de l'électricité – 1. Le magnétisme et l'électricité statique, Pierre Langlois, préface de Jean-René Roy, Éditions MultiMondes, 2005, ISBN 978-2-89544-075-8

Sur la route de l'électricité – 2. Les piles électriques et l'électricité dynamique, Pierre Langlois, préface de Jean-René Roy, 2006, ISBN 978-2-89544-086-4

PIERRE LANGLOIS

Rouler sans pétrole

ÉDITIONS MULTIMONDES

Photographie de la couverture : Voiture concept hybride rechargeable à quatre moteurs-roues, la Recharge, expérimentée par le fabricant suédois Volvo. Photographie reproduite avec l'aimable autorisation de Volvo Car Canada. Remerciements à M. Jay Owen, directeur marketing et communication, ainsi qu'à Mme Kim Cornelissen et M. Chad Heard pour leur intermédiaire.

© Éditions MultiMondes, 2008
ISBN : 978-2-89544-130-4
Dépôt légal – Bibliothèque et Archives nationales du Québec, 2008
Dépôt légal – Bibliothèque et Archives Canada, 2008

ÉDITIONS MULTIMONDES
930, rue Pouliot
Québec (Québec) G1V 3N9
CANADA
Téléphone : 418 651-3885
Téléphone sans frais : 1 800 840-3029
Télécopie : 418 651-6822
Télécopie sans frais : 1 888 303-5931
multimondes@multim.com
http://www.multim.com

DISTRIBUTION AU CANADA
PROLOGUE INC.
1650, boul. Lionel-Bertrand
Boisbriand (Québec) J7H 1N7
CANADA
Téléphone :   450 434-0306
Tél. sans frais : 1 800 363-2864
Télécopie :   450 434-2627
Téléc. sans frais : 1 800 361-8088
prologue@prologue.ca
http://www.prologue.ca

DISTRIBUTION EN FRANCE
LIBRAIRIE DU QUÉBEC
30, rue Gay-Lussac
75005 Paris
FRANCE
Téléphone :   01 43 54 49 02
Télécopie :   01 43 54 39 15
direction@librairieduquebec.fr
http://www.librairieduquebec.fr

DISTRIBUTION EN BELGIQUE
La SDL Caravelle S.A.
Rue du Pré aux Oies, 303
Bruxelles
BELGIQUE
Téléphone :   +32 2 240.93.00
Télécopie :   +32 2 216.35.98
Sarah.Olivier@SDLCaravelle.com
http://www.SDLCaravelle.com/

DISTRIBUTION EN SUISSE
SERVIDIS SA
chemin des chalets 7
CH-1279 Chavannes-de-Bogis
SUISSE
Téléphone :   (021) 803 26 26
Télécopie :   (021) 803 26 29
pgavillet@servidis.ch
http://www.servidis.ch

Les Éditions MultiMondes reconnaissent l'aide financière du gouvernement du Canada par l'entremise du Programme d'aide au développement de l'industrie de l'édition (PADIÉ) pour leurs activités d'édition. Elles remercient la Société de développement des entreprises culturelles du Québec (SODEC) pour son aide à l'édition et à la promotion. Elles remercient également le Conseil des Arts du Canada de l'aide accordée à son programme de publication.
Gouvernement du Québec – Programme de crédit d'impôt pour l'édition de livres – gestion SODEC.

À tous les enfants de la Terre.

Remerciements

Rouler sans pétrole a nécessité environ 6000 heures de travail réparties sur 28 mois, sans subventions. Vous conviendrez avec moi que ce ne sont pas toutes les conjointes qui auraient approuvé un tel projet. Mais Léopoldina, mon épouse, m'a toujours soutenu dans cette aventure, à tous les niveaux. Par ailleurs, elle a dû vivre avec un conjoint pas très disponible pendant tout ce temps, ce qui n'est pas facile non plus. Je lui exprime ici toute mon admiration et mes plus affectueux et profonds remerciements pour son abnégation et sa générosité sans bornes ! Sans elle, vous n'auriez jamais pu lire cet ouvrage.

Je dois dire que nous avons trois beaux enfants qui ont constitué une motivation très forte pour la rédaction de ce livre, autant pour Léopoldina que pour moi. Nous voulons simplement qu'ils puissent jouir d'une Terre sur laquelle ils pourront vivre décemment, comme nous l'avons fait nous-mêmes jusqu'à maintenant.

Lise Morin et Jean-Marc Gagnon, qui dirigent les Éditions MultiMondes, méritent également toute mon admiration et mes remerciements pour avoir accepté de me faire confiance une fois de plus, en publiant le présent livre (mon troisième). Ils y ont consacré tous leurs talents et leurs ressources pour en faire un produit de qualité. J'en profite pour souligner leur engagement hors du commun en ce qui a trait à la diffusion livresque de la culture scientifique. Ce n'est réellement pas facile dans le contexte québécois, avec seulement six millions de lecteurs francophones, dans un monde de plus en plus attiré vers le multimédia. Chapeau à vous deux et à votre merveilleuse équipe, en particulier à Emmanuel Gagnon, un graphiste très talentueux !

Finalement, je tiens à remercier sincèrement tous les scientifiques et technologues dans le domaine de la mobilité durable, avec qui j'ai eu des échanges et qui ont enrichi mes recherches personnelles de leur savoir-faire et de leurs connaissances. En particulier, je tiens à souligner la contribution de Pierre Couture, l'inventeur du moteur-roue moderne, un visionnaire de génie qu'on aurait eu tout intérêt à écouter davantage, comme vous allez le découvrir dans *Rouler sans pétrole*.

Table des matières

Introduction

n ce début du 21e siècle, nous réalisons toute l'ampleur de la crise de civilisation devant nous. L'augmentation chronique des gaz à effet de serre liés aux activités humaines contribue de façon inquiétante au réchauffement climatique, avec des conséquences potentiellement catastrophiques pour l'humanité.

Par ailleurs, l'arrivée imminente de la décroissance dans la production mondiale du pétrole, alors que la demande est en forte croissance (Chine et Inde), a comme résultat un emballement des prix à la pompe. Si rien n'est fait, une crise économique majeure nous guette et des conflits militaires dévastateurs, pour garder le contrôle sur le pétrole restant, risquent fort d'éclater. Il nous faut rapidement préparer des solutions de rechange. C'est tout un défi qui nous attend. L'avenir de notre civilisation en dépend, et celui de toute la biodiversité.

Plusieurs secteurs des activités humaines vont devoir être modifiés en profondeur. **Dans ce livre, vous découvrirez comment il est possible de se libérer du pétrole dans les transports routiers, d'ici 2035.**

Les solutions alternatives existent pour rouler sans pétrole, mais la confusion règne. Doit-on choisir les biocarburants, l'hydrogène ou l'électricité ? Souvent, divers groupes d'intérêts essaient de tirer la couverture de leur côté et présentent une vision biaisée du sujet. Pensons aux lobbies du pétrole et du gaz naturel qui ont tout intérêt à ce qu'on utilise de l'hydrogène (puisqu'il est produit à 96 % à partir des carburants fossiles) ou encore du gaz naturel. Pensons également aux lobbies de l'agriculture qui font la promotion de l'éthanol produit de la culture intensive du maïs, une solution très dommageable pour l'environnement. D'autres disent qu'il est mieux de continuer à consommer du pétrole et de planter des arbres au lieu d'aller vers les biocarburants. Le commun des mortels n'y comprend rien, les spécialistes manquent souvent de vue d'ensemble et même les environnementalistes ont parfois de la difficulté à s'y retrouver.

L'auteur du présent ouvrage utilise son expérience de physicien et de vulgarisateur pour faire la part des choses et proposer des solutions concrètes à la problématique de la mobilité, après une analyse détaillée des dossiers totalisant l'équivalent de trois années à temps plein. Il tient à préciser qu'il est complètement indépendant de tous les groupes d'intérêts et convaincu que les véritables changements doivent être supportés par une population bien informée. **Voir au-delà des apparences et regarder le monde des transports avec une vision globale et élargie**, voilà ce qui caractérise cet ouvrage de vulgarisation, divisé en quatre chapitres.

L'auteur est bien conscient que l'avenir des transports routiers n'implique pas que des changements de technologies mais également des changements d'habitudes. Toutefois, afin de pouvoir comparer la consommation énergétique et les émissions d'un parc de véhicules avancés avec celles d'un parc de véhicules traditionnels, nous supposons dans ce livre que les citoyens vont garder sensiblement les mêmes habitudes, à l'exception d'un choix de véhicules plus légers et plus compatibles avec les besoins réels et le prix élevé du pétrole. Cette base de référence étant établie, nous verrons dans l'épilogue comment l'épuisement imminent de plusieurs métaux commande de diminuer notre consommation de matières premières et d'orienter l'avenir des transports routiers vers une utilisation accrue des transports en commun et des petites voitures urbaines communautaires.

Le **chapitre 1** présente les trois causes principales qui nous ont conduits dans la situation critique actuelle : la croissance fulgurante de notre population, nos moyens techniques toujours plus dévastateurs, et notre comportement irresponsable. Parmi les comportements qu'il faut changer, nos habitudes de consommation et de transport figurent au premier plan. Le credo de la croissance économique qui nous incite à toujours consommer davantage est suicidaire pour la planète. En ce qui concerne les transports, on a tout intérêt à diminuer le nombre d'automobiles, en développant des transports en commun confortables et efficaces, en favorisant les initiatives d'autopartage pour les citadins et le covoiturage. Le vélo, électrique ou non, ainsi que la marche peuvent aider grandement à décongestionner nos villes asphyxiées. Par ailleurs, dans ce chapitre, on retrouve un bref survol des enjeux concernant les changements climatiques, de même que des explications sur la décroissance imminente de la production mondiale du pétrole. Ces deux problématiques graves constituent des sources de motivation profondes pour nous inciter à passer à l'action, si on veut que nos enfants et petits-enfants aient une vie décente sur cette Terre.

Le **chapitre 2** dévoile toute l'inefficacité des véhicules routiers traditionnels, dont à peine 13 % à 15 % de l'énergie du carburant sert à faire avancer les véhicules. On y expose comment, en introduisant une bonne motorisation électrique, on arrive à exploiter plus de 80 % de l'énergie électrique emmagasinée à bord d'un véhicule. Les développements spectaculaires récents y sont décrits, en particulier en ce qui concerne l'hybridation des véhicules, les moteurs-roues et les nouvelles batteries performantes qu'on peut désormais recharger en 10 minutes, et dont la durée de vie est supérieure à celle des véhicules. Il apparaît tout à fait souhaitable que les parcs de véhicules routiers parcourent, en moyenne, 70 % des kilomètres en mode électrique. Les 30 % restants seraient parcourus par des véhicules hybrides avancés fonctionnant en mode carburant, mais consommant beaucoup moins de carburant que les véhicules traditionnels. Cette faible consommation résulterait principalement de l'efficacité accrue d'une motorisation électrique et des améliorations prévisibles des moteurs-générateurs thermiques, dont plusieurs sont décrites. Une construction plus légère et aérodynamique devrait également contribuer à diminuer la consommation de carburant, de même que des pneus à faible résistance au roulement.

L'avenir des transports en commun urbains et interurbains électriques, de même que du transport terrestre des marchandises y est également exploré. L'électricité supplémentaire requise pour les véhicules branchables et les incidences de ces derniers sur la diminution des gaz à effet de serre y sont analysées, de même que les incidences sur les émissions polluantes. Enfin, les éléments clés de la dimension économique de cette révolution complètent ce chapitre.

Le **chapitre 3** présente l'option des piles à combustible (PAC) et de l'hydrogène pour les transports routiers. Les multiples problématiques de cette technologie y sont exposées ; la comparaison avec les véhicules électriques à batterie et les véhicules hybrides branchables démontre de façon indéniable que les avantages sont nettement en faveur de ces deux derniers. La production d'hydrogène par reformage du gaz naturel fait en sorte qu'une bonne voiture à PAC occasionne autant d'émissions de CO_2 qu'une Toyota Prius 2008. Bien sûr, il est possible de produire de l'hydrogène par électrolyse de l'eau, sans émettre de CO_2, en utilisant des énergies renouvelables. Mais, lorsqu'on tient compte de toute la chaîne de production, de distribution et d'utilisation de l'hydrogène dans une voiture à PAC, la consommation électrique d'une telle voiture est alors trois fois plus élevée qu'une voiture électrique à batterie ou qu'une voiture hybride rechargeable. La filière hydrogène constitue donc un gaspillage d'énergie, de ressources et d'argent. C'est une impasse au niveau technologique, économique et environnemental. Le temps presse et il faut envisager à court et moyen terme des solutions plus réalistes.

Le **chapitre 4** démontre qu'un développement durable des biocarburants est possible en recourant à de bonnes sources de matières organiques et de bonnes technologies pour produire une petite quantité de biocarburants. En fait, avec le scénario que nous proposons, la quantité de biocarburants requise est l'équivalent de 7,5 % des carburants pétroliers consommés à l'heure actuelle. Le tiers de ces biocarburants serait produit en récupérant les huiles usées et les gras de l'industrie alimentaire, en transformant une partie des déchets municipaux organiques et en utilisant des résidus forestiers. Il ne resterait donc que 5 % des carburants pétroliers à remplacer par des biocarburants issus de cultures énergétiques.

Par ailleurs, ce chapitre montre l'importance d'aller rapidement vers les bio-carburants de deuxième génération (G2), car les cultures intensives actuelles pour produire des biocarburants de première génération ne constituent pas un développement durable. Les biocarburants G2 sont essentiels pour réduire les surfaces des cultures de même que leur impact environnemental, du fait qu'on peut utiliser les fibres des plantes et pas seulement les graines ou les fruits. De plus, la fabrication de biocarburants à partir d'algues microscopiques laisse entrevoir des rendements à l'hectare 50 fois plus élevés que les plantes terrestres à graines huileuses, comme le tournesol ou le colza. Il est également possible d'ajouter de l'hydrogène (produit à l'aide d'énergies renouvelables) aux procédés de fabrication des biocarburants et diminuer davantage les superficies de cultures énergétiques.

Ce chapitre présente également une analyse critique du Plan Pickkens, très discuté présentement aux États-Unis, qui vise à utiliser du gaz naturel comme carburant dans les véhicules routiers, pour diminuer du tiers les importations de pétrole de ce pays. Notre analyse démontre que les Étatsuniens pourraient éliminer beaucoup plus de pétrole avec des véhicules électriques et hybrides branchables.

Finalement, on découvrira qu'ajouter dans les moteurs des petites quantités d'hydrogène (produit à bord des véhicules) ou d'eau pour doper les carburants avec des technologies simples permettra de diminuer de 10% à 40% la consommation de ces derniers, ce qui facilitera davantage l'utilisation des biocarburants.

L'épilogue présente un survol des quatre chapitres et ajoute la dimension de l'épuisement imminent des métaux, d'ici quelques décennies, qui commande une consommation responsable des ressources planétaires. Ce constat accentue encore l'évidence que le développement durable des transports routiers passe nécessairement par une croissance importante des transports en commun. Ceci, malgré la plus grande efficacité énergétique de la motorisation électrique des véhicules.

L'auteur propose également des recommandations pour diminuer progressivement notre consommation de carburants, en attendant une transformation complète du parc des véhicules.

Bref, c'est avec un heureux mariage de nos comportements et des bonnes technologies, harmonieusement intégrées, que nous arriverons à éliminer le pétrole des transports routiers, d'ici 2035, avec majoritairement de l'électricité, un peu de biocarburants de deuxième génération (G2) et plus de transports en commun. Il n'en tient qu'à nous!

CHAPITRE 1

Une crise de civilisation

1.1 – Mise en situation

Vous vivez très probablement dans le confort de la société occidentale. Savez-vous que ce confort vous est assuré en très grande partie par la combustion des carburants fossiles (charbon, pétrole et gaz naturel)?

Le charbon et le gaz naturel sont abondamment utilisés dans les centrales électriques et les usines de transformation de matières premières (ciment, métaux, papier, plastiques, verre, produits chimiques). Le pétrole et particulièrement le gaz naturel servent à chauffer les locaux et l'eau dans beaucoup d'édifices. Le pétrole règne dans le monde des transports, où sa combustion fait avancer les véhicules routiers, les navires et les avions, de même que les véhicules récréatifs. Le pétrole fait également fonctionner les machines agricoles, forestières ou minières, ainsi que les machines dans l'industrie de la construction.

La combustion des carburants fossiles fournit environ 80 % de l'énergie requise pour assurer le confort moderne que nous connaissons. C'est l'abondance des carburants fossiles et leur bas prix qui ont permis la révolution industrielle. Cette révolution a commencé il y a à peine 250 ans, avec l'avènement de la machine à vapeur, et elle s'est accentuée lorsque sont arrivés les centrales électriques et les moteurs à combustion interne, à la fin du 19e siècle.

Au prix actuel de l'électricité, un moteur électrique peut fournir la même quantité d'énergie que celle d'un homme qui travaille fort pendant huit heures, pour moins de 0,06 $ (moins de 0,04 €), en 2008. Par ailleurs, un homme qui travaille 250 jours de 8 heures dans une année (2000 heures/an) peut fournir environ 150 kWh d'énergie. En connaissant la quantité d'énergie consommée en électricité et en carburants fossiles par un État, dans une année, on peut dès lors savoir à combien de « travailleurs virtuels » équivaut cette énergie. En faisant ce calcul on est stupéfait de constater que chaque citoyen d'un pays industrialisé dispose de

Figure 1.1 – Cinq planètes Terre seraient nécessaires pour que tous les humains puissent vivre comme les Étatsuniens, avec les mêmes technologies et habitudes.

quelques centaines de travailleurs virtuels pour lui rendre la vie confortable! C'est autant de «serviteurs», sinon plus, que les rois de France disposaient.

Ces données nous font comprendre l'impact énorme que peuvent avoir les humains sur leur environnement. **S'il fallait que tous les habitants de la Terre aient le même niveau de vie que les Étatsuniens en 2008, en utilisant les mêmes technologies et les mêmes habitudes de consommation, nous aurions besoin de cinq planètes Terre pour y arriver[1] (figure 1.1).**

Notre civilisation épuise les ressources planétaires à un rythme effarant, totalement incompatible avec un développement durable. Si on continuait à consommer le pétrole au même rythme qu'en 2008, il n'en resterait plus une goutte vers 2050. Mais, il n'y a pas que le pétrole; bien d'autres ressources sont surexploitées, comme les métaux, les forêts ou les poissons des océans.

Par ailleurs, l'utilisation massive des carburants fossiles entraîne des émissions polluantes très dommageables pour la santé des humains et de tout l'écosystème (smog, pluies acides, contamination par les métaux lourds). Une étude publiée par l'Association médicale canadienne, en août 2008, estime que 21 000 personnes sont mortes prématurément en 2007 au Canada à cause de la pollution atmosphérique. Cette même étude évalue les coûts sociaux de la pollution à environ 8 milliards de dollars par année[2].

De plus, la combustion des carburants fossiles génère tellement de gaz à effet de serre que le climat de la planète risque de s'emballer d'ici quelques décennies et de transformer une bonne partie de la Terre en régions arides, incapables de subvenir aux besoins en eau et en nourriture des populations actuelles. Cela serait catastrophique pour notre civilisation et pour la biodiversité! **Il y a même un risque sérieux que notre civilisation s'effondre si nous continuons à être aussi insouciants.**

Il est absolument impensable de maintenir notre mode de vie actuel de consommation excessive de produits jetables et de gaspillage éhonté d'énergie. Les

---

1. C. Hails *et al.*, Rapport Planète Vivante 2006, produit par le WWF (World Wide Fund for Nature, Suisse), la Zoological Society of London (Royaume-Uni) et le Global Footprint Network (États-Unis), téléchargement gratuit à www.footprintnetwork.org.
2. Association médicale canadienne, *No Breathing Room. National Illness Costs of Air Pollution*, août 2008. Téléchargement à www.cma.ca.

carburants fossiles doivent rapidement céder la place aux énergies renouvelables pour la production d'électricité et de chaleur, et la motorisation électrique doit dominer les transports le plus tôt possible.

Nous voici donc au cœur du sujet de *Rouler sans pétrole*, et de la raison d'être de ce livre. **Les véhicules à motorisation électrique ne sont pas une mode, mais une NÉCESSITÉ ABSOLUE ET URGENTE**, à plusieurs niveaux. Tout d'abord, bien sûr, pour diminuer de façon importante les effets nocifs des carburants fossiles sur notre santé et sur le réchauffement climatique. Mais notre sevrage du pétrole est également nécessaire en raison du déclin imminent de sa production mondiale, qui se traduira irrémédiablement par une augmentation galopante du prix des carburants, encore pire que celle à laquelle on a assisté de 2005 à 2008. Ce déclin pétrolier, occasionné par l'épuisement de la ressource, devrait s'enclencher d'ici tout au plus 2015, selon l'opinion de plusieurs experts dans le domaine ! C'est pratiquement demain matin, et il n'y a plus de temps à perdre, si on veut éviter une crise économique sans précédent. L'ensemble des secteurs de notre économie dépend du pétrole, pas seulement le transport. Notre agriculture en est fortement tributaire, de même que l'industrie du plastique, les industries forestières et minières, et l'industrie de la pêche.

Curieusement, nos gouvernements ne semblent pas réaliser la gravité de la situation et n'élaborent pas de stratégie pour faire face à cette crise de civilisation, pourtant juste à notre porte. **Ce qui devrait nous frapper à court terme, c'est le déclin pétrolier, suivi, à moyen terme, du réchauffement climatique.** Nous examinerons d'abord les causes sous-jacentes à ces problèmes. Ensuite, nous survolerons les enjeux liés au réchauffement climatique et regarderons d'un peu plus près le déclin pétrolier. Ces sujets sont une source de motivation très forte pour faire progresser le dossier de la mobilité électrique, d'où l'intérêt que nous leur portons dans ce premier chapitre.

Depuis le début de l'histoire humaine, plusieurs civilisations ont vu le jour, se sont développées jusqu'à leur apogée, et ont décliné par la suite. Divers facteurs en ont été responsables, comme les changements climatiques, les maladies, les guerres, et la surconsommation des ressources naturelles.

Mais, l'humanité traverse à l'heure actuelle sa plus grave crise de croissance depuis le début de son histoire. Les trois causes principales sont :
- **l'augmentation fulgurante de la population,**
- **l'accroissement effréné de la puissance destructrice de nos outils technologiques,**
- **notre comportement irresponsable envers la planète et ses habitants.**

Ces trois facteurs combinés à notre dépendance extrême aux carburants fossiles (charbon, pétrole et gaz naturel) constituent un mélange explosif pour la détérioration de notre environnement et l'épuisement de nos ressources.

Les changements climatiques et le déclin pétrolier ne sont pas les seuls problèmes auxquels les hommes font face présentement. Plusieurs points noirs contribuent à l'ampleur des dégâts : pollution de l'air, contamination des sols et de l'eau, épuisement du poisson, déforestation, désertification, appauvrissement du sol, pluies acides, smog, trou dans la couche d'ozone, maladies dues aux produits chimiques, accidents nucléaires, extinction accélérée des espèces... Hubert Reeves et Frédéric Lenoir en font un constat déplorable dans l'excellent livre *Mal de Terre*[3].

1.2 – Une croissance fulgurante de la population

Selon diverses sources d'information[4,5,6], on sait que la population mondiale était d'environ 200 millions d'habitants au début de l'ère chrétienne, et que nous sommes présentement 6,65 milliards d'individus sur la Terre. **Au rythme actuel, la population mondiale augmente d'environ 1 milliard d'habitants tous les 12 ans !**

La **figure 1.2** permet d'apprécier la rapidité de cette augmentation, qui a pris son envol avec le début de l'ère industrielle, vers 1750, et qui s'est littéralement emballée au 20e siècle.

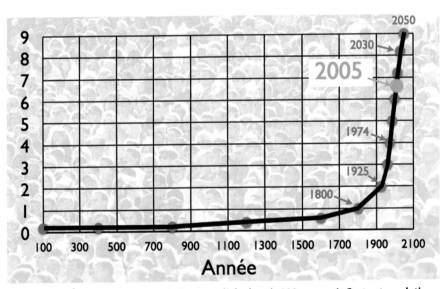

Figure 1.2 – Évolution de la population mondiale depuis 100 ans ap. J.-C. et extrapolation jusqu'en 2050 (milliards d'habitants). Actuellement, la population augmente au rythme de 1 milliard en 12 ans.

3. H. Reeves et P. Lenoir, *Mal de Terre*, Éditions du Seuil, Paris, 2003.
4. Site Internet de Wikipédia, sujet : Population mondiale : http://fr.wikipedia.org/wiki/Population_mondiale.
5. Site Internet des Nations Unies, Dept. of Economic and Social Affairs, Population Division : www.un.org/esa/population/unpop.htm.
6. Site Internet de l'Institut national d'études démographiques (INED) : www.ined.fr.

Le fait que l'environnement ait pris une place aussi importante depuis une vingtaine d'années est une conséquence directe de l'impact écologique produit par autant d'individus qui consomment à un rythme de plus en plus accéléré, de façon aussi irresponsable. Ce qui, il n'y a pas si longtemps, nous semblait un monde pratiquement inaltérable, aux ressources infinies, est rapidement devenu un village global fragile avec des ressources qui s'épuisent rapidement.

1.3 – Des technologies agressives pour l'environnement

L'ère industrielle a été rendue possible grâce au charbon, au pétrole et au gaz naturel. Mais **la combustion de ces carburants fossiles génère des gaz et de la suie qui sont à l'origine du réchauffement climatique, de la pollution insalubre de nos villes et des pluies acides qui détruisent nos forêts et nos lacs.**

En fait, selon les données de l'IEA[7] (International Energy Agency), **80 % des énergies primaires consommées en 2004 provenaient des carburants fossiles. (figure 1.3)** Les énergies primaires couvrent tous les secteurs d'activités humaines : production d'électricité, transport, chauffage, procédés industriels, etc., et incluent l'énergie perdue sous forme de chaleur (environ les 2/3) dans les centrales électriques thermiques ou nucléaires, et dans les moteurs à combustion. L'unité d'énergie généralement utilisée est la tonne d'équivalent pétrole (tep), qui représente l'énergie chimique contenue dans une tonne métrique de pétrole. En 2004, la totalité des énergies primaires consommées à l'échelle mondiale représentait 11,06 milliards de tep, dont 8,8 tep en carburants fossiles.

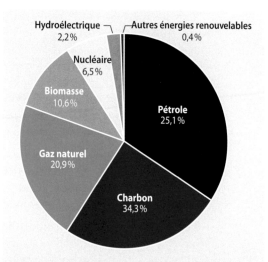

Figure 1.3 – Répartition de la consommation mondiale d'énergies primaires en 2004, selon les données de l'IEA. La consommation totale s'élève à 11,06 milliards de tep (tonne d'équivalent pétrole).

Cette situation ne peut plus durer, et il est grandement temps d'introduire des technologies plus respectueuses de l'environnement ! **C'est aberrant de penser qu'en 2008, les iPod fonctionnent au charbon à 50 % aux États-Unis (50 % de l'électricité provient de centrales au charbon).**

---

7. International Energy Agency (IEA), document *Key World Energy Statistics 2006*, téléchargement gratuit sur le site www.iea.org.

Par ailleurs, 95 % de l'énergie consommée par le secteur des transports provient du pétrole, et **nos voitures utilisent à peine 15 % de l'énergie du carburant qu'elles consomment, pour les faire avancer !** On peut mettre fin à ce gaspillage éhonté de pétrole grâce à de nouvelles technologies qui utilisent de façon très efficace d'autres vecteurs d'énergie que le pétrole. Nous verrons qu'il existe des solutions concrètes qui nous permettraient d'éliminer le pétrole dans les transports routiers d'ici 2035.

1.4 – Les comportements des entreprises et des gouvernements

Notre société nous a inculqué **des croyances qu'il faut désormais remettre en cause** si nous voulons poursuive sereinement notre évolution. Sinon, la Nature va se charger de nous rappeler à l'ordre, et ça risque de ne pas être très agréable !

Une des croyances qu'il nous faut changer stipule que notre économie doit être en croissance perpétuelle pour bien se porter. Nous sommes donc incités à toujours consommer davantage, très souvent au-delà de nos besoins réels et, de préférence, des produits jetables ou avec une durabilité restreinte, afin de faire «tourner l'économie». Or, **un tel comportement est littéralement suicidaire pour l'humanité, à l'égard de la dégradation de l'environnement et de l'épuisement des ressources planétaires !** Il n'est pas pensable de subordonner la survie de notre civilisation à des aberrations économiques semblables.

Ne nous faisons pas d'illusions, derrière le credo de la croissance économique et de la société de consommation se cache un appétit insatiable pour le profit, de la part d'une faible minorité d'individus ultra riches, qui dirigent les grosses entreprises multinationales et les grandes banques.

Ces mêmes individus constituent une véritable oligarchie qui s'est arrogé la gouverne de ce monde, en imposant aux gouvernements leurs vues de capitalistes prédateurs, très peu préoccupés de l'environnement et des conditions sociales des travailleurs. La crise économique de 2008 en est une conséquence scandaleuse. Nos politiciens agissent souvent comme des marionnettes et fléchissent sous le poids de leurs puissants lobbies, à un point tel qu'on assiste présentement à une dégradation sérieuse de la démocratie ! À ce sujet, je vous suggère de lire l'ouvrage du journaliste français Hervé Kempf, intitulé *Comment les riches détruisent la planète*[8], dont voici un extrait qui dévoile le cœur du problème :

> Pourquoi, dès lors, les caractéristiques actuelles de la classe dirigeante mondiale sont-elles le facteur essentiel de la crise écologique ?

> Parce qu'elle s'oppose aux changements radicaux qu'il faudrait mener pour empêcher l'aggravation de la situation.

---

8. H. Kempf, *Comment les riches détruisent la planète*, Éditions du Seuil, Paris, 2007.

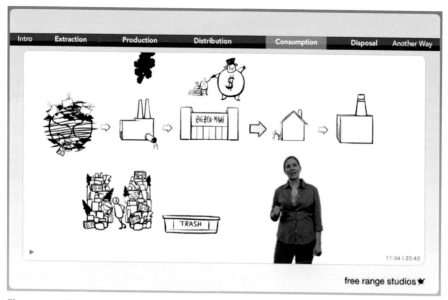

Figure 1.4 – L'exposé multimédia d'Annie Leonard, sur le site www.storyofstuff.com, décrit très bien l'aberration du système de production et de consommation moderne.

En ce qui concerne des échanges commerciaux, les véritables motivations de la mondialisation sont désormais très claires : produire au moindre coût, là où la sécurité sociale des travailleurs et les restrictions environnementales sont minimales, voire inexistantes, et faire le maximum de profit. La délocalisation massive des emplois qui en découle rend la vie très précaire à un nombre toujours croissant de travailleurs dans les pays industrialisés, sous prétexte qu'ils ne sont pas compétitifs. On les menace de fermer leur usine s'ils n'acceptent pas une révision à la baisse de leurs conditions salariales et/ou sociales. Par ailleurs, les populations des pays en émergence travaillent souvent dans des conditions très pénibles et voient leur environnement se dégrader à un rythme ahurissant, comme en Chine par exemple, où chaque semaine, en moyenne, une nouvelle centrale électrique au charbon ouvre ses portes !

Annie Leonard nous fait voir de façon très vivante et accessible toute cette aberration de la société de consommation actuelle, dans son site Internet The Story of Stuff (www.storyofstuff.com). Son exposé multimedia de 20 minutes, illustré par un graphisme simple et explicite (figure 1.4), couvre tous les aspects de la vie d'un produit, de l'extraction des matières premières à l'élimination du produit. Plus de trois millions de personnes l'ont vu. On y apprend, entre autres, que 99 % des produits achetés aux États-Unis ne sont plus utilisés au bout de six mois, et que la fabrication d'un produit entraîne 70 fois plus de résidus et déchets que le produit lui-même !

En ce qui concerne les transports routiers, on pourrait déjà avoir des véhicules électriques. Le problème est que les véhicules électriques durent beaucoup plus longtemps que les véhicules traditionnels et qu'ils demandent beaucoup moins d'entretien. Ils ne cadrent pas très bien avec le modèle économique centré uniquement sur le profit et la consommation. Il y a, en effet, une perte de profit importante en vue pour les compagnies d'automobile. Sans parler des compagnies pétrolières qui ont énormément investi dans leurs infrastructures et qui n'ont sûrement pas envie de diminuer leurs profits faramineux, toujours croissants.

Figure 1.5 – Les voitures électriques EV1 de GM à la démolition. (Source : Plug-in America)

Le film documentaire *Who Killed the Electric Car?*, du réalisateur Chris Paine[9], nous dévoile les coulisses pas très reluisantes de la saga des voitures électriques EV1 (**figure 1.5**). Ces voitures exceptionnelles, construites par GM, de 1996 à 1999, et louées à des particuliers en Californie, ont fini leurs courtes vies entre les dents d'une déchiqueteuse, de 2004 à 2005. La raison invoquée par GM était que les gens n'en voulaient pas, alors que le documentaire de Paine démontre le contraire...

Bien sûr, on peut comprendre que construire de nouvelles usines pour fabriquer des véhicules électriques puisse coûter cher et que cela implique une transformation radicale de l'industrie automobile, avec une diminution des profits pour une certaine période. Mais, au lieu de combattre les législations et le bon sens au niveau de la santé publique, l'industrie automobile aurait mieux fait d'engager des pourparlers avec le gouvernement pour adoucir cette transition et diversifier ses investissements dans les compagnies de batteries, d'électronique de puissance et de moteurs électriques. GM était en avance sur ses compétiteurs avec la EV1 : dommage qu'ils n'aient pas capitalisé davantage sur cette avance.

Heureusement, Toyota a compris et investit massivement dans la commercialisation de voitures hybrides. Même les compagnies étatsuniennes emboîtent le pas à présent. Comme nous le verrons plus loin dans ce chapitre, elles n'ont plus réellement le choix, car **l'approvisionnement en pétrole est devenu une question de sécurité nationale**. GM semble vouloir revenir en force avec sa voiture concept Chevy Volt, et oriente son développement, depuis 2007, vers des voitures hybrides branchables, capables éventuellement de parcourir 64 km en mode électrique, sans consommer d'essence. GM compte commercialiser la Volt en 2010. Chez Toyota, des essais ont été faits, en 2007, avec des Prius rechargeables ayant une

9. C. Paine (réalisateur), film documentaire *Who Killed the Electric Car?*, Sony Pictures, 2006.

autonomie de 11 à 14 km en mode électrique. La prochaine génération branchable de cette voiture est aussi prévue pour 2010.

Il ne faut pas sous-estimer notre pouvoir de changer les choses. Nos choix de produits peuvent être déterminants. Choisissons des produits moins énergivores, plus respectueux de l'environnement et plus durables. C'est ce que les gens ont fait pour leurs automobiles, avec comme conséquence que les constructeurs étatsuniens, dont les véhicules consomment plus d'essence que la moyenne, se retrouvent dans une situation précaire. Ces constructeurs sont donc appelés à évoluer rapidement ou à disparaître, d'où leur regain d'intérêt pour les voitures hybrides, car ils n'ont plus le choix.

En ce qui concerne le comportement des gouvernements, **l'exemple de la Suède qui veut devenir le premier État à éliminer le pétrole de son économie, d'ici 2030, est particulièrement stimulant.** Pour le chauffage, les Suédois vont remplacer les carburants fossiles par la biomasse, la cogénération et la géothermie. Pour les véhicules, l'électricité et les biocarburants détrôneront le pétrole. Le gouvernement suédois travaille en collaboration avec Saab et Volvo à cet effet. D'ailleurs, Volvo annonçait, en septembre 2007, une voiture concept hybride branchable à quatre moteurs-roues, capable d'une autonomie de 100 km en mode électrique. (C'est cette automobile qui fait l'objet de la couverture de ce livre!)

Pour les gouvernements plus timides, voire récalcitrants aux changements nécessaires, **exerçons des pressions pour que les élus mettent en place des plans verts avec des mesures incitatives et financières adéquates.** Le reporter écologiste français Nicolas Hulot fait figure de leader à cet égard, avec son pacte écologique[10], dont l'un des objectifs est la diminution par un facteur 4 des émissions de gaz à effet de serre d'ici 2050 pour les pays industrialisés. À nous de choisir les politiciens qui semblent les plus déterminés à prendre le cap du développement durable. **Notre vote est un autre pouvoir dont nous disposons pour faire changer les choses.**

En ce qui concerne la politique, nous assistons en ce moment, dans plusieurs pays du monde, à un dérapage vers l'extrême droite, accompagné d'un appui trop aveugle au système économique en place. N'oublions pas que ce n'est pas l'ensemble de la population qui doit être au service de l'économie, mais bien le contraire! Par ailleurs, le système économique actuel ne tient pas compte des coûts environnementaux des différents produits, ce qui est une aberration. Heureusement, l'avènement du protocole de Kyoto pour la diminution des gaz à effet de serre commence à changer les choses, en mettant en place une bourse du carbone.

Pour traverser les grands défis des prochaines décennies, notre système économique va devoir subir une transformation en profondeur et devenir plus humaniste et respectueux de l'environnement. À ceux qui aimeraient pousser plus loin ces perspectives, je recommande l'ouvrage de Philippe Derudder intitulé *Rendre*

---

10. N. Hulot, *Pour un pacte écologique*, Éditions Calmann-Lévy, Paris, 2006. Voir le site : www.pacte-ecologique.org.

la création monétaire à la société civile. Vers une économie au service de l'homme et de la planète[11]. Cet ex PDG d'une société multinationale a constaté l'absurdité économique dans laquelle nous naviguons. Il est également le coauteur, avec André-Jacques Holbecq, du livre à succès *Les 10 plus gros mensonges sur l'économie*[12].

1.5 – Comportements individuels et sociaux

Que faire au niveau de nos comportements individuels et sociaux pour mieux traverser la crise de civilisation actuelle?

En ce qui concerne nos comportements de consommateurs, comme le dit si bien Philippe Derudder dans ses conférences: «**Il faut faire la différence entre nos désirs et nos besoins**». Nous allons devoir consommer moins et mieux.

Par ailleurs, l'individualisme est un comportement que nous avons intérêt à faire évoluer vers la solidarité et le coopératisme. Des initiatives particulièrement intéressantes ont vu le jour dans le domaine des transports routiers, depuis une dizaine d'années. Mentionnons, entre autres, les coopératives de location de voitures ou services d'**autopartage**. Le **covoiturage** organisé interurbain est un bel exemple de comportement solidaire qui progresse bien. Le covoiturage local se développe également de plus en plus, grâce à Internet.

L'utilisation accrue des **transports en commun** constitue un comportement social incontournable pour redonner à nos villes un air plus sain à respirer et une dimension plus humaine, tout en réduisant notre consommation de matières premières (moins d'automobiles). Dans ce domaine, **les gouvernements ont la responsabilité d'offrir aux citoyens des services de transport en commun plus rapides et plus confortables, afin d'inciter plus de gens à les utiliser.**

Enfin, les villes ont tout intérêt à encourager **le vélo**, en multipliant les pistes cyclables et en offrant des services de location de vélos, comme à Paris avec le projet Vélib. Il ne faudrait pas oublier la **marche,** qui peut compléter nos moyens de transport tout en contribuant à notre santé.

L'organisation canadienne **Équiterre**, basée à Montréal, fait la promotion de ces solutions alternatives de mobilité sur son site Internet (www.equiterre.org/transport), en mettant en valeur tous les avantages de ne pas utiliser presque exclusivement l'automobile, en plus de l'atout financier très alléchant. Leur **cocktail transport** propose un ensemble de moyens de transport complémentaires, qui permettent à un citadin de jouir du meilleur de tous les mondes. Finis les embouteillages, les recherches de stationnement, les visites aux ateliers de réparation et, lorsqu'on a besoin d'un véhicule, on loue celui qui nous convient, selon l'activité: automobile, fourgonnette, camion…

---

11. P. Derudder, *Rendre la création monétaire à la société civile. Vers une économie au service de l'homme et de la planète*, Éditions Yves Michel, Barret-sur-Méouge (France), 2005.
12. P. Derudder et A.-J. Holbecq, *Les 10 plus gros mensonges sur l'économie*, Éditions Dangles, Escalquens (France), 2007.

D'autres comportements à encourager sont, bien entendu, **l'efficacité et la sobriété énergétique.** Encore ici, on trouvera sur le site d'Équiterre, dans la section Énergie (www.equiterre.qc.ca/energie), toutes les informations pertinentes pour réduire sa consommation d'énergie et les gaz à effet de serre qui y sont rattachés. Le site de la **Fondation David Suzuki** (www.davidsuzuki.org/francais.asp) est également très riche à cet égard. Ce grand communicateur et écologiste canadien poursuit son œuvre de communication à travers ce site qui est une mine d'informations sur pratiquement tous les aspects du développement durable.

Le **recyclage** est également synonyme de développement durable, en ce qui a trait à la gestion de nos déchets. On peut même fabriquer des carburants à partir des déchets municipaux et des résidus industriels. **Mais ce qui est encore mieux que le recyclage, c'est de ne pas consommer inutilement,** d'acheter des produits usagés quand c'est possible, de faire réparer nos appareils défectueux et de mettre à jour nos ordinateurs, au lieu d'acheter du neuf. Il faut bien dire que l'industrie actuelle n'encourage pas ces comportements, bien au contraire, puisqu'on ne tient pas compte des coûts environnementaux et qu'on cherche à maximiser les profits. **Il va falloir que nos gouvernements imposent des balises pour enrayer les pratiques néfastes d'incitation à la consommation et encourager la durabilité des produits, leur réparation et leur mise à jour.**

Enfin, concernant nos déchets organiques, le **compostage** permet également de les valoriser au lieu de les enfouir ou les incinérer. Le livre de Lili Michaud, intitulé *Tout sur le compost*[13], constitue une excellente source d'information.

Après ce bref survol de l'explosion de la population planétaire, de notre forte dépendance aux carburants fossiles et des comportements irresponsables envers la consommation, regardons de plus près les conséquences qui en découlent.

1.6 – Le réchauffement climatique

Pratiquement tout le monde a expérimenté ce qu'on appelle l'*effet de serre*, et le réchauffement qu'il apporte à une enceinte close vitrée, comme une serre. **Lorsqu'on laisse une voiture en plein soleil l'été, avec les vitres fermées, et qu'on revient quelques heures plus tard, la température à l'intérieur de la voiture est alors beaucoup plus élevée qu'à l'extérieur et souvent insupportable. C'est ça l'effet de serre.**

Pour comprendre ce phénomène, il faut d'abord savoir que la lumière émise par le soleil réchauffe les corps et que ces derniers, une fois réchauffés, émettent une radiation invisible qu'on appelle infrarouge. Cette radiation infrarouge réchauffe également les corps qu'elle frappe, autant sinon plus que la lumière visible. La raison pour laquelle la chaleur s'accumule dans une voiture exposée au soleil est que la radiation infrarouge émise par les surfaces réchauffées à l'intérieur de la voiture ne peut traverser les vitres pour sortir à l'extérieur. Les vitres laissent passer la lumière visible,

---

13. L. Michaud, *Tout sur le compost*, Éditions MultiMondes, Québec, 2007.

mais pas la radiation infrarouge. L'énergie de la lumière solaire qui pénètre dans la voiture se trouve donc piégée à l'intérieur, ce qui fait monter la température.

Certains gaz dans l'atmosphère agissent comme les vitres d'une serre et permettent que la température soit confortable à la surface de la Terre. Ce sont les gaz à effet de serre (GES) que nous identifierons un peu plus loin. Sans eux, la température moyenne à la surface de notre planète serait d'environ -18°C, au lieu de +15°C comme c'est le cas présentement[14,15]. Les gaz à effet de serre sont donc essentiels pour que l'eau demeure liquide à la surface de notre planète et que la vie s'y développe avec abondance et diversité.

Le problème est que, depuis le début de l'ère industrielle, il y a 250 ans, et particulièrement au cours des cinquante dernières années, **les humains ont émis énormément de dioxyde de carbone (CO_2) dans l'atmosphère chaque année, et ils en émettent de plus en plus. Or, le CO_2 est le principal GES modifié par les activités humaines, et le CO_2 qu'on génère résulte en très grande partie de la combustion des carburants fossiles.** La déforestation massive des forêts tropicales, dans laquelle les arbres sont brûlés pour exploiter les sols, en émet une grande quantité également. Le méthane est un autre GES important, émis par les matières en décomposition dans l'eau (terres humides, rizières etc.) ou dans les sites d'enfouissement, et en bonne partie par le bétail (flatulences et déjections).

Avant l'ère industrielle, la concentration de CO_2 dans l'atmosphère était de 280 parties par million (ppm) et, en 2008, elle dépasse 380 ppm. Ce qu'il faut savoir, c'est que jamais au cours des 650 000 dernières années, le niveau de CO_2 n'a dépassé 300 ppm[16]. Ça, on le sait grâce aux multiples expéditions scientifiques au Groenland et en Antarctique, deux terres glacées qui contiennent de véritables archives historiques du climat de la planète. En effet, à chaque année qui s'écoule il se forme une couche de glace qu'on peut différencier de celles des autres années, un peu comme les cernes des arbres. En forant la glace pour en extraire des carottes et en analysant le contenu des bulles d'air qu'elle contient, on peut connaître la composition de l'atmosphère à différentes époques dans le passé.

Or, en parallèle avec cette augmentation récente et extraordinaire des gaz à effet de serre de 1955 à 2005 on a mesuré une augmentation moyenne de la température de la planète de 0,6°C sur cette même période[17]. Un changement de température moyenne en apparence si faible peut conduire à des conséquences très sérieuses au niveau de la planète, comme on peut déjà le constater avec la fonte des glaces en

14. C. Villeneuve et F. Richard, *Vivre les changements climatiques. Réagir pour l'avenir*, Éditions MultiMondes, Québec, 2007.
15. S. Rabourdin, *Changement climatique, comprendre et agir*, Éditions Delachaux et Niestlé, Paris, 2005.
16. GIEC, *Changements climatiques 2007. Les éléments scientifiques*, Résumé technique, groupe de travail 1, 2007. Téléchargement gratuit à: www.ipcc.ch.
17. S. Hines, *Without its insulating ica cap. Arctic surface waters warm to as much as 5 C above average*, University of Washington News (www.uwnews.org), 11 décembre 2007. Relate les observations présentées par Michael Steele, un océanographe travaillant au Applied Physics Laboratory de l'Université de Washington.

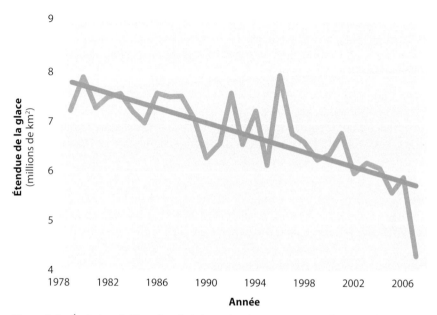

Figure 1.6 – Évolution de l'étendue de la banquise Arctique, au mois de septembre, de 1979 à 2007, selon des photos par satellite. (Source : National Snow and Ice Data Center, Université du Colorado à Boulder)

Arctique. Tous les modèles climatologiques prédisent que le réchauffement du Pôle Nord va être plus accentué qu'ailleurs sur la planète, et déjà en 2007 on a enregistré des élévations de température de 3 à 4°C dans certaines régions de l'Arctique[18,19].

La figure 1.6 nous montre la diminution de l'étendue de la banquise arctique de 1979 à 2007, pour le mois de septembre, qui correspond au moment de l'année où il y a le moins de glace. **La fonte spectaculaire observée en 2007 fait dire aux scientifiques que la glace océanique arctique aura complètement disparu, en été, d'ici à 2020, et peut-être avant[20] !**

Il faut garder à l'esprit que la glace et la neige n'absorbent pas la radiation solaire, mais la réfléchissent dans l'espace. Lorsque la banquise arctique fond, la radiation solaire peut alors pénétrer l'océan Arctique et y être absorbée, ce qui réchauffe l'eau. La disparition de la banquise apporte donc une contribution additionnelle au réchauffement de l'Arctique, en plus de l'effet de serre. C'est ce qu'on appelle une **rétroaction positive**. Plus la glace fond, plus l'océan se réchauffe, et plus l'océan se réchauffe, plus la glace fond.

---

18. Rédaction, *Arctic Sea Ice Shatters All Previous Record Lows*, article du National Snow and Ice Data Center (NSIDC), 1ᵉʳ octobre 2007.
19. S. Hines, *op. cit.*
20. Rédaction, *Arctic Sea Ice Shatters All Previous Record Lows, op cit.*

Il n'y a pas que dans l'Arctique que la glace fond, c'est aussi le cas des glaciers de montagne partout sur la planète. Leur disparition va entraîner de graves problèmes d'approvisionnement en eau douce pour une portion importante de la population mondiale, d'ici le milieu du 21e siècle.

Les vagues de chaleur intense, les sécheresses, l'augmentation des feux de forêt et des inondations, les ouragans plus intenses et plus nombreux sont d'autres conséquences d'un réchauffement climatique. Déjà, plusieurs de ces symptômes se sont manifestés, à différents degrés, et devraient s'amplifier avec l'élévation de la température.

Face aux perspectives de changements problématiques du climat terrestre, l'*Organisation météorologique mondiale* (OMM) (http://www.wmo.ch) et le *Programme des Nations Unies pour l'environnement* (PNUE) (http://www.unep.org) ont créé le **Groupe intergouvernemental d'experts sur l'évolution du climat (GIEC)** en 1988. Ce groupe a remis son quatrième rapport en 2007 (voir le site du GIEC: www.ipcc.ch), qui fait la synthèse du travail de plus de 1000 scientifiques à travers le monde, afin de comprendre et de prédire les changements climatiques et leurs conséquences pour notre civilisation.

Pour prédire le réchauffement climatique en 2100, différents scénarios ont été envisagés par le GIEC, selon qu'on fait beaucoup d'efforts pour diminuer les GES, qu'on continue pratiquement comme on le fait présentement, avec des efforts mitigés et une augmentation importante de la population mondiale, ou qu'on s'aligne sur des scénarios mitoyens. **Les résultats : l'élévation moyenne de la température planétaire, en 2100, oscillera entre 2°C et 5°C, selon le scénario considéré**[21] ! Pour mettre en perspective ces résultats, il faut savoir que lors de la dernière ère glaciaire, la température planétaire moyenne n'était que 5°C plus basse qu'aujourd'hui. Malgré cette petite différence apparente, il y avait quand même quelques centaines de mètres de glace au-dessus de Boston et Chicago, et le niveau des mers était plus bas de 100 mètres (l'eau était sous forme de glace dans les pôles)! Un changement moyen de la température planétaire de 5°C peut vouloir dire 12°C dans certaines régions du globe, et 1°C dans d'autres. En fait, quelques degrés peuvent faire toute la différence pour déterminer l'habitabilité des diverses régions de la planète, en raison particulièrement des rétroactions positives du système climatique.

Nous vivons à l'heure actuelle une période où les terres habitables couvrent une large surface de la planète. Mais, il n'en a pas toujours été ainsi, et ça pourrait bien changer rapidement dans le futur. L'équilibre est très fragile et il ne faudrait pas exercer une pression trop forte sur notre environnement, sinon **il y a des possibilités bien réelles que le climat s'emballe et diminue considérablement les zones habitables. On se retrouverait alors avec des centaines de millions de réfugiés climatiques.**

---

21. GIEC, *op. cit.*

Les rétroactions positives qui peuvent amplifier le réchauffement climatique sont nombreuses. Nous avons mentionné plus haut la diminution de la couverture de glace et de neige qui favorise le réchauffement des océans et du sol. Il y a également le pergélisol (sol gelé à l'année) au nord du Canada, de l'Alaska et de la Russie, qui comporte d'immenses marécages. En dégelant, ces marécages dégageraient d'énormes quantités de méthane, un gaz à effet de serre beaucoup plus actif que le CO_2, ce qui augmenterait l'effet de serre, donc le réchauffement. D'immenses quantités de méthane sont également piégées au fond des océans, sous forme d'hydrates de méthane. Les scientifiques pensent qu'un réchauffement trop important des océans pourrait entraîner la libération du méthane océanique, ce qui ferait plus que doubler l'effet de serre.

Par ailleurs, on estime que plus du quart des émissions humaines de CO_2 sont absorbées par les océans. Mais, lorsque la température de l'eau monte, la capacité des océans à stocker le CO_2 diminue, ce qui contribue à en augmenter le pourcentage dans l'atmosphère, et donc à augmenter l'effet de serre[22]. C'est une autre rétroaction positive.

Enfin, la vapeur d'eau est le plus important gaz à effet de serre de la planète, mais sa quantité dans l'atmosphère est demeurée stable pendant longtemps, et la révolution industrielle n'a pas contribué à en ajouter, comme c'est le cas pour le CO_2. Toutefois, si la planète continue de se réchauffer, il y aura plus de vapeur d'eau dans l'atmosphère, car l'air chaud peut en contenir un plus grand pourcentage à l'équilibre. Or, un air plus humide renforce l'effet de serre...

Il y a également des rétroactions négatives dans le système climatique qui contribuent à diminuer le réchauffement amorcé. Les nuages en sont un exemple. Ces derniers agissent comme la neige au sol et réfléchissent la radiation solaire dans l'espace, contribuant ainsi au refroidissement de la Terre. Pour se former, les nuages ont besoin d'aérosols, comme le pollen, les poussières naturelles soulevées par le vent, ou les particules émises par nos voitures et cheminées d'usine. Ces aérosols en suspension dans l'air favorisent la condensation de la vapeur d'eau en gouttelettes, ce qui donne l'apparence blanchâtre des nuages. Or, un réchauffement climatique entraîne plus d'évaporation d'eau et en principe la formation de plus de nuages, ce qui peut diminuer, dans une certaine mesure, le réchauffement climatique. C'est ce qu'on appelle une rétroaction négative.

Mais, comme la formation des nuages est intimement liée à la présence d'aérosols, la question est complexe et comporte encore passablement d'incertitudes pour déterminer si une augmentation de la vapeur d'eau dans l'atmosphère entraînera plus de réchauffement, à cause de l'effet de serre de la vapeur d'eau, ou moins de réchauffement, en raison du plus grand nombre de nuages. Dans l'incertitude, et compte tenu de la gravité des conséquences, le principe de précaution nous commande de ne pas prendre de risque.

---

22. L. Bopp, L, Legendre et P. Monfray, «La pompe à carbone va-t-elle se gripper?», article dans *Les dossiers de La Recherche. Le Risque climatique*, numéro 17, novembre 2004, pages 78 à 82.

Concernant les aérosols émis par les voitures et l'industrie, on sait avec certitude qu'ils diminuent le réchauffement climatique, en réfléchissant directement la lumière du soleil et en favorisant les couvertures nuageuses, si ténues soient-elles. Les scientifiques du GIEC le mentionnent dans leur rapport[23], et un excellent documentaire de la BBC, intitulé *Global dimming*[24] (*Assombrissement global*), expose le dilemme que cela entraîne. En effet, **si on réduit les particules issues de nos voitures et usines, mais pas le CO_2 qu'elles émettent, on accentue le réchauffement climatique.**

C'est possiblement ce qui est arrivé en Europe, comme le laissent entendre les scientifiques qui ont participé au documentaire de la BBC, car les Européens ont entrepris de mieux contrôler leurs émissions. Cela expliquerait les canicules importantes observées, particulièrement celle de 2003 en France, qui a causé plus de 10 000 morts. Il faut retenir des aérosols générés par les humains qu'ils camouflent la vraie puissance du réchauffement climatique. Sans eux, l'augmentation de la température planétaire pourrait atteindre 8°C d'ici 2100. Pourtant, ces fines particules de suie et de cendres sont très néfastes pour la santé, en particulier pour le système respiratoire des jeunes enfants et des personnes âgées. On se doit donc de les réduire, ce qui met une pression encore plus forte pour diminuer rapidement les gaz à effet de serre.

Il est bon de préciser que les prédictions du GIEC ne tiennent pas compte de certaines rétroactions positives difficiles à évaluer, comme la libération du méthane par le pergélisol ou les océans, qui pourraient conduire à des températures planétaires passablement plus élevées. **Afin de prévenir les graves conséquences d'un réchauffement climatique trop accentué, les climatologues recommandent fortement d'éviter un réchauffement planétaire supérieur à 2°C.** Pour ce faire, il faudrait limiter la concentration de CO_2 dans l'atmosphère à 450 ppm environ, ce qui implique de diminuer les émissions globales d'un facteur 2 d'ici 2050, par rapport aux émissions de CO_2 en 2000[25]. Par ailleurs, les pays dont l'économie est en émergence, comme la Chine et l'Inde, vont nécessairement augmenter leurs émissions d'ici 2050. **Toutefois, pour ne pas dépasser 2°C de réchauffement planétaire, ces pays émergents devront stabiliser leurs émissions à un niveau beaucoup plus bas que celui des pays industrialisés en 2008. Les pays industrialisés, de leur côté, se doivent de diminuer leurs émissions de CO_2 d'un facteur 4 d'ici 2050!**

Tous les secteurs d'activité humaine sont concernés et, en particulier, celui des transports. Des changements majeurs doivent prendre place d'ici à 2020 si on veut avoir une chance de réussir. Il est inquiétant de constater qu'il n'y a encore eu aucun ralentissement des émissions globales de gaz à effet de serre : au contraire, comme nous le montre la **figure 1.7**, issue d'une étude publiée par M.R. Raupach *et al.* dans

---

23. GIEC, *op. cit.*
24. BBC, *Global Dimming*, documentaire de la série Horizon, télédiffusé le 15 janvier 2005. Aller à l'adresse www.bbc.co.uk/sn et taper Global dimming dans l'espace de recherche.
25. GIEC (IPCC en anglais), *Climate Change 2007. The physical Science Basis*, groupe de travail 1, chapitre 10 : «Global Climate Projections», 2007, page 791. Téléchargement gratuit à : www.ipcc.ch.

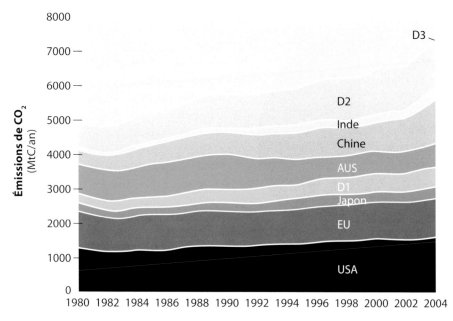

Figure 1.7 – Évolution des émissions annuelles de CO_2 causées par la combustion des carburants fossiles et par les procédés industriels (en millions de tonnes de carbone par année), et associées à différents pays ou groupes de pays : États-Unis (USA), Europe (EU), ancienne Union Soviétique (AUS), Chine, Inde et Japon. Les autres pays sont regroupés comme suit : pays développés (D1), pays en développement (D2) et pays sous-développés (D3). Source : M.R. Raupach *et al.*, « Global and regional drivers of accelerating CO_2 emissions », *Proceedings of the National Academy of Science of the USA*, vol. 104, n° 24, 12 juin 2007, pages 10288 à 10293.

les *Proceedings of the National Academy of Science,* en 2007[26]. Les auteurs de cette étude font valoir que **le taux d'augmentation annuelle des émissions de CO_2 pour les années 1990 était de 1,1 % par année, en moyenne, et qu'il est passé à 3,2 % pour la période 2000 à 2004** ! Ce n'est pas en triplant le taux d'augmentation de nos émissions qu'on va régler nos problèmes.

Comme on peut le constater sur la figure 1.7, la principale augmentation pour la période 2000-2004 provient de la Chine, et cette augmentation risque fort de s'accentuer au cours de la période 2004-2010. Un des problèmes, c'est que les Chinois utilisent énormément le charbon. Leur électricité, entre autres, provient à 80 % de centrales au charbon. De plus, la mondialisation irresponsable, que nous connaissons présentement, ne cesse de délocaliser vers la Chine des usines situées dans des pays dont les centrales électriques sont beaucoup plus propres. Cette délocalisation fait croître l'activité industrielle chinoise à un rythme ahurissant, tout en amplifiant les émissions de CO_2. Sans compter que ce transfert de la

---

26. M.R. Raupach *et al.*, « Global and Regional Drivers of Accelerating CO_2 emissions », *Proceedings of the National Academy of Science*, vol. 104, n° 24, 12 juin 2007, pages 10288-10293. Publié en ligne le 22 mai 2007 ; www.pnas.org/cgi/content/abstract/0700609104v1.

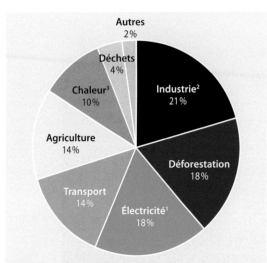

Figure 1.8 – Contributions relatives des différents secteurs aux émissions globales de gaz à effet de serre, en 2005, ramenés en équivalents CO_2.

1. Les centrales en cogénération (électricité-chaleur) sont comptabilisées à 40 % de leurs émissions. Les émissions dues à l'extraction et au traitement des carburants fossiles sont comptabilisées dans Industrie.

2. Excluant les GES produits par la production d'électricité pour l'industrie et incluant l'extraction et le raffinage des carburants fossiles.

3. Bâtiments, eau et cuisson des aliments utilisant des carburants fossiles et excluant le chauffage électrique. La chaleur des centrales en cogénération est comptabilisée à 60 % des émissions.

Source : Données tirées de K.A. Baumert, T. Herzog et J. Pershing, « Navigating the Numbers », *Greenhouse Gas Data and International Climate Policy*, rapport de World Resources Institute (www.wri.org), décembre 2005.

production en Asie entraîne un énorme transport de marchandises d'un bout à l'autre de la planète, ce qui accroît également les émissions. **Mieux vaut donc consommer moins et mieux, et des produits locaux autant que possible.**

L'idée n'est pas d'empêcher la croissance économique de la Chine, mais cette croissance ne doit pas se faire au détriment de la planète et de ses habitants. Le marché intérieur chinois est suffisamment gros pour que la majorité de son économie soit nationale, au lieu d'internationale, comme c'est le cas présentement. Cela impliquerait pour la Chine une croissance moins fulgurante et lui donnerait le temps de développer une industrie plus respectueuse de l'environnement, ce qui serait mieux pour tout le monde.

Après ce survol des problèmes graves liés aux carburants fossiles, concernant le réchauffement du climat, l'urgence de s'affranchir du pétrole prend toute sa signification. Toutefois, afin de mettre en perspective les transformations nécessaires dans le monde des transports, il est important de mentionner que **les véhicules routiers ne sont responsables que de 10 % des gaz à effet de serre issus des activités humaines, plus 2 % environ pour l'extraction et le raffinage des carburants utilisés**[27] ! La figure 1.8 présente le portrait global des émissions générées par l'Homme.

Le travail à faire est donc colossal, dans tous les secteurs, et on ne peut plus remettre à demain les actions qui s'imposent. Il faut utiliser toutes nos énergies pour changer de direction et mettre le cap vers une civilisation en harmonie avec son environnement, et respectueuse des valeurs humaines. C'est le plus gros défi du 21e siècle.

---

27. K.A. Baumert, T. Herzog et J. Pershing, « Navigating the Numbers », *Greenhousegas Data and International Climate Policy*, World Resources Institute, 2005. Téléchargement : www.wri.org/publication/navigating-the-numbers.

1.7 – Le déclin pétrolier

Il n'y a pas que le réchauffement climatique qui commande une réduction de notre consommation de pétrole, il y a également le déclin imminent des capacités de production
de la planète. En effet, le pétrole est une ressource finie, et nous avons déjà consommé
environ la moitié des réserves planétaires de cet or noir. Si on continuait de consommer
le pétrole au rythme de 85 millions de barils par jour (1 baril = 159,1 litres), comme on
l'a fait en 2007, on aurait épuisé les réserves mondiales vers 2050. Mais, le problème est
que la demande croît à un rythme important, en raison de la Chine et de l'Inde. Il est
prévu qu'en 2030, si on ne change pas beaucoup nos habitudes, la demande atteindra de
115 à 120 millions de barils par jour, soit une augmentation de 35 % à 40 % par rapport à
2007[28]. La pression sur les ressources planétaires de pétrole devient donc intenable et la
décroissance dans la production est imminente.

**Plusieurs géologues, spécialistes du pétrole, ont commencé à sonner l'alarme à
la fin des années 1990. L'un d'eux, Colin J. Campbell, a fondé l'Association for the
Study of Peak Oil & Gas (ASPO), en 2001.** Cette organisation informelle, qui regroupe
principalement des géologues retraités et des analystes du pétrole, a pour mission d'in-
former et de sensibiliser les gens de l'imminence du maximum de production mondiale
de pétrole (*peak oil*) et de celui du gaz naturel, ainsi que des conséquences graves qui
en découlent pour notre civilisation. L'ASPO a déjà organisé plusieurs conférences internationales sur le sujet et les comptes-rendus des présentations sont disponibles sur le site
Internet de l'association (www.peakoil.net).

Pour mieux comprendre ce qui se passe, il faut savoir que le pétrole n'est pas contenu
dans une grosse caverne souterraine de laquelle il suffirait de le pomper, au rythme
désiré, simplement en augmentant le nombre de pompes. En réalité, le pétrole est composé d'une variété de molécules plus ou moins grosses d'hydrocarbures qui suintent à
travers des roches sédimentaires poreuses[29]. La fraction la moins visqueuse (plus petites
molécules) est extraite plus facilement au début de l'exploitation d'un gisement. Au fil du
temps, le pétrole d'un gisement devient donc progressivement plus difficile à extraire,
jusqu'à un point où il faudrait dépenser trop d'énergie pour le faire monter à la surface,
comparativement à l'énergie qu'il contient.

**La conséquence de tout ceci est que la production pétrolière croît au début, du
fait qu'on multiplie les puits d'extraction d'un gisement, pour ensuite plafonner
et décroître par la suite.** On obtient donc une courbe de production en fonction du
temps qui ressemble à une cloche, dont le sommet correspond, en gros, au moment où
la moitié du pétrole a été extraite. C'est en se basant sur ses connaissances de géologue
pétrolier que King Hubbert prédit, en 1956, que la production pétrolière des États-Unis
allait atteindre son maximum en 1970, ce qui arriva effectivement (voir la surface bleue

---

28, Energy Information Administration, *International Energy Outlook 2007*, U.S. Department of Energy (DOE),
   mai 2007. Téléchargement gratuit à www.eia.doe.gov/oiaf/ieo/index.html.
29. P. R. Bauquis et E. Bauquis, *Pétrole & Gaz Naturel*, Éditions Hirlé, Strasbourg, et Éditions Technip, Paris,
   2005.

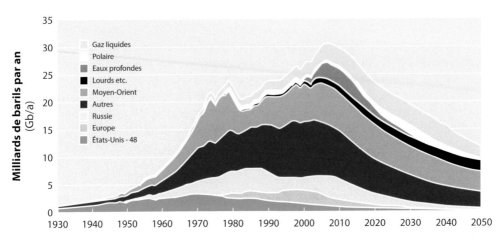

Figure 1.9 – Pétrole et gaz liquides (scénario 2004). Courbe globale de production de pétrole et de gaz liquides, couvrant la période 1930-2050, telle que présentée en 2004 par Colin J. Campbell, fondateur de l'Association for the Study of Peak Oil & Gas (ASPO). La période 2004-2050 constitue une prévision basée sur les réserves mondiales connues et les connaissances des méthodes d'extraction du pétrole et du gaz naturel.

dans la figure 1.9). Depuis 1970, la production étatsunienne de pétrole ne cesse de décroître. Désormais, on parle du Pic de Hubbert pour désigner le maximum de production d'un gisement pétrolier ou de l'ensemble des gisements d'une région.

Ce qui est vrai pour les États-Unis l'est aussi pour tous les pays producteurs de pétrole, et pour la planète dans son ensemble. La figure 1.9 montre l'histoire et la prédiction pour la production mondiale de pétrole et de gaz liquides, telle que présentée par l'ASPO en 2004[30]. Les **gaz liquides** proviennent du gaz naturel (principalement composé de méthane), et sont constitués par les molécules gazeuses plus lourdes que le méthane (éthane, propane, butane), qui se liquéfient facilement par compression à température ambiante.

Comme on peut le constater sur cette courbe, le maximum de production se situe en 2008 et il est prévu qu'en 2030, la production de pétrole et de gaz liquides ait diminué du tiers par rapport à 2008 ! **En considérant que la demande est toujours croissante, on peut dire que si on maintenait sensiblement nos habitudes de consommation de 2008, en 2030, nous ne pourrions satisfaire que la moitié de la demande !**

Ceux qui pensent que les sables bitumineux du Canada arriveront à la rescousse du déclin pétrolier constateront que c'est loin d'être suffisant (zone noire sur la figure 1.9). De plus, il s'agit d'une exploitation très énergivore, polluante et qui émet beaucoup de gaz à effet de serre. L'extraction du pétrole de ces sables

---

30. Voir les bulletins mensuels (*Newsletters*) de l'ASPO pour l'année 2004, accessibles sur leur site Internet à www.peakoil.net. Le graphique apparaît dans tous les bulletins.

exige des infrastructures colossales et nécessite une consommation très importante de gaz naturel pour produire la vapeur d'eau requise par les procédés en usage. Même si les réserves canadiennes de ce pétrole lourd sont considérables, il est impensable de les exploiter rapidement à la fois pour des raisons environnementales et à cause des limitations en ressources matérielles et humaines.

La logique comptable typique des grosses corporations nous conduit à penser que ce n'est pas dans l'intérêt financier des pétrolières d'annoncer l'arrivée du déclin pétrolier. Aussi longtemps que la population garde l'impression que l'approvisionnement n'est pas un problème, les gens ne ressentent pas l'urgence de préparer des alternatives au pétrole. Ainsi, lorsque la rareté survient, le consommateur se retrouve à la merci de la hausse des prix, ce qui est très profitable aux pétrolières. On devrait donc s'attendre à ce que les compagnies pétrolières n'annoncent qu'à la dernière minute l'arrivée du maximum des capacités mondiales de production de l'or noir. Or c'est justement ce que certaines d'entre elles ont commencé à faire à la fin de 2007.

En effet, on a pu lire dans le quotidien français *Le Monde,* du 16 novembre 2007, un article de Matthieu Auzanneau intitulé «La production d'or noir n'augmentera plus, selon l'ex-n°2 du pétrole saoudien». Cet article rapporte les déclarations que Sadad Al-Husseini, ex-vice-président de la pétrolière saoudienne Saudi Aramco, avait faites le 30 octobre 2007, à la conférence Oil & Money, tenue à Londres. **Al-Husseini a déclaré alors que la production mondiale de pétrole avait atteint son maximun, et que les chiffres officiels exagèrent les réserves planétaires de 300 milliards de barils, soit un quart des réserves encore exploitables!**

Par ailleurs, à la même conférence, **Christophe de Margerie, président de la pétrolière française Total,** a déclaré qu'il serait très difficile d'atteindre une production de pétrole de 100 millions de barils par jour. Ces propos ont été rapportés par le journal l'*Echo* de Bruxelles du 1er novembre 2007. Or, selon les prévisions de l'Energy Information Administration (EIA)[31], la demande devrait être de 100 millions de barils vers 2015. **Ce que déclare de Margerie revient donc à dire que le maximum des capacités planétaires de production de pétrole sera atteint d'ici à 2015.**

Finalement, le *Sydney Morning Herald* du 15 janvier 2008 titrait: « Time's up for petrol cars says GM chief ». (Le temps est révolu pour les automobiles fonctionnant au pétrole, dit le chef de GM). On y apprend, sous la plume de Joshua Darling, que **Rick Wagoner, président de GM, a déclaré à l'ouverture du Salon de l'auto 2008 de Détroit que la demande mondiale pour le pétrole dépassait désormais les capacités planétaires de le produire.** Wagoner a avoué alors qu'on n'avait plus le choix, et qu'il fallait remplacer le pétrole par d'autres sources d'énergie, comme l'électricité et les biocarburants pour faire avancer nos automobiles!

---

31. Energy Information Administration, *op. cit.*

Après ces déclarations de personnalités éminentes du monde de l'automobile et du pétrole, et à la suite des avertissements répétés d'organismes indépendants, comme l'ASPO, il n'est plus permis de rester à rien faire! Surtout que d'autres études, à part celles de l'ASPO, indiquent également une décroissance rapide des capacités mondiales de production de pétrole d'ici 2030. Le Energy Watch Group, organisme sans but lucratif allemand, a publié en octobre 2007 un rapport dans lequel il prévoit que la production mondiale de pétrole va chuter de 50% d'ici 2030[32]. Par ailleurs, Fredrik Robelius, de l'Université de Upsala en Suède, a soutenu une thèse de doctorat, au printemps 2007, dans laquelle il démontre une décroissance du pétrole et des gaz liquides variant de 15 % à 50 % en 2030 par rapport à la production en 2007, selon qu'on considère un scénario optimiste ou pessimiste[33]. De son côté, Adolphe Nicolas, physicien et géologue, professeur émérite de l'université de Montpellier II, prédit une décroissance de la production de pétrole de l'ordre de 12 % pour 2030[34].

La décroissance réelle en 2030 va dépendre, bien entendu, de ce que nous ferons d'ici là pour diminuer notre consommation de pétrole. Mais une chose est certaine, il n'y a plus de temps à perdre, surtout que la demande, elle, ne cesse de croître. Pour bien réaliser les graves conséquences du déclin pétrolier, il faut comprendre que toute notre civilisation moderne est basée sur un approvisionnement abondant et bon marché de ce liquide énergétique. Le transport des passagers et des marchandises est évidemment très dépendant du pétrole. De plus, pensons aux innombrables matières plastiques qui relèvent de la pétrochimie!

En ce qui concerne l'industrie agroalimentaire moderne, il faut savoir que pour chaque calorie alimentaire qui se retrouve dans notre assiette, la chaîne complète de production, de conditionnement et de distribution des aliments nécessite de dépenser, en moyenne, 10 calories d'énergie, sans compter l'énergie requise pour faire cuire les aliments[35]. Cette énergie, dont une partie importante est sous forme de pétrole, sert à faire fonctionner la machinerie agricole, fabriquer les engrais et pesticides, irriguer les champs, transporter, emballer, et réfrigérer les aliments. **Aux États-Unis, chaque habitant consomme ainsi 2 litres de pétrole par jour pour se nourrir[36]!**

En fait, toute notre économie est intimement liée à la disponibilité et au bas prix du pétrole. Une pénurie importante de cet or noir a toutes les chances d'entraîner une grave crise économique, si on n'a pas préparé d'alternatives et si on ne rend pas plus efficace l'utilisation des carburants. Pour ceux qui voudraient en savoir plus sur le déclin pétrolier, plusieurs ouvrages sont disponibles[37].

32. W. Zittel et J. Schindler, *Crude Oil The Supply Outlook*, rapport du Energy Watch Group, octobre 2007. Téléchargement gratuit à www.energywatchgroup.org.
33. F. Robelius, *Giant Oil Fields – The Highway to Oil: Giant Oil Fields and their Importance for Future Oil Production*, thèse de doctorat à l'Université de Uppsala, Suède, 2007. Téléchargement gratuit à http://publications.uu.se/abstract.xsql?dbid=7625
34. Adolphe Nicolas, «2050, rendez-vous énergétique», revue *La Recherche*, supplément Objectif Terre 2050, janvier 2008, n° 415, pages 31 à 35.
35. Y. Cochet, *Pétrole Apocalypse*, Éditions Fayard, 2005.
36. *Ibid.*
37. Voir: Y, Cochet, *op. cit.*; É. Laurent, *La face cachée du pétrole – L'enquête*, Éditions Plon, 2006; J.-L. Wingert, *La vie après le pétrole*, Éditions Autrement Frontières, Paris, 2005; D. Goodstein, *Panne*

**C'est totalement scandaleux de penser qu'on gaspille cette ressource natu-
relle unique qu'est le pétrole en faisant rouler nos véhicules avec des moteurs
thermiques aussi inefficaces.** En moyenne, seulement 14 % de l'énergie contenue
dans l'essence sert à faire avancer les véhicules! Le gros des pertes se retrouve sous
forme de chaleur dans les gaz d'échappement, le bloc-moteur et les freins. Les véhicules électriques et hybrides avancés, avec freinage électromagnétique régénératif,
sont beaucoup plus efficaces, comme nous le verrons au prochain chapitre.

1.8 – En résumé

Dans ce premier chapitre, nous avons fait ressortir les graves problématiques actuelles
concernant l'environnement, le réchauffement climatique et l'épuisement des ressources
planétaires, en particulier du pétrole. Ces problématiques ont toutes les chances de
conduire à une crise de civilisation sans précédent, si des actions correctrices ne sont
pas posées rapidement. En persévérant dans notre insouciance actuelle, il est même
possible que notre civilisation, telle que nous la connaissons, s'effondre.

L'aspect positif de cette crise, si on peut parler ainsi, est de nous faire prendre
conscience de nos erreurs et d'agir comme un puissant moteur pour nous inciter à
entreprendre des changements en profondeur dans nos technologies et nos habitudes. C'est la raison même de ce premier chapitre : faire réaliser l'urgence d'entreprendre un virage majeur dans le domaine des transports routiers.

Il n'y a évidemment pas que les transports qui sont concernés, tous les aspects
de l'activité humaine devront être revus à la lumière du développement durable et de
l'équité. C'est le plus grand défi du 21e siècle. Une économie uniquement basée sur
le profit des grosses entreprises et la croissance de la consommation, comme celle
que nous connaissons, conduirait irrémédiablement à la catastrophe planétaire.

Les causes de la situation planétaire actuelle sont nombreuses. Nous avons vu que
l'une des plus importantes est notre très grande dépendance des carburants fossiles
(charbon, pétrole, gaz naturel). Ces derniers fournissent 80% de l'énergie primaire
consommée sur la planète, et le pétrole, quant à lui, alimente en énergie plus de 95%
du secteur des transports! Les carburants fossiles sont les principaux responsables de
la pollution de l'air, des pluies acides, et du réchauffement climatique.

Par ailleurs, le grand nombre d'humains que nous sommes présentement sur
Terre, la puissance de nos outils technologiques et nos comportements irresponsables de consommation exercent une pression intenable sur notre environnement.
La population mondiale a littéralement explosé durant le dernier siècle, passant de
2 milliards en 1925 à 6,6 milliards en 2008; elle montre un taux de croissance de
1 milliard par 12 ans en ce début du 21e siècle. Des outils technologiques, toujours
plus puissants, décuplent de plusieurs centaines de fois nos capacités musculaires

---

sèche – *La fin de l'ère du pétrole*, Éditions Buchet Chastel Écologie, Paris, 2005; Richard Heinberg,
Power Down - Options and Actions for a Post-Carbon World, Éditions New Society Publishers, 2004,
et Normand Mousseau, *Au bout du pétrole*, Éditions MultiMondes, Québec, 2008.

d'exploitation des ressources naturelles et de transformation de notre environnement. Notre système économique prône la croissance de la consommation en favorisant des produits jetables ou à durée limitée. Comme nous l'avons mentionné, s'il fallait que tous les habitants de la planète adoptent le mode de vie des Étatsuniens, il faudait cinq planètes Terre !

C'est en utilisant les bonnes technologies et en ayant des comportements responsables de la part des individus, des entreprises et des gouvernements que nous allons, ensemble, relever cet énorme défi et bâtir un monde meilleur. Plus vite nous agirons et moins la transition sera tumultueuse.

Il est très encourageant de voir toutes les initiatives qui surgissent un peu partout, pour éduquer le public et exercer des pressions sur les dirigeants, afin de sauver notre civilisation et la planète. De plus en plus d'individus et d'entreprises prennent conscience de l'urgence de la situation et posent des gestes concrets. C'est une occasion unique que nous avons, chacun d'entre nous, de nous dépasser, pour léguer à nos enfants et à nos petits-enfants un milieu de vie digne de ce nom !

Nous verrons, dans les prochains chapitres, comment nous pouvons nous libérer du pétrole dans les transports routiers, d'ici à 2035, tout en améliorant notre environnement. Le prochain chapitre nous plongera au cœur du sujet : la motorisation électrique.

CHAPITRE 2

Les véhicules électriques et hybrides branchables

Lorsqu'on veut faire avancer un véhicule de façon autonome, on a besoin d'un moteur. Deux choix s'offrent à nous présentement : les moteurs thermiques qui consomment des carburants et les moteurs électriques qui ont besoin d'une source d'électricité. Comme nous le verrons, on peut remplacer, de façon durable, environ 10 % de la consommation actuelle de pétrole par des biocarburants. Certains scénarios qui prévoient en remplacer 30 % mettent en péril les ressources naturelles de la planète (forêts vierges, terres arables, qualité de d'eau...) et sa biodiversité, tout en plaçant les gens les plus démunis dans une situation d'insécurité alimentaire en raison de l'inévitable augmentation des prix des aliments qui s'ensuivrait. Par conséquent, on peut dire que **rouler sans pétrole est synonyme, en grande partie, de rouler avec des véhicules mus par des moteurs électriques, ce qui constitue l'objet de ce chapitre**.

La grande révolution dans le domaine des batteries rechargeables, depuis 2005, fait en sorte que la principale source d'électricité pour les véhicules sera celle des batteries qui seront rechargées régulièrement sur le réseau. En ajoutant un petit moteur-générateur thermique embarqué, on peut recharger la batterie en cours de route, lors de longs trajets. Il suffit d'alimenter ce groupe électrogène avec un peu de biocarburant de deuxième génération, fabriqué sans utiliser de plantes alimentaires. On a alors une voiture hybride branchable, la voiture sans pétrole de demain. Mais pour mieux savoir où l'on va, regardons tout d'abord d'où l'on vient en ce qui concerne les automobiles.

2.1 – Des véhicules électriques à la fin du 19e siècle

Plusieurs seront peut-être surpris d'apprendre que les voitures électriques ont constitué l'alternative de choix aux voitures à cheval, à la fin du 19e siècle. Les voitures à essence ont également vu le jour à cette époque, mais elles étaient bruyantes

Figure 2.1 – Station de recharge et d'échange des batteries pour les taxis de la Electric Vehicle Company de New York, en 1898. (Musée de la civilisation, bibliothèque du Séminaire de Québec. «View Showing Hansom on one Plateform, It's Battery on the Conveyor Table, and Another Battery in the Crane», *The Electrical World*, Vol. XXXII, N° 10 (3 septembre 1898). N° 486.2)

et dégageaient une fumée et une odeur désagréables. Sans compter qu'elles vibraient davantage et devaient d'être démarrées en tournant une manivelle, au prix d'un effort physique non négligeable.

En 1898, la ville de New York disposait même d'un service de 100 taxis électriques, avec une station d'échange et de recharge des batteries qui permettait aux conducteurs de faire le plein d'électricité en trois minutes. Cette station de la Electric Vehicle Company est illustrée sur la figure 2.1.

Les batteries utilisées dans les véhicules électriques de l'époque étaient les batteries plomb-acide, inventées en 1860 par Gaston Planté et rendues viables commercialement vers 1880 grâce aux améliorations apportées par Émile Alphonse Faure. Ces batteries ont traversé le 20e siècle et se retrouvent encore en ce début du 21e siècle dans nos véhicules traditionnels, pour les faire démarrer et alimenter les accessoires lorsque les véhicules sont à l'arrêt.

Malgré tous les avantages des voitures électriques de l'époque, quatre désavantages leur étaient associés :

1. **Leur autonomie était limitée approximativement à 100 km.**

2. **Leur vitesse maximale était limitée à 40 km/h environ.**

3. **Il fallait plusieurs heures pour recharger la batterie.**

4. **Elles étaient plus chères à l'achat.**

Par exemple, la Ford Modèle T à essence introduite en 1908 pouvait atteindre une vitesse de 70 km/h et sa production sur une chaîne de montage permettait de la vendre pour 850 $, alors que les voitures électriques de l'époque coûtaient environ 2 000 $. Une partie importante de ce coût était attribuable aux batteries[1]. Peu de temps après, en 1912, une Ford Modèle T pouvait être achetée pour 550 $, et pour 300 $ seulement en 1921[2].

Par ailleurs, l'abondance du pétrole au début du 20e siècle et sa facilité d'extraction ont rendu ce carburant disponible à faible coût et à grande échelle, ce qui a permis de faire le plein un peu partout en quelques minutes. De plus, l'invention du démarreur automatique, en 1912, a éliminé un inconvénient important des voitures à essence, grâce à l'ajout d'une batterie et d'un générateur électrique embarqué pour la recharger.

Figure 2.2 – Voiture électrique Porsche-Lohner à moteurs-roues construite en 1899 par le fabricant autrichien Lohner dont le groupe de traction a été conçu par Ferdinand Porsche. Source : Ultimatecarpage.com.

Le peu de puissance des batteries de l'époque a conduit Ferdinand Porsche à introduire les moteurs-roues, en 1899 (figure 2.2), afin d'éliminer les pertes encourues par tous les engrenages qui transmettaient la force du moteur aux roues dans une voiture électrique traditionnelle. En 1900, il a construit une voiture hybride prototype munie d'un moteur-générateur à essence, afin d'alimenter quatre moteurs-roues avec plus de puissance. Avec l'hybridation des véhicules, on pouvait obtenir une voiture électrique en ville et une voiture à essence pour les longs trajets, le meilleur des deux mondes. Mais, les véhicules hybrides coûtaient trop cher. La voiture hybride commercialisée par la compagnie Woods, en 1916, coûtait presque 1000 $ de plus qu'une voiture électrique[3]. On comprend dès lors pourquoi ces véhicules n'ont pas eu un succès commercial.

L'avènement du démarreur électrique pour les voitures à essence, le prix inférieur de ces voitures, leur vitesse supérieure, leur plus grande autonomie et la rapidité pour faire le plein de carburant ont fait pencher la balance en leur faveur. Les voitures à essence ont pris définitivement le dessus sur les voitures électriques dans les années 1920. Toutefois, les véhicules électriques ont continué d'être appréciés pendant une vingtaine d'années, particulièrement pour la livraison des marchandises en ville, alors que les limitations sur l'autonomie et la vitesse des

---

1. J.A. Anderson et C.D. Anderson, *Electric and Hybrid Cars – A History*, McFarland & Company Inc., Jefferson (Caroline du Nord), 2005.
2. M.H. Westbrook, *The Electric Car*, The Institution of Electrical Engineers, Royaume-Uni, 2005.
3. M.H. Westbrook, *op. cit.*

véhicules ne dérangeaient en rien leur utilisation efficace. Même si ces véhicules de livraison électriques étaient plus chers à l'achat, les économies sur l'entretien et la consommation de carburant les rendaient profitables lorsqu'on étalait toutes les dépenses sur la durée de vie des véhicules.

2.2 – De meilleures batteries aujourd'hui et des supercondensateurs

Les choses ont bien changé de nos jours avec la pollution urbaine si dommageable pour la santé humaine, le réchauffement climatique et son cortège de catastrophes prévisibles, ainsi que le déclin imminent de la production mondiale de pétrole qui fait grimper en flèche le prix des carburants. Par ailleurs, depuis 2005 environ, une véritable révolution est en cours dans le domaine des batteries. Pour un même poids, les nouvelles batteries rechargeables au lithium sont capables de fournir, sur des périodes prolongées, des courants beaucoup plus intenses que les batteries plomb-acide traditionnelles, ce qui permet à une voiture électrique d'aller plus vite. Par ailleurs, la quantité d'électricité qu'on peut emmagasiner dans ces nouvelles batteries est beaucoup plus grande que dans les batteries au plomb, pour un même poids, ce qui augmente la distance qu'on peut parcourir.

Les performances des nouvelles voitures électriques munies de batteries au lithium sont donc de beaucoup supérieures à celles des voitures électriques de l'époque 1900-1920. Les nouvelles voitures électriques avancées n'ont plus rien à envier aux voitures à essence. Sans compter qu'avec certaines batteries, il est désormais possible de faire le plein d'électricité en 10 minutes pour parcourir 200 kilomètres!

L'automobile qui a réellement fait basculer notre perception des voitures électriques est sans conteste la Roadster de Tesla Motors (figure 2.3), dévoilée en 2006, et dont les premiers exemplaires commerciaux ont été livrés en 2008. Cette voiture sport entièrement électrique a littéralement galvanisé l'attention du public et des constructeurs automobiles. Son moteur de 185 kW et sa batterie Li-ion lui permettent une accélération de 0 à 100 km/h en 4 secondes, une vitesse maximale de 200 km/h, et une autonomie allant jusqu'à 350 km sur une pleine charge!

Les batteries Ni-Cd, Ni-MH et Zebra

En fait, l'évolution des batteries rechargeables pour les automobiles a stagné pendant une centaine d'années, alors que les batteries plomb-acide étaient omniprésentes. Mais, l'avènement des ordinateurs portables et des téléphones portables, à la fin des années 1980, a stimulé le développement de nouvelles batteries rechargeables plus compactes, plus légères et plus durables.

Dans les années 1990, on a vu apparaître **les batteries nickel-cadmium (Ni-Cd)** dans les véhicules électriques construits par Peugeot et Citroën, mais **la toxicité du cadmium a fait que ces batteries ont été interdites**, à partir de 2005.

Figure 2.3 – La voiture sport électrique Roadster de Tesla Motors, dévoilée en 2006, a définitivement fait basculer la perception des gens face aux voitures électriques. Avec sa batterie Li-ion, elle a une autonomie de 350 km, peut rouler à 200 km/h et accélérer de 0 à 100 km/h en 4 secondes! (Source : Tesla Motors)

Les batteries nickel-hydrure métallique (Ni-MH) ont fait leur apparition dans le véhicule sport utilitaire électrique RAV4-EV de Toyota en 1998 et dans la voiture électrique EV1 de GM en 1999. Elles sont également utilisées dans la Prius de Toyota depuis 1997, ce qui a permis de démontrer leur durabilité et leur fiabilité. Toutefois, **entre l'électricité qu'on y injecte et celle qui en ressort pour être utilisée, il y a environ 30 % de perte sous forme de chaleur dans la batterie qu'il faut refroidir**. La batterie Ni-MH a donc une efficacité de 70 %[4], ce qui n'en fait pas une candidate idéale pour les véhicules électriques de demain.

Par ailleurs, **les batteries Zebra au nickel et au sel fondu (NaNiCl)** sont apparues sur le marché en 2001 et ont été intégrées dans plusieurs véhicules électriques produits en petites séries. Elles sont durables et ont une efficacité supérieure à 90 %[5]. **Cependant, elles doivent être chauffées à 300°C pour fonctionner**, et il faut 24 heures pour effectuer le premier chauffage. Par après, la température doit être maintenue, même lorsque le véhicule est à l'arrêt. Cela requiert une puissance électrique de 100 watts environ, qui peut toutefois être débitée à même la batterie. Cette consommation électrique permanente vide

4. P. Van den Bossche *et al.*, «SUBAT : An Assessment of Sustainable Battery Technology», *Journal of Power Sources*, col. 162, n° 2, 22 novembre 2006, p. 913 à 919.
5. *Ibid.*

la batterie pleine d'une voiture électrique en moins d'une semaine et encore plus vite pour une voiture hybride branchable. On comprendra donc que les applications des batteries NaNiCl sont généralement limitées à des autobus ou à des camions de livraison fonctionnant une bonne partie de la journée et qui sont rechargées tous les soirs. Car, moins longtemps un véhicule roule dans une journée et plus son efficacité énergétique diminue, à cause de cette contrainte de chauffage.

Les batteries au lithium

Les batteries rechargeables au lithium «avancées» sont apparues sur le marché depuis 2005 environ. Ce sont celles qui offrent le plus de potentiel présentement pour les véhicules électriques. Certaines d'entre elles atteignent une efficacité de 98 % et plus et peuvent être rechargées en 10 minutes, comme les batteries lithium-ion Nanosafe™ de la compagnie Altairnano. Plusieurs batteries au lithium ont une puissance dix fois supérieure à celle d'une batterie au plomb et elles peuvent stocker généralement de 3 à 5 fois plus d'énergie que dans une batterie au plomb de même poids. Les batteries lithium-ion SuperPolymer™ de la compagnie Electrovaya peuvent en stocker jusqu'à 7 fois plus.

La durée de vie des batteries s'est également beaucoup améliorée. Plusieurs batteries au lithium peuvent subir plus de 5500 décharges profondes, ce qui leur confère une durée de vie de 15 ans, à raison d'une recharge par jour. Les batteries des compagnies Saft, A123Systems, Altairnano, Toshiba et Enerdel, entre autres, font partie de celles-là. Pour comparaison, une batterie au plomb n'offre que 600 cycles de décharges profondes. Enfin, plusieurs types de batteries au lithium fonctionnent très bien à des températures aussi basses que -30°C, et certaines jusqu'à -40°C.

Plusieurs lecteurs vont se rappeler que certaines batteries au lithium utilisées dans les ordinateurs portables ont causé des incendies et même des explosions, et ont donné lieu à un rappel massif des batteries par les fabricants. De tels incidents ne peuvent être tolérés pour une voiture électrique, en raison de la grosseur des batteries qu'on y retrouve et des conséquences potentiellement catastrophiques. Heureusement, **de nouvelles batteries au lithium très sécuritaires ont été mises au point récemment**, qui font appel à des chimies différentes et qui ne risquent pas de s'emballer thermiquement, lorsqu'elles sont soumises à des courants trop intenses.

La toxicité des batteries au lithium est fonction des autres éléments chimiques utilisés avec ce dernier. En soi, le lithium présente une toxicité très faible. Il en est de même pour le phosphate de fer, le carbone et le dioxyde de titane utilisés par plusieurs fabricants de batteries. Par ailleurs, l'utilisation du cobalt serait plus problématique. Quoiqu'il en soit, il est bien évident que **l'utilisation massive des batteries dans les véhicules électriques doit s'accompagner d'un recyclage obligatoire très poussé**. Pour des fins de comparaison, n'oublions pas que les batteries au plomb utilisées depuis plus de 100 ans sont très toxiques.

Pour être plus précis dans notre description des batteries, **il nous faut utiliser l'unité d'énergie électrique le wattheure (Wh)**. Un wattheure correspond à l'énergie nécessaire pour faire fonctionner pendant une heure un dispositif avec une puissance de 1 watt. Ainsi, 100 wattheures est l'énergie requise pour allumer une ampoule électrique de 100 watts pendant une heure. Un kilowattheure (kWh) représente 1000 wattheures, soit l'énergie requise pour allumer 10 ampoules électriques de 100 watts ou un séchoir à cheveux de 1000 watts pendant une heure.

Comme nous le verrons dans les prochaines sections de ce chapitre, **une voiture intermédiaire de 1500 kg,** capable d'accélérer de 0 à 100 km/h en 10 secondes et de rouler à 130 km/h, **consomme en moyenne 17 kWh/100 km avec les technologies existantes et pourrait consommer aussi peu que 12 kWh/100 km avec des technologies avancées.** Pour parcourir 100 km en mode électrique avec une voiture intermédiaire, la batterie devra donc avoir une capacité de stockage de 15 à 20 kWh d'énergie électrique, selon le degré de perfectionnement de la voiture. Il est toujours préférable de surdimensionner un peu la plupart des batteries, afin de ne pas consommer plus de 80% de l'électricité stockée et de prolonger ainsi leur durée de vie.

Par ailleurs, pour faire avancer un véhicule, il n'y a pas que l'énergie en cause, il y a également la puissance. Si on prend l'analogie d'une voiture traditionnelle, l'énergie stockée à bord du véhicule correspond à la grosseur du réservoir d'essence, alors que la puissance du véhicule correspond à la grosseur du moteur. Plus on a d'énergie, plus on va loin, et plus on a de puissance, plus on va vite. **Une voiture électrique intermédiaire** de 1500 kg, capable d'accélérer de 0 à 100 km/h en 10 secondes et de rouler à 130 km/h, **nécessite un moteur électrique dont la puissance se situe entre 90 kW et 110 kW.** Pour alimenter un tel moteur, il faut que la batterie puisse débiter le courant à la même puissance. **Il est toujours préférable d'avoir une batterie avec la plus haute puissance possible, car plus sa puissance est élevée pour un poids donné, plus on pourra la recharger rapidement, et moins elle dissipera d'énergie sous forme de chaleur.**

En 2008, le coût des batteries avancées au lithium était d'environ 1000 $[6]/kWh. Certaines batteries peuvent même coûter jusqu'à 1500 $/kWh. Mais, ces prix sont appelés à baisser sous la barre des 500 $/kWh dès que les batteries seront produites en grande série. Comme nous le verrons plus loin (section 2.19), malgré le prix élevé des batteries Li-ion performantes, **si on tient compte du carburant économisé sur la durée de vie d'un véhicule, l'achat et l'utilisation d'un véhicule à motorisation électrique ne reviennent pas plus chers que pour un véhicule traditionnel. Par ailleurs, le scénario le plus plausible n'est pas d'acheter les batteries mais de les louer** et de payer ainsi mensuellement moins cher que le carburant qu'on utiliserait normalement. Le prix de la location pourrait également inclure une garantie sur la batterie.

---

6. Au moment d'écrire ces lignes, le dollar canadien était équivalent au dollar US.

La disponibilité du lithium

À la lueur des performances impressionnantes des batteries rechargeables au lithium, il faut admettre l'évidence qu'elles ont un rôle prédominant à jouer dans l'avenir des transports sur la planète. Mais, à terme, d'ici 2035, c'est plus d'un milliard de véhicules électriques et hybrides qu'il faudrait équiper avec de telles batteries. Il faut donc se demander si les ressources planétaires connues de lithium sont suffisantes.

Pour répondre à cette question, il faut d'abord savoir combien de lithium est requis en moyenne par véhicule. Comme nous le verrons plus loin, idéalement, une voiture devrait pouvoir parcourir jusqu'à 100 km avec l'électricité de sa batterie. Or, avec 1 kg de lithium, on peut fabriquer une batterie d'une capacité de 7 kWh[7] et, sachant qu'une voiture hybride branchable avancée consommera 14 kWh pour parcourir 100 km en mode électrique, on peut dire qu'en moyenne, il faudrait 2 kg de lithium par véhicule. Ainsi, en supposant un parc mondial de 2 milliards de véhicules (il y en a présentement 850 millions), la demande serait approximativement de 4 millions de tonnes de lithium.

Le US Geological Survey (USGS) l'évalue à 11 millions de tonnes[8] les réserves mondiales de lithium. De son côté, le géologue R. Keith Evans, un spécialiste du lithium, estime les réserves mondiales à 28 millions de tonnes, dont 14 millions sont déjà en exploitation ou sur le point de l'être[9]. Les principaux gisements se trouvent en Amérique du Sud (Chili, Bolivie et Argentine) ainsi qu'au Tibet, à même d'immenses étendues de saumures résultant de lacs d'eau salée asséchés.

En tenant compte d'un recyclage intensif des batteries, il apparaît donc que les ressources en lithium de la planète sont amplement suffisantes. Pour ce qui est des autres éléments chimiques qui entrent dans la confection des batteries au lithium, le fait que les divers types de batteries utilisent divers éléments, (fer, manganèse, nickel...) diversifie les sources d'approvisionnement et diminue la demande pour un élément en particulier. Le fer et le manganèse sont particulièrement abondants, mais, encore là, **il faudra prendre le recyclage de ces métaux très au sérieux.**

Les supercondensateurs

Par ailleurs, **il est très probable que d'autres technologies aussi performantes que les batteries au lithium pour stocker l'énergie électrique, voient le jour prochainement.**

Une de ces technologies est celle des supercondensateurs. Ces derniers stockent l'électricité sur deux surfaces conductrices, les électrodes, séparées par un matériau isolant. Ce procédé permet d'éviter les réactions chimiques

---

7. Voir le site de Compact Power Inc. (CPI): www.compactpower.com à la section Technology (rubrique FAQ).
8. Voir le site du U.S. Geological Survey (www.usgs.gov) à la page http://minerals.usgs.gov/minerals/ pubs/commodity, et choisir Lithium.
9. R.K. Evans, *An Abundance of Lithium*, juillet 2008, article en ligne à www.worldlithium.com. Voir également l'article de Bill Moore intitulé *Lithium in Abundance*, paru sur le site EV World (www. evworld.com), le 15 avril 2008.

caractéristiques des batteries. Il s'agit plutôt d'un phénomène électrostatique. Si on compare aux batteries les supercondensateurs actuellement sur le marché, les super-condensateurs peuvent emmagasiner environ 10 fois moins d'énergie qu'une batterie au plomb et 30 fois moins, en gros, qu'une batterie au lithium pour un même poids.

Cependant, la compagnie EEstor a fait beaucoup parler d'elle depuis 2006, en annonçant une nouvelle technologie de supercondensateurs au titanate de baryum qui seraient capables de surpasser les performances des meilleures batteries Li-ion. La capacité de stockage de ces supercondensateurs serait multipliée par un facteur 50 pour un même poids par rapport aux supercondensateurs commerciaux existant, tout en offrant une unité de stockage laissant entrer et sortir l'électricité à de forts débits (haute puissance), sans dommage. En fait, EEstor estime que la durée de vie de ses supercondensateurs est d'environ 1 million de cycles de recharge profonde. De plus, les supercondensateurs pourraient être rechargés en moins de 10 minutes et donner une autonomie de 200 km à une voiture électrique. Les supercondensateurs EEstor devraient être sur le marché en 2009, et le fait que l'imposante compagnie Lockheed Martin ait négocié une entente d'exclusivité pour les applications militaires, en janvier 2008, peut être interprété comme une indication sérieuse que cette technologie est réellement prometteuse.

En terminant, il faut insister sur le fait que même si les ressources plané-taires sont suffisantes, il n'en demeure pas moins que nous avons TOUT intérêt à diminuer notre consommation (moins de voitures, voitures plus petites), partager les voitures et privilégier les transports en commun.

2.3 – Les voitures électriques sont 5 fois plus efficaces

Même si les véhicules actuels nous rendent de grands services pour nos déplacements ou la livraison des marchandises, très peu de gens savent qu'une voiture à essence moyenne traditionnelle n'utilise que de 13 % à 15 % de l'énergie de l'essence pour avancer. Quel gaspillage d'énergie et de ressources ! Il y a des utilisations bien plus nobles du pétrole que simplement le brûler dans des moteurs à combustion interne très inefficaces, qui rejettent du CO_2, le plus important gaz à effet de serre produit par les humains. Ce précieux liquide devrait être réservé en priorité à l'industrie des plastiques et de la pétrochimie en général, car la ressource s'épuise rapidement. Il est totalement aberrant de voir, encore au 21e siècle, des autoroutes à 8 voies entièrement congestionnées, avec des milliers de véhicules pratiquement à l'arrêt dont les moteurs tournent continuellement pour absolument rien, tout en empoisonnant nos villes !

Afin de comprendre la manière dont on peut rendre les véhicules plus efficaces, regardons d'abord comment se répartit, en moyenne, l'énergie dans une voiture à essence. Cette information sur la répartition de l'énergie a été publiée en 1995, dans un rapport de l'Office of Technology Assessment (OTA) (Bureau d'évaluation des tech-nologies), en réponse à une demande du Congrès étatsunien[10]. Le **tableau 2.1** présente

---

10, U.S. Office of Technology Assessment, *Advanced Automotive Technology: Visions of a Super-Efficient Family Car*, rapport # OTA-ETI-638, septembre 1995.

les données de ce rapport, pour la conduite urbaine et la conduite sur autoroutes. Les pourcentages qui y apparaissent pour la conduite en ville sont ceux qu'on retrouve sur le site www.fueleconomy.gov du Department of Energy (DOE) étatsunien et sur d'autres sites d'organismes étatsuniens dédiés à l'économie d'énergie.

La première ligne de ce tableau nous dévoile l'importance des pertes thermiques des moteurs à essence, qui représentent pratiquement les deux tiers de l'énergie du carburant. Ces pertes sont évacuées par les gaz d'échappement et le système de refroidissement du bloc-moteur.

La deuxième ligne du tableau fait état d'une perte de l'ordre de 10 %, en conduite mixte, due aux moteurs qui tournent alors que les voitures sont arrêtées. Les voitures hybrides, comme la Prius, coupent le moteur thermique à l'arrêt et redémarrent sur leur moteur électrique, passant le relais au moteur thermique lorsque la vitesse atteint un certain seuil.

Les accessoires d'une voiture, à l'exception de la climatisation, ne prennent que 2 % environ de l'énergie du carburant.

Les pertes d'énergie dans le système de transmission de la force du moteur aux roues (transmission, différentiel et cardans) ont été évaluées approximativement à 5,5 % dans le rapport de l'OTA, en prenant en compte les transmissions automatiques hydrauliques du début des années 1990.

Répartition de l'énergie pour une voiture à essence intermédiaire nord-américaine	En ville	Sur la route	Conduite mixte (50 % / 50 %)
Pertes thermiques du moteur	62,4 %	69,2 %	65,8 %
Moteur au ralenti (voiture arrêtée)	17,2 %	3,6 %	10,4 %
Accessoires	2,2 %	1,5 %	1,9 %
Transmission, différentiel et cardans	5,6 %	5,4 %	5,5 %
Résistance de l'air	2,6 %	10,9 %	6,7 %
Résistance au roulement	4,2 %	7,2 %	5,7 %
Accélération / freinage	5,8 %	2,2 %	4,0 %
Total	100 %	100 %	100 %

Tableau 2.1 – Répartition des dépenses et pertes d'énergie caractéristiques d'une voiture intermédiaire nord-américaine, selon les données du rapport *Advanced Automotive Technology: Visions of a Super-Efficient Family Car*, Office of Technology Assessment, États-Unis, sept. 1995.

Les cinquième et sixième lignes du tableau 2.1 représentent le pourcentage d'énergie de l'essence consommé pour vaincre respectivement le frottement de l'air et la résistance au roulement des pneus sur la route. Ces deux termes constituent la vraie dépense d'énergie que doit fournir le moteur pour faire avancer la voiture, soit 12,4% en conduite mixte.

Enfin, la dernière ligne du tableau concerne la portion de l'énergie de l'essence dépensée pour faire accélérer la voiture. L'énergie est perdue sous forme de chaleur dans les freins lorsqu'on les actionne. Dans un véhicule hybride, une partie plus ou moins importante de cette énergie peut être récupérée par les moteurs électriques qui agissent alors comme des freins électromagnétiques, générant un courant électrique qui recharge la batterie.

Sur le plan énergétique, une voiture intermédiaire américaine à essence consomme en moyenne 10 litres/100 km, alors que la consommation des voitures intermédiaires européennes à essence est plutôt de l'ordre de 8 litres/100 km. Ainsi, on peut dire qu'une consommation moyenne de 9 litres/100 km semble représentative de cette catégorie. Or, chaque litre d'essence contient 9,7 kilowattheures (kWh) d'énergie (évaluée au pouvoir calorique supérieur, pour les experts). **Par conséquent, la consommation d'énergie d'une voiture familiale à essence est environ 87 kWh/100 km.**

Les voitures électriques sont beaucoup moins énergivores. Par exemple, la voiture sport Roadster de Tesla Motors (**figure 2.3**), dont la masse à vide est de 1200 kg, ne consomme que 12 kWh/100 km d'énergie électrique. Par ailleurs, la camionnette sport utilitaire électrique de Phoenix Motor Cars, illustrée sur la **figure 2.4**, consomme 22 kWh/100 km, pour une masse à vide de 2186 kg.

Figure 2.4 – La camionnette sport utilitaire électrique de Phoenix Motor Cars, présentée en 2006, offre une autonomie de 160 km, peut atteindre 150 km/h et accélère de 0 à 100 km/h en moins de 10 secondes, tout en pesant 2186 kg. (Source : Phoenix Motor Cars)

C'est donc dire qu'une voiture électrique intermédiaire de 1500 à 1600 kg devrait consommer environ 17 kWh/100 km d'énergie électrique, avec les technologies commercialisées de 2008, ce qui correspond à la consommation reconnue dans diverses études[11], lorsqu'on considère l'énergie électrique stockée dans la batterie.

On constate donc qu'en 2008, une voiture électrique performante à moteur central consomme approximativement 5 fois moins d'énergie qu'une voiture à essence! Et, comme nous le verrons dans la prochaine section, avec la technologie

---

11. M. Duvall et E. Knipping, *Environmental Assessment of Plug-In Hybrid Electric Vehicles – Volume 1: Nationwide Greenhouse Gas Emissions*, rapport conjoint de l'Electric Power Research Institute (EPRI) et du Natural Resources Defense Council (NRDC), juillet 2007.

des moteurs-roues et des matériaux plus légers, l'efficacité des voitures électriques sera encore améliorée. Les voitures électriques avancées devraient consommer environ 7 fois moins d'énergie que la moyenne des voitures traditionnelles à essence sur la route en 2008.

2.4 – 80 % des kilomètres à l'électricité et 20 fois moins de carburant

Il est très stimulant de constater la grande efficacité énergétique des voitures électriques et de savoir que ces voitures peuvent désormais atteindre des performances très enviables, grâce aux énormes progrès récents dans le domaine des batteries. Toutefois, **les batteries sont constituées de matériaux non renouvelables, puisés à même les ressources minières limitées de la planète. Il faut donc minimiser notre consommation et la maintenir à des niveaux acceptables**.

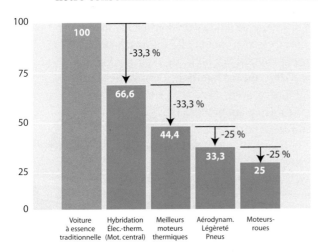

Figure 2.5 – Diminution moyenne de consommation de carburant des futures voitures hybrides avancées, obtenue par diverses technologies pour une conduite mixte et sans utiliser l'électricité du réseau. On constate qu'une voiture hybride avancée à moteur électrique central peut diminuer la consommation d'un facteur 3 alors qu'une voiture hybride performante à quatre moteurs-roues fait chuter l'utilisation de carburant d'un facteur 4.

Par ailleurs, il faut se rendre compte que la grande majorité des kilomètres parcourus en voiture correspondent à des déplacements quotidiens relativement modestes. On n'a donc pas intérêt à utiliser des véhicules entièrement électriques avec de très grosses batteries donnant une autonomie de 600 km. L'approche des véhicules hybrides qu'on peut brancher chaque soir pour en recharger la batterie permet de diminuer considérablement la grosseur cette dernière, tout en permettant de parcourir la grande majorité de nos kilomètres en mode électrique. Ces véhicules hybrides de demain auront deux moteurs, un électrique alimenté par la batterie pour aller travailler et faire les emplettes, et un thermique qu'on pourra alimenter en biocarburants pour les longs trajets. Car, contrairement aux batteries, les biocarburants sont une ressource renouvelable.

En effet, les biocarburants synthétisés avec les bonnes technologies, en utilisant des déchets municipaux organiques, des résidus forestiers, des huiles de friture recyclées ou des plantes énergétiques non alimentaires donnent lieu à un développement durable si les quantités sont raisonnables (voir le chapitre 4). **Dans le scénario que nous proposons dans ce livre, les voitures hybrides parcourent 80 % de leur kilométrage en mode électrique et 20 % seulement en utilisant des biocarburants. Mais ce 20 % ne nécessite que 5 % des carburants pétroliers consommés en 2008 par des voitures traditionnelles, en raison du fait que les voitures hybrides avancées vont consommer 4 fois moins de carburant lorsqu'elles n'utiliseront pas l'électricité du réseau.**

La **figure 2.5** illustre les diminutions moyennes de consommation de carburant qu'on obtient en améliorant différents aspects d'une voiture et en considérant une conduite mixte (50 % ville–50 % route). Ce graphique est une évaluation approximative faite pour l'ensemble d'un parc automobile, par rapport à la moyenne des voitures utilisées en 2008. Il indique les réductions de consommation engendrées par les meilleures technologies mentionnées, et réalisables à une échelle commerciale d'ici aux années 2020.

L'hybridation des voitures

L'hybridation électrique-thermique considérée comporte un gros moteur électrique central et un petit moteur thermique couplé à un générateur. Ce dernier ne sert qu'à recharger la batterie en cours de route. Cette configuration, dite hybride série, est avantageuse lorsqu'on dispose de batteries et de moteurs électriques très efficaces, ce qui est le cas depuis 2006 (batteries = 98 % et moteurs à aimants permanents = 95 %). C'est la configuration retenue pour la Chevrolet Volt qui sera commercialisée en 2010 (voir la section 2.11). L'économie de carburant (figure 2.5) vient du fait que le moteur thermique est plus petit (moins de frottement et moins d'inertie) et qu'il tourne toujours à un régime optimal, alors que le moteur électrique peut fonctionner comme générateur pour recharger la batterie lors du freinage. De plus, lorsque la voiture est arrêtée à un feu rouge, le moteur électrique ne dépense aucune énergie, contrairement à une voiture traditionnelle dont le moteur thermique tourne en permanence. **L'hybridation complète et performante d'une voiture permet de réduire la consommation de carburant du tiers environ.**

Dans une étude effectuée en 2007 par le Electric Power Research Institute (EPRI), concernant l'impact des véhicules hybrides sur les émissions[12], les chercheurs attribuent aux véhicules hybrides non branchables une réduction de consommation de carburant de 35 %, par rapport aux véhicules traditionnels de même catégorie. Par ailleurs, la voiture concept Peugeot 308 diesel HDI hybride (**figure 2.6**), présentée en 2007, affiche une consommation de 3,4 L/100 km. Cette performance

---

12. M. Duvall et E. Knipping, «Environmental Assessment of Plug-In Hybrid Electric Vehicles» – Volume 1: *Nationwide Greenhouse Gas Emissions,* rapport conjoint de l'Electric Power Research Institute (EPRI) et du Natural Resources Defense Council (NRDC), juillet 2007.

Figure 2.6 – La Peugeot 308 diesel HDI hybride, présentée en 2007, affiche une consommation de 3,4 litres/100 km et n'émet que 89 grammes de CO_2 par kilomètre! (Source : PSA Peugeot Citroën)

correspond à une diminution de consommation de 45 % en ville et de plus de 30 % en conduite mixte (ville-route) par rapport à une voiture diesel traditionnelle, alors que son hybridation est légère (petit moteur électrique de 16 kW)[13].

L'amélioration des moteurs thermiques

L'amélioration de l'efficacité des moteurs thermiques constitue une autre avenue prometteuse pour diminuer la consommation de carburant des voitures hybrides.

Le **tableau 2.2** résume diverses technologies pour augmenter la performance des moteurs traditionnels à piston (avec bielles et vilebrequin), ainsi que les plages de réduction de consommation de carburant auxquelles on est en droit de s'attendre. Nous élaborerons un peu sur ces diverses technologies plus loin dans cette section. Mais, d'abord, regardons quel est le potentiel global de diminution de la consommation qu'elles nous permettent lorsqu'on les associe.

La turbocompression et la réduction de taille des moteurs, la diminution du frottement, et la récupération de la chaleur perdue dans les gaz d'échappement sont trois technologies faiblement liées. De ce fait, si on les implante toutes les trois, on devrait pouvoir additionner les diminutions de consommation qui leur sont

---

13. Nemry *et al.*, *Environmental Improvement of Passenger Cars (IMPRO-car)*, rapport EUR 23038 EN de la European Commission Joint Research Centre, Institute for Prospective Technological Studies, mars 2008.

attribuées, et obtenir environ 25 % de diminution en tout, pour les trois. Par ailleurs, les autres technologies du tableau contribuent toutes à une meilleure combustion du carburant, et compétitionnent donc entre elles. Les injecteurs piézoélectriques et les soupapes électromécaniques à commande numérique vont bien ensemble et on peut s'attendre à une diminution additionnelle de consommation de l'ordre de 15 % pour les deux. Si toutes ces technologies sont implantées, le conditionnement électrique du carburant diesel, et le dopage à l'hydrogène ou à l'eau n'auront pas autant d'effet sur l'amélioration de l'efficacité des moteurs. Par contre, les technologies de dopage des carburants à l'hydrogène et à l'eau sont relativement simples et peu coûteuses à implanter (voir le chapitre 4). Le dopage à l'eau est particulièrement simple. On pourrait ainsi diminuer la consommation d'une manière équivalente à celle des soupapes électromécaniques ou des injecteurs piézoélectriques. Une étude détaillée sur l'imbrication des différentes technologies du tableau 2.2 pourra déterminer le compromis optimal pour diminuer le plus possible la consommation de carburant, au meilleur coût.

Technologies pour augmenter l'efficacité des moteurs thermiques	Réduction de la consommation de carburant
Turbocompression et réduction de la taille des moteurs	10 % – 15 %
Diminution du frottement	4 % – 6 %
Récupération de la chaleur perdue dans les gaz d'échappement	8 % – 12 %
Injecteurs piézoélectriques à commande numérique	10 % – 15 %
Soupapes électromécaniques à commande numérique	10 % – 15 %
Vaporisation de l'essence et réchauffement de l'air	15 % – 25 %
Conditionnement électrique du carburant diesel	10 % – 15 %
Dopage à l'hydrogène	10 % – 20 %
Dopage à l'eau (moteurs diesel)	15 % – 25 %

Tableau 2.2 – Ce tableau présente différentes technologies pour améliorer l'efficacité des moteurs thermiques traditionnels à pistons (avec bielles et vilebrequin) et leurs plages de réduction de consommation. Les technologies des six dernières lignes du tableau contribuent à améliorer la combustion. La combinaison de plusieurs d'entre elles n'entraînera pas simplement l'addition des réductions de consommation.

La turbocompression, les injecteurs piézoélectriques et le dopage à l'hydrogène sont déjà implantés dans certains véhicules. Mais ces véhicules sont loin de constituer la majorité. En fait, **à la lueur du tableau 2.2 et de ce que nous venons de dire au paragraphe précédent, il apparaît qu'une diminution globale de la consommation de carburant des moteurs thermiques de l'ordre de 33,3 % est envisageable, par rapport à la moyenne des véhicules sur la route en 2008.** On parle donc d'une augmentation de l'efficacité des moteurs d'environ 50 %, ce qui porterait l'efficacité des moteurs diesel au-delà de 50%, contre environ 36% aujourd'hui, en moyenne. Les moteurs à essence, quant à eux, devraient atteindre 40% d'efficacité alors qu'ils affichent une efficacité moyenne de l'ordre de 27% en 2008. Par ailleurs, le seul fait de remplacer un moteur à essence par un moteur diesel fait diminuer la consommation de 25% environ, en raison de la plus grande efficacité des moteurs diesel qui sont également devenus aussi propres que les moteurs à essence.

Quelques mots sur les technologies. **La turbocompression** consiste à utiliser une partie de l'énergie fournie par le moteur pour comprimer l'air dans les cylindres, ce qui permet d'y faire pénétrer plus d'oxygène. On augmente ainsi la puissance d'un moteur, sans avoir à grossir le volume des cylindres et donc du moteur. On obtient alors des moteurs plus petits, ce qui diminue l'inertie des pièces à mettre en mouvement de même que le frottement de ces dernières, d'où une économie de carburant. Mais une forte turbocompression pour les moteurs à essence entraîne l'auto-allumage du carburant avant que les bougies produisent leur étincelle, ce qui est responsable du cognement et est néfaste pour les moteurs. Le dopage à l'eau et à l'hydrogène augmente la résistance des carburants à l'auto-allumage et permet d'utiliser le plein potentiel de la turbocompression.

On peut également **diminuer davantage le frottement** des pièces mobiles d'un moteur en utilisant de meilleurs lubrifiants et des revêtements spéciaux sur les parois, ce qui réduit la consommation. Plusieurs approches sont à l'étude présentement à cet égard, et on estime à 5% la réduction de consommation possible.

Plusieurs fabricants d'automobiles commencent à examiner diverses façons de **récupérer la chaleur perdue dans les gaz d'échappement**, qui s'élève à 40% environ de l'énergie contenue dans le carburant. Deux voies principales se dessinent: les générateurs thermoélectriques et l'utilisation d'un petit moteur à vapeur.

Les matériaux thermoélectriques transforment directement la chaleur en électricité, sans pièces mobiles. BMW a déjà expérimenté un générateur thermoélectrique installé dans la ligne d'échappement des gaz d'une voiture expérimentale et annoncé une réduction de la consommation de carburant de 5%, en mai 2008. **(figure 2.7)**. (Voir aussi les archives du site Motor Authority en date du 15 mai 2008: www. motorauthority.com.) On dispose déjà de matériaux thermoélectriques deux fois plus performants en laboratoire. Les scientifiques anticipent qu'on pourrait encore doubler ces performances pour atteindre une efficacité quatre fois supérieure à celle des convertisseurs thermoélectriques commerciaux d'aujourd'hui. Ces derniers ayant une efficacité d'environ 5% à 6%, les spécialistes sont confiants de pouvoir convertir 20% de la chaleur en électricité d'ici 2020, avec les futures générations de matériaux thermoélectriques. On peut donc s'attendre, pour des véhicules hybrides, à ce qu'on puisse diminuer la consommation de carburant de leur moteur-générateur de 8% vers 2010 et, possiblement, 15% d'ici 2020.

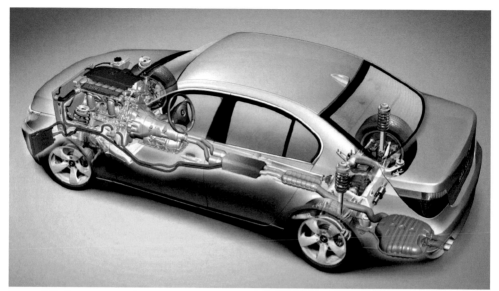

Figure 2.7 – La compagnie BMW expérimente présentement des générateurs thermoélectriques (en orangé) pour récupérer une partie de la chaleur perdue par le système d'échappement. À l'été 2008, la compagnie a annoncé être parvenue à réduire la consommation de carburant de 5 %. On peut s'attendre à une réduction de la consommation de 15 % environ d'ici à 2020, en raison des progrès très rapides dans l'amélioration des performances des matériaux thermoélectriques. (Illustration : BMW)

Par ailleurs, la compagnie BMW a également expérimenté un petit moteur à vapeur (appelé Turbosteamer) dans le système d'échappement. La compagnie estime qu'on peut ainsi diminuer la consommation de carburant de 15 % environ, selon un communiqué du 7 décembre 2005 (disponible en anglais sur le site www.autoblog.com).

Les injecteurs piézoélectriques à haute pression commercialisés depuis quelques années permettent de pulvériser le carburant en gouttelettes plus fines et donnent un contrôle jamais atteint auparavant sur l'injection des carburants dans les cylindres. La précision et la rapidité de ces nouveaux injecteurs permettent de mieux doser les quantités de carburant tout en donnant la possibilité de commander numériquement plusieurs petites injections, à l'intérieur d'un quart de tour du moteur ! La séquence et le dosage de ces multiples injections sont ajustés en fonction du régime et de la charge du moteur, ce qui permet une combustion plus complète du carburant, d'où la diminution de consommation.

Les soupapes électromécaniques à commande numérique peuvent ouvrir et fermer grâce à une impulsion de courant qui peut être envoyée à tout moment. Les soupapes mécaniques traditionnelles, par contre, sont commandées par un arbre à came qui actionne les soupapes à intervalles réguliers non ajustables. Les soupapes électromécaniques donnent donc une flexibilité accrue au contrôle de l'entrée de l'air et de la sortie des gaz. Cela améliore la combustion du carburant à différents régimes du moteur. Par exemple, en laissant la soupape d'admission ouverte plus longtemps, l'air admis sort un peu lors du cycle de compression, ce qui diminue le taux de compression. Pour sa part, le taux d'expansion demeure identique. C'est ce qu'on appelle le cycle Atkinson; il est utilisé dans la Prius. Le cycle Atkinson est plus efficace que le cycle Otto des moteurs à essence traditionnels, mais il s'effectue au détriment de la puissance qui est normalement moindre. En contrôlant numériquement des soupapes électromécaniques, on peut faire passer un moteur du cycle Atkinson au cycle Otto, en fonction de la puissance demandée. De plus, la commande numérique des soupapes offre la possibilité de désactiver certains cylindres lorsque la puissance demandée au moteur est plus faible. Toutes ces stratégies contribuent à diminuer la consommation de carburant.

La vaporisation de l'essence et le réchauffement de l'air avant leur admission dans les cylindres d'un moteur constituent un autre moyen efficace de diminuer la consommation d'essence des moteurs munis d'un carburateur. Tout d'abord, le fait de vaporiser l'essence au lieu de la faire pénétrer en fines gouttelettes dans les cylindres améliore la combustion. Ensuite, la majorité du temps les moteurs fonctionnent à puissance réduite, ce qui implique de faire pénétrer moins d'essence dans les cylindres. Mais la quantité d'air qui remplit les cylindres est toujours la même et on doit toujours maintenir constant le rapport entre la quantité d'essence et la quantité d'air pour que le catalyseur fonctionne proprement et puisse éliminer les émissions polluantes. Si on appauvrit le mélange en essence, des oxydes d'azote très dommageables se forment. La façon de s'en sortir est de diminuer la quantité d'air (donc d'oxygène) qui entre dans le moteur. C'est ce que fait la compagnie Vapor Fuel Technologies (www.vftllc.com) qui a mis au point un dispositif s'adaptant sur certains moteurs existants. L'idée est brillante: les gaz d'échappement réchauffent l'air, ce qui lui fait prendre de l'expansion. Par conséquent, il en pénètre moins dans les cylindres. De plus, l'air chaud aide à vaporiser l'essence, ce qui récupère de l'énergie normalement perdue dans les gaz d'échappement. Une diminution de 23% de la consommation d'essence a ainsi été obtenue, validée par un laboratoire indépendant accrédité par le California Air Resources Board. Par ailleurs, la compagnie FuelVapor Technologies (www.fuelvaporcar.com) a développé un dispositif pour vaporiser l'essence seulement, ce qui entraîne une économie d'essence d'environ 15%, selon cette compagnie.

Le conditionnement électrique du carburant est une autre technologie qui améliore la combustion et réduit la consommation de carburant, cette fois dans les moteurs diesel. Les chercheurs de l'Université Temple, à Philadelphie, ont démontré que faire transiter le carburant diesel pendant 5 secondes dans un champ électrique suffisamment intense réduit sa viscosité[14]. Une moins grande viscosité du carburant permet aux injecteurs de produire des gouttelettes plus fines, ce qui entraîne la

---

14. R. Tao *et al.*, « Electrorheology Leads to Efficient Combustion », article à paraître dans l'édition du 19 novembre 2008 de la revue *Energy and Fuels* de l'American Chemical Society.

meilleure combustion. Le dispositif installé sur une voiture Mercedes-Benz 300D est plus petit qu'un filtre à l'huile et comporte deux grillages métalliques, espacés de 1 centimètre, entre lesquels une tension de 10 000 volts est appliquée. La consommation électrique du dispositif est inférieure à 0,1 watt.

Les tests effectués pendant six mois, en condition d'utilisation réelle, ont démontré une diminution de la consommation de carburant de 15,8% sur les autoroutes et de 12% en conduite urbaine[15]! La théorie mise de l'avant par les chercheurs de l'Université Temple part du fait que le carburant diesel est constitué de molécules plus grosses d'hydrocarbures en suspension dans le reste du carburant. Selon eux, en appliquant un champ électrique suffisamment intense pendant une durée suffisamment longue, ces grosses molécules s'agglomèrent en paquets microscopiques, ce qui réduit la viscosité du carburant. Ils obtiennent donc des résultats se rapprochant des injecteurs piézoélectriques à haute pression, mais à moindre coût. Par ailleurs, leur dispositif de conditionnement électrique du carburant a le grand avantage de pouvoir s'installer sans problème sur les véhicules déjà en circulation, ce qui n'est pas le cas des injecteurs à haute pression.

Finalement, parmi les technologies d'amélioration des moteurs à piston traditionnels, on trouve **le dopage des carburants avec de petites quantités d'hydrogène, généré à bord du véhicule, ou le dopage à l'eau des carburants**. Ces deux approches améliorent la combustion des carburants et permettent de les utiliser dans des moteurs à plus haut taux de compression et avec une plus forte turbocompression. Toutes ces propriétés font diminuer la consommation de carburant, et la meilleure combustion entraîne moins d'émissions polluantes. Pour plus de détails, le lecteur est prié de se reporter au chapitre 4 qui porte sur les nouveaux carburants.

En plus des améliorations qu'on peut apporter aux moteurs thermiques à piston traditionnels, **plusieurs nouveaux types de moteurs thermiques sont actuellement en développement**. Ces moteurs sont plus compacts, sans bielles ni vilebrequin, et ils promettent d'être plus efficaces que les moteurs traditionnels.

Le plus connu d'entre eux est sans doute la quasi-turbine (www.quasiturbine.com), inventée par le physicien québécois Gilles Saint-Hilaire, assisté par des membres de sa famille (figure 2.8). Ce moteur rotatif très compact peut fonctionner à la vapeur, à l'air comprimé ou en mode combustion. Les versions à air comprimé et à vapeur

Figure 2.8 – La quasi-turbine est un petit moteur rotatif quatre fois plus compact qu'un moteur à piston traditionnel de même puissance, avec la possibilité d'atteindre une efficacité plus élevée que ces derniers. (Source : Gilles Saint-Hilaire)

15. R. Tao *et al., op. cit.*

sont disponibles sous forme de prototypes présentement, en version précommerciale. Mais, si le financement était disponible pour développer la version à combustion de ce moteur, les particularités de la quasi-turbine en font un candidat intéressant pour atteindre des efficacités plus élevées que les moteurs à piston traditionnels. Outre l'efficacité, ses principaux avantages sont un poids inférieur (cinq fois moindre qu'un moteur à piston) et un petit volume (quatre fois plus compact qu'un moteur à piston), son fonctionnement plus silencieux et sans vibrations, ainsi que des coûts de production et d'entretien réduits (beaucoup moins de pièces mobiles). À noter également l'absence de soupapes qui sont remplacées par des fentes. La quasi-turbine apparaît donc très intéressante pour actionner le générateur d'une voiture hybride série, dans la mesure où l'on peut démontrer sa durabilité et sa fiabilité en mode combustion. Par ailleurs, ce moteur rotatif produit un haut couple à basse révolution, contrairement à un moteur à piston, ce qui permet d'éliminer la transmission. Toutefois, lorsqu'on veut actionner un générateur à régime constant, dans une voiture hybride série, ce dernier avantage n'est pas requis.

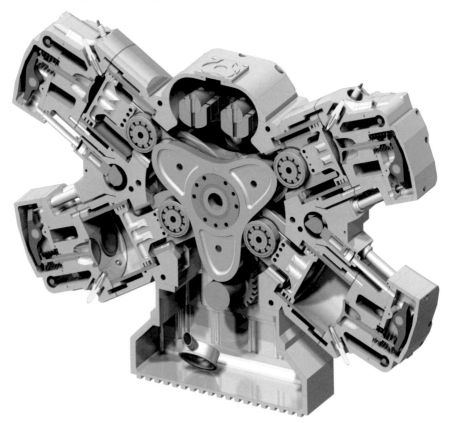

Figure 2.9 – Le moteur X4v2 de Revetec n'a pas de bielles ni de vilebrequin. Avec de l'essence, il atteint une efficacité maximale de 39,5 %. L'illustration montre les éléments essentiels du moteur. (Gracieuseté de Revetec)

D'autres moteurs rotatifs légers et compacts sont également en développement. Mentionnons le Radmax de Reg/Regi Technologies (www.regtech.com), le Star Rotor de Star Rotor Corporation (www.starrotor.com) et le RoundEngine, mis au point par VGT Technologies Inc. (www.roundengine.com).

Par ailleurs, des prototypes de moteurs à piston sans bielles ni vilebrequin, plus légers et compacts que les moteurs traditionnels, ont également été développés. Le moteur X4v2 de Revetec (www.revetec.com) possède deux paires de pistons dont chaque paire est aux deux extrémités d'une même barre métallique qui les rend solidaires (figure 2.9). Le mouvement linéaire de chaque paire de piston est transféré en un mouvement de rotation grâce à deux grosses cames à trois lobes arrondis. Leur prototype actuel atteint une efficacité maximale de 39,5%, avec de l'essence.

Mentionnons, finalement, le moteur-générateur diesel à pistons libres développé par Pempek Systems (www.freepistonpower.com), qui pourrait atteindre 50% d'efficacité. C'est ce qu'on appelle un générateur linéaire. Pempek Systems vise comme principale application de ce groupe électrogène les voitures hybrides série, pour recharger la batterie en cours de route. Un premier prototype a été testé en 2004, et un deuxième est en développement.

Bien évidemment, l'auteur de ce livre ne peut garantir la viabilité des différents moteurs présentés. Mais, une chose est certaine : plusieurs avenues sont ouvertes pour réaliser des moteurs thermiques plus efficaces, plus légers et moins encombrants que le design de base plus que centenaire des moteurs actuels. Par ailleurs, **l'avènement des voitures hybrides branchables constitue un contexte rêvé pour développer de nouveaux types de moteurs thermiques. En effet, ces nouveaux moteurs seront utilisés pour moins de 80 000 km pendant la vie du véhicule.** Le reste du kilométrage sera accompli grâce à l'électricité de la batterie qu'on rechargera sur le réseau électrique. Donc, les exigences de durabilité des moteurs-générateurs thermiques seront réduites de beaucoup.

L'aérodynamique, la légèreté et les pneus

En se référant à nouveau à la figure 2.5, on peut voir qu'une troisième avenue pour diminuer davantage la consommation de carburant réside dans l'aérodynamique et la légèreté d'une voiture, de même que dans l'utilisation de pneus adéquats. Une diminution de 30% du poids d'un véhicule entraîne une réduction de la consommation de carburant de l'ordre de 18%[16]. Par ailleurs, l'utilisation de pneus à faible résistance au roulement peut diminuer la consommation de 2% à 5%, alors que le fait de maintenir une bonne pression d'air dans les pneus peut faire sauver plus de 2% de carburant[17]. Pour faciliter cette dernière source d'économie, les futures

---

16. F. Nemry *et al.*, *Environmental Improvement of Passenger Cars (IMPRO-car)*, rapport EUR 23038 EN de la European Commission Joint Research Centre, Institute for Prospective Technological Studies, mars 2008.
17. *Ibid.*

voitures auront des senseurs dans les pneus, afin d'avertir le conducteur d'ajouter de l'air, lorsque nécessaire, à l'aide d'un petit compresseur embarqué.

L'aérodynamique d'une voiture est caractérisée par ce qu'on appelle le coefficient de traînée C_D, qui doit être le plus petit possible. Ce coefficient était de 0,43 en moyenne dans les années 1960, de 0,38 dans les années 1970 et de 0,32 dans les années 1980. En 2000, il se situait aux alentours de 0,3[18]. Par exemple, la Toyota Prius 2004 a un C_D de 0,26. Il faut savoir qu'à chaque fois qu'on diminue le coefficient de traînée de 10%, on économise de 3% à 4% de carburant[19]. **En résumé, si on tient compte de l'ensemble des diminutions de consommation dues à l'aérodynamique, à l'allégement de 30% et aux pneus, la consommation globale de carburant d'une voiture pourrait diminuer d'un 25% supplémentaire.**

Selon l'étude de la Commission européenne, publiée en 2008 et intitulée «Environmental Improvement of Passenger Cars[20]» (Amélioration environnementale des voitures pour passagers), **la réduction de poids des voitures résultera principalement de l'utilisation accrue des aciers à haute résistance et de l'aluminium,** en remplacement de l'acier traditionnel. L'utilisation de matériaux composites en fibres de carbone pourrait aussi diminuer le poids des véhicules. Malheureusement, ces matériaux ne sont pas réellement recyclables pour le moment, ce qui n'est pas le cas pour les métaux. Quant au magnésium, sa production, toujours selon cette étude, exige une dépense énergétique trop grande.

Une réduction de 30% du poids des véhicules est loin d'être utopique. Ainsi, la compagnie Fisher Coachworks (www.fishercoachworks.com) des États-Unis a présenté, en juillet 2008, un prototype d'autobus hybride série (modèle GTB-40) dont le poids est réduit d'environ 40% par rapport à celui d'un autobus traditionnel (figure 2.10). Cet autobus ultraléger est construit principalement avec de l'acier inoxydable Nitronic 30 à haute résistance. Son développement est le fruit d'un partenariat entre le Oak Ridge National Laboratory (ORNL) et la compagnie Autokinetics (www. autokinetics.com) qui se spécialise dans les structures en acier à haute résistance. L'autobus diesel Fisher GTB-40 est équipé de moteurs électriques dans chacune de ses quatre roues et consomme 20 litres/100 km de carburant diesel, et 40 kWh/100 km d'électricité. Les simulations de consommation supposent un parcours de 367 km sur 18 heures, avec une pleine charge de la batterie (120 kWh utilisables, 146 kWh du secteur), selon les informations fournies à l'auteur par Fisher Coachworks. C'est donc un autobus hybride branchable. Comparativement, la moyenne des autobus diesel traditionnels consomment 60 litres/100 km en cycle urbain, et les autobus hybrides classiques (non branchables) de 40 à 45 litres/100 km.

---

18. *Ibid.*
19. *Ibid.*
20. *Ibid.*

Figure 2.10 – L'autobus hybride GTB-40 de Fisher Coachworks, construit en acier inoxydable Nitronic 30 à haute résistance, est environ 40 % plus léger qu'un autobus traditionnel. C'est un véhicule hybride série muni d'un moteur électrique à chacune des quatre roues, qui consomme à la fois du carburant et de l'électricité, à raison de 20 litres/100 km et 40 kWh/100 km. (Source : Fisher Coachworks)

Des moteurs-roues aux quatre roues

Finalement, on peut encore réduire la consommation de carburant d'une voiture hybride de 25 % environ, en conduite mixte, si on motorise indépendamment les quatre roues grâce à des moteurs-roues électriques (figure 2.11). Cette économie peut aller jusqu'à 35 % en conduite urbaine. La principale raison de cette économie d'énergie supplémentaire est attribuable au fait que des moteurs-roues permettent de récupérer au freinage environ 85 % de l'énergie cinétique de la voiture, contrairement à seulement à 20 % à 25 % pour une voiture à moteur électrique central. Les moteurs-roues agissent comme des freins électromagnétiques très performants qui transforment en courant électrique l'énergie cinétique de la voiture, ce qui permet de recharger la batterie.

Le faible pourcentage de récupération d'un moteur électrique central s'explique par le fait qu'il n'est connecté qu'à deux roues, alors qu'il faut freiner avec les quatre roues. De plus, un moteur central est placé derrière un différentiel pour répartir la force du moteur différemment sur les deux roues motrices, selon le besoin du moment. Or, on ne peut freiner derrière un différentiel, car si les deux roues motrices n'ont pas la même adhérence (plaques de glace, flaques d'eau...), le conducteur risque de perdre le contrôle de sa voiture.

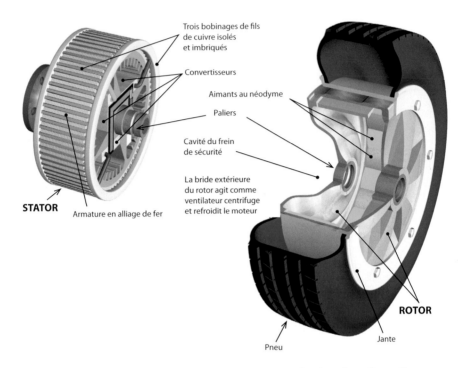

Trois bobinages de fils
de cuivre isolés
et imbriqués

Convertisseurs

Aimants au néodyme

Paliers

Cavité du frein
de sécurité

La bride extérieure
du rotor agit comme
ventilateur centrifuge
et refroidit le moteur

STATOR

Armature en alliage de fer

ROTOR

Pneu

Jante

Figure 2.11 – Représentation schématique du moteur-roue développé par Pierre Couture et son équipe, en 1994 (voir la section 2.9 dans ce chapitre). Cette illustration a été dessinée par l'auteur, à partir de l'information publique connue sur ce moteur bien spécial (brevets et dépliants publicitaires).

Il faut donc ajouter des freins mécaniques aux deux roues motrices, ce qui diminue d'autant le freinage électromagnétique régénératif du moteur central. **En fait, un moteur électrique central ne fait que de la compression régénérative**.

Par ailleurs, **une voiture équipée de moteurs-roues à entraînement direct ne présente aucune des pertes dues à la chaîne de transmission mécanique usuelle entre le moteur et les roues motrices**. En effet, une voiture à moteurs-roues n'a pas d'embrayage, ni transmission, ni différentiel, ni cardans. Tout est contrôlé par logiciel. En fait, un moteur-roue n'a même pas de palier qui lui est propre, puisqu'il utilise le palier de la roue elle-même (**figure 2.11**).

Les carburants et l'électricité

Le fait que les voitures hybrides avancées consommeront quatre fois moins de carburant, lorsqu'elles n'utiliseront pas l'électricité du réseau, signifie que les voitures intermédiaires de demain ne brûleront que 2 à 2,5 litres/100 km en mode carburant! Par ailleurs, si on tient compte du fait que seulement 20% des kilomètres, en moyenne, se feront en mode carburant, on peut dire que **les voitures hybrides avancées de demain consommeront 20 fois moins de carburant, en**

moyenne, que les voitures sur les routes en 2008. Cette faible consommation est rendue possible en raison surtout du fait que 80% des kilomètres seront parcourus en mode électrique.

Afin de pouvoir parcourir 80% du kilométrage en mode électrique, une étude étatsunienne de l'Electric Power Research Institute (EPRI)[21] a démontré que ces voitures devraient avoir une autonomie pouvant aller jusqu'à 120 km par jour en mode électrique, selon les besoins, et être rechargées chaque soir. Cette étude tient compte du kilométrage annuel des voitures étatsuniennes, qui s'élève à 20 000 km par année, en moyenne[22]. Le kilométrage annuel des Européens étant inférieur à celui des Étatsuniens, un conducteur européen n'aura pas besoin d'une batterie aussi grosse. En France, par exemple, les voitures parcourent 13 000 km[23] en moyenne. Ainsi, une voiture française devrait pouvoir parcourir 80% de ses kilomètres en mode électrique avec une batterie autorisant une autonomie jusqu'à 90 km environ. Par ailleurs, ce ne sont pas tous les conducteurs qui auront besoin d'une si grosse batterie. Ceux qui font moins de kilométrage pourront choisir une plus petite batterie pour leur voiture. De plus, le coût de l'énergie ne cessant de grimper, les conducteurs vont rouler moins avec leur voiture personnelle, en se rapprochant de leur lieu de travail et en utilisant davantage les transports en commun. **À l'horizon 2030, il semble donc conservateur de dire qu'une batterie autorisant une autonomie électrique de 100 km à une voiture permettra au conducteur de parcourir aisément 80% de son kilométrage en mode électrique.**

2.5 – La première vague de véhicules électriques commerciaux des années 1990

Même si, à l'avenir, la majorité des voitures principales seront hybrides, il n'en demeure pas moins que des véhicules entièrement électriques, avec une autonomie de 150 km à 200 km et capables d'atteindre une vitesse de 120 km/h, pourront représenter la deuxième voiture idéale pour une famille ou un couple. De telles voitures ont été commercialisées à la fin des années 1990 en Californie. Des voitures électriques avec des performances réduites et une autonomie moindre ont été fabriquées en série en France, à partir de 1995.

Dans l'Hexagone, dans les années 1990, PSA Peugeot-Citroën, Renault et Électricité de France (EDF) ont uni leurs efforts de recherche et développement pour mettre sur le marché des véhicules électriques. C'est ainsi qu'on a vu apparaître, du côté des voitures particulières électriques, la Peugeot 106, la Renault Clio et la Citroën Saxo, toutes équipées de moteurs électriques de 20 kW environ. Des véhicules utilitaires électriques ont aussi été créés, comme

21. R. Graham *et al.*, *Comparing the Benefits and Impacts of Hybrid Electric Vehicle Options*, rapport 1000349 du Electric Power Research Institute (EPRI), juillet 2001.
22. S.C. Davis, S.W. Diegel, *R.G. Boundy, Transportation Energy Data Book*, 27e édition, Oak Ridge National Laboratory, U.S. Department of Energy, 2008. Téléchargement à http://cta.ornl.gov/data/index.shtml.
23. Comité des Constructeurs Français d'Automobiles, *L'industrie automobile française – Analyses et statistiques*, Édition 2008. Téléchargement à www.ccfa.fr dans la section Publications.

la **Peugeot Partner**, la **Citroën Berlingo** (figure 2.12) et la **Renault Kangoo**, avec des moteurs respectivement de **28 kW, 28 kW et 22 kW**. Ces véhicules sont équipés de batteries nickel-cadmium produites par la société française Saft, qui

confèrent aux voitures particulières une autonomie réduite de 60 km à 80 km, avec une vitesse maximale entre 90 et 100 km/h et une accélération modeste de 0 à 50 km/h en 8 secondes environ. Les véhicules utilitaires, quant à eux, jouissent d'une autonomie un peu plus grande de 100 km.

Figure 2.12 – La Citroën Berlingo. (Source : Wikimedia Commons, http://commons.wikimedia.org, auteur : Hans E.C. Johansson, 2004)

Grâce aux montants versés aux acheteurs par l'EDF et le gouvernement français, ces véhicules coûtent approximativement le même prix qu'un véhicule à essence, en excluant le prix de la batterie, dont EDF assure la location et le service. De 1995 à 2005, année où la fabrication des véhicules électriques a cessé, plus de 12 000 véhicules ont été vendus. Parmi les gros clients, on trouvait de grandes sociétés d'État, comme EDF et La Poste, de même que certaines municipalités et des aéroports.

En fait, les performances de ces véhicules électriques français de première génération étaient trop limitées pour qu'elles puissent connaître un succès commercial.

Par contre, à la fin des années 1990, on a vu apparaître en Californie des véhicules électriques aux performances véritablement intéressantes. Dans cet État, une réglementation forçait les constructeurs d'automobiles à en mettre sur le marché. Le véhicule sport utilitaire **RAV4** de **Toyota** faisait partie de ceux-là (figure 2.13), de même que la EV1 de GM (figure 2.14). Le RAV4 électrique, commercialisé en 1998, est muni des nouvelles batteries Ni-MH et d'un moteur à aimants permanents de 50 kW. Il possède une autonomie de 150 km et peut grimper à une vitesse maximale de 125 km/h. Son accélération de 0 à 80 km/h est de 13 secondes. De son côté, la voiture sport électrique **EV1** de **GM** est apparue sur les routes californiennes en 1996, et sa version améliorée, utilisant les nouvelles batteries Ni-MH, en 1999. Cette dernière version affiche une autonomie de 200 km environ, avec une vitesse maximale de 130 km/h, et une accélération de 0 à 100 km/h en moins de 9 secondes, grâce à son moteur de 102 kW! Si on pouvait acheter ces véhicules aujourd'hui, il est certain que les listes d'attente seraient très longues.

Le triste sort des EV1 est désormais bien connu. Lorsque les fabricants d'automobile, aidés du gouvernement fédéral étatsunien (administration Bush), ont vu qu'ils allaient remporter leur bataille juridique contre la Californie, GM, qui faisait valoir que les gens

Figure 2.13 – Le véhicule sport utilitaire RAV4 de Toyota. (Source : Wikimedia Commons, http://commons.wikimedia.org, auteur : George Manning, mars 2001)

Figure 2.14 – La voiture EV1 de GM en version expérimentale hybride série, en démonstration au symposium EVS-16 de Pékin, en 1999. Les EV1 tout électriques louées en Californie à partir de 1996 avaient la même apparence extérieure. (Source : Wikimedia Commons, http://commons.wikimedia.org, auteur : Lhoon, octobre 1999)

ne voulaient pas de véhicules électriques, n'a pas renouvelé les contrats de location des EV1. Ces petites merveilles ont été tout simplement détruites en 2004 et 2005! Plusieurs autres voitures électriques de différentes compagnies, qui avaient été louées à des Californiens, ont subi le même sort. Mais en 2005, sous la pression des consommateurs, lors d'une campagne bien orchestrée (www.DontCrush.com), Toyota a finalement accepté de vendre les RAV4 électriques qui restaient, au lieu de les détruire. En 2008, plusieurs de ces véhicules ont déjà dépassé les 200 000 km avec leur batterie originale Ni-MH et leurs propriétaires en sont très satisfaits.

On peut se demander alors pourquoi cet empressement des constructeurs à retirer les véhicules électriques de la route. Car même si ces véhicules sont plus chers que les véhicules traditionnels, des gens plus fortunés peuvent en acheter au début, jusqu'à ce que les quantités soient suffisantes pour faire baisser les prix, et on peut louer les batteries au lieu de les vendre avec le véhicule. Malheureusement, les grands de l'automobile n'en offrent tout simplement pas en 2008!

En réalité, comme l'a si bien montré le documentaire de Chris Paine «Who Killed the Electric Car?» en 2006, **les automobiles électriques demandent beaucoup moins d'entretien et de réparation que les automobiles traditionnelles, ce qui laisse présager une perte substantielle de profits de la part des fabricants dont une partie importante du chiffre d'affaires provient des pièces de rechange.** Par ailleurs, les chaînes de montage doivent être modifiées, ce qui implique d'investir beaucoup d'argent pour produire des véhicules électriques en série.

Mais les capacités mondiales de production de pétrole plafonnent depuis 2007, alors que la demande augmente constamment en raison des économies émergentes (Chine, Inde...). La conséquence est que le prix des carburants monte en flèche, avec des consommateurs de plus en plus frustrés. Par ailleurs, l'approvisionnement en pétrole devient une question de sécurité nationale. Ajoutons à cela les préoccupations environnementales qui ont atteint un niveau sans précédent en 2006, avec le film *An Inconvenient Truth* d'Al Gore, et on se retrouve dans une situation totalement différente de celle des années 1990.

Ce nouveau contexte fait en sorte que les fabricants d'automobile ne cessent de présenter des voitures concepts électriques et hybrides branchables depuis 2007, avec promesse d'en commercialiser certaines à l'horizon de 2010-2012. Mais quelles quantités de véhicules vont être offertes, quand et à quel prix? Les constructeurs automobiles se dirigent vers la motorisation électrique à grand renfort de publicité, mais, somme toute, avec le pied sur le frein. On imagine facilement que le lobby des pétrolières contribue à la résistance au changement. **Les gouvernements devront donc se tenir debout et imposer l'accélération de cette transition inéluctable vers les véhicules fonctionnant majoritairement à l'électricité.**

Les véhicules électriques commercialisés en 2008 sont offerts par des nouveaux joueurs dans le domaine de l'automobile, comme Tesla Motors et Phoenix Motor Cars (voir les figures 2.3 et 2.4). Ces nouveaux constructeurs ont tout à gagner, contrairement aux grands de l'automobile.

En fait, l'industrie automobile n'a jamais cessé de prétendre que les batteries n'étaient pas prêtes, alors que les véhicules électriques RAV4 de Toyota, maintenant discontinués, roulent allégrement depuis 1998 toujours avec leur batterie Ni-MH d'origine...

2.6 – La conversion de véhicules traditionnels en véhicules électriques

Face à cette inertie, pour ne pas dire cette mauvaise volonté, plusieurs personnes déterminées et qualifiées en électrotechnique ont monté leur propre véhicule électrique à partir d'un véhicule traditionnel usagé dont ils ont enlevé le moteur et les accessoires inutiles, comme le système d'échappement des gaz, le radiateur et le réservoir de carburant.

Près de Montréal, Alain St-Yves est un de ces pionniers. En 1998, ce technologue en électromécanique a converti une camionnette Chevrolet S-10 1996 qu'il a baptisée : Le Véhicule Vert (**figure 2.15**). Pour ce faire, il a utilisé des batteries plomb-acide.

Figure 2.15 – Dès 1998, Alain Saint-Yves, spécialiste québécois en électrotechnique, a transformé une camionnette S-10 de Chevrolet en véhicule électrique qu'il a appelé Le Véhicule Vert. Ses batteries au plomb lui donnent une autonomie de 64 km. Sa vitesse maximale est de 104 km/h. Une génératrice à essence de 5 kW en prolonge l'autonomie à 120 km. Plus d'informations sur son site Internet : www.vehiculevert.org. (Photo : gracieuseté d'Alain St-Yves)

Figure 2.16 – Une génératrice de 5 kW agit comme prolongateur d'autonomie sur le Véhicule Vert d'Alain St-Yves. (Photo : gracieuseté d'Alain St-Yves)

La vitesse maximale de son véhicule électrique artisanal est de 104 km/h, avec une autonomie de 64 km en mode électrique pur. Avec l'ajout d'un petit groupe électrogène de 5 kW à l'arrière (**figure 2.16**), l'autonomie est passée à 120 km. Alain est un ardent défenseur des véhicules électriques et hybrides, et il ne manque pas une occasion de sensibiliser les jeunes à ces nouvelles technologies. Sur son site Internet (www.vehiculevert.org), on peut lire la phrase suivante qui se passe de commentaires :

> Si des individus parviennent à concevoir et à utiliser ce type de voiture [électrique artisanale], on est en mesure de croire que l'industrie automobile, avec ses milliers d'ingénieurs, peut faire maintes fois mieux.

Il n'y a pas que les individus qui convertissent des véhicules traditionnels en véhicules électriques ou hybrides branchables. Désormais, de plus en plus d'entreprises le font. La compagnie étatsunienne Hybrid Technologies (www. hybridtechnologies.com), par exemple, transforme des Yaris de Toyota, des PT Cruiser de Chrysler, des Mini Couper de BMW et des Smart de Daimler en voitures électriques, à l'aide de batteries au lithium. Leur autonomie varie entre 160 km et 190 km, avec des vitesses de pointe de 110 km/h à 125 km/h. Les accélérations sont très convenables, puisque ces voitures électriques converties font de 0 à 100 km/h en 7,1 à 12 secondes, selon les modèles. En 2008, les prix variaient entre 39 500 $ pour la Yaris électrique et 57 500 $ pour la Mini Cooper électrique.

À Mexico, une ville particulièrement affectée par la pollution, l'administration a adopté un règlement exigeant que 10 % des nouveaux taxis soient électriques. Cela représente environ 3000 véhicules pour la seule année 2008! En raison de la non-disponibilité des voitures électriques sur le marché, la compagnie mexicaine Electro Autos Eficaces de Mexico (EAE) a conclu, en 2007, une entente avec l'entreprise canadienne Azure Dynamics pour lui fournir des kits de conversion électrique pour des Sentra de Nissan. En effet, ces voitures constituent une bonne partie du parc mexicain de taxis (**figure 2.17**). L'autonomie requise pour ces taxis électriques est de 200 km/jour.

Au Québec, un jeune ingénieur en génie mécanique, Loïc Daigneault, dont la famille est dans le commerce des véhicules usagés depuis 25 ans, a démarré, en 2008, une entreprise de conversion de Mazda usagées, de 3 ou 4 ans, en voitures électriques. Il s'agit de la compagnie Voitures électriques du Québec. Son site Internet, dont on voit la page d'accueil sur la **figure 2.18**, est à l'adresse www.voitureselectriques.ca. Le prix annoncé pour une Mazda électrique convertie varie de 20 000 $ à 25 000 $, et l'autonomie des

Figure 2.17 – Une Sentra de Nissan convertie en taxi électrique, en 2007, par la compagnie mexicaine Electro Autos Eficaces (EAE) à partir de kits fournis par l'entreprise canadienne Azure Dynamics. (Photo : Azure Dynamics)

voitures atteint 80 km en ville et 100 km sur la route, avec une vitesse maximale de 120 km/h. Le chauffage de la cabine est électrique et ne consomme que 10 % environ de l'électricité.

Vingt-quatre batteries plomb-acide à décharge profonde sont utilisées. Selon la compagnie, ces batteries sont bonnes pour 60 000 km; on peut les remplacer au coût de 3500 $. Même en ne comptant que 40 000 km pour une conduite plus « agressive » et en calculant 8 litres/100 km pour une voiture à essence, à 1,50 $ le litre, il

Figure 2.18 – Page d'accueil du site de la compagnie Les voitures électriques du Québec. (Photo : Les Voitures électriques du Québec)

en coûterait 4800 $ en carburant pour parcourir 40 000 km. Par ailleurs, le coût en électricité pour parcourir 40 000 km est d'environ 700 $ Le coût de l'énergie pour ces voitures converties, incluant le prix des batteries, est donc inférieur au coût de l'essence en 2008.

Pour une nouvelle compagnie, convertir des véhicules traditionnels homologués (qui ont déjà passé les tests de collision et de sécurité) est beaucoup moins onéreux que d'avoir à concevoir et à construire des véhicules neufs. D'autres initiatives semblables vont donc sûrement se multiplier dans les années à venir pour se défaire de l'emprise du pétrole.

2.7 – Des véhicules électriques de niche

Une autre façon d'introduire la mobilité électrique à moindres frais est d'opter pour des véhicules à trois roues. Ils sont classés comme motocyclettes, ce qui évite tout le processus coûteux des tests de collision et diminue de beaucoup les contraintes de sécurité qu'on impose normalement aux fabricants d'automobiles. Par ailleurs, ce créneau n'entre pas en compétition avec les grands de l'automobile et cela rend l'aventure moins risquée.

L'un de ces véhicules, très réussi, est le Silence (figure 2.19) de la compagnie québécoise Silence inc. (www.silenceinc.ca), qui utilise la carrosserie du déjà célèbre T-Rex, son cousin à essence. Ce petit bolide électrique est équipé de batteries Li-ion phosphate et affiche une vitesse maximale supérieure à 200 km/h et une autonomie d'environ 300 km. Il est en vente depuis 2008, pour 50 000 $.

Un autre véhicule électrique à trois roues qui ne passe pas inaperçu est l'Aptera (figure 2.20), de la compagnie californienne Aptera (www.aptera.com). Son profil très aérodynamique lui confère une efficacité énergétique sans pareille. Il jouit d'une autonomie de 200 km et peut atteindre une vitesse maximale de 140 km/h, tout en accélérant de 0 à 100 km/h en moins de 10 secondes. Le tout pour environ 30 000 $ à compter de la fin 2008. Pour les experts, l'Aptera ne

Figure 2.19 – La compagnie québécoise Silence inc. a commercialisé, en 2007, le véhicule sport électrique Silence, utilisant le châssis du désormais célèbre T-Rex à trois roues. Sa batterie Li-ion lui donne une autonomie de 300 km et le véhicule peut dépasser les 200 km/h. (Photo : Silence inc.)

consomme que 4,5 kWh/100 km, ce qui est 4 fois moins qu'une voiture intermédiaire électrique. Au Québec, il en coûterait donc moins de 1,00 $ d'électricité pour parcourir la distance de 250 km qui sépare Québec de Montréal ! C'est un véhicule idéal lorsqu'on veut minimiser les dépenses d'énergie pour déplacer une ou deux personnes. Un modèle hybride est également prévu pour 2009, avec une consommation de 0,8 litre/100 km !

Les véhicules urbains dits de voisinage constituent une autre catégorie de véhicules pour lesquels les règles de sécurité et les contraintes pour les constructeurs sont moins sévères. Ces petites voitures ont une vitesse maximale de 40 km/h à 55 km/h et leur marché de niche vise les déplacements urbains dans des zones à basse vitesse ou dans des développements domiciliaires clôturés très populaires dans le sud des États-Unis, principalement auprès des personnes retraitées en quête de sécurité. Les campus universitaires, les parcs et les studios de cinéma constituent d'autres lieux potentiels d'utilisation de ces véhicules.

Figure 2.20 – La compagnie californienne Aptera Motors a mis sur le marché, en 2008, l'Aptera, un véhicule électrique à trois roues avec une autonomie de 200 km. L'Aptera peut transporter deux passagers avec une consommation minimale d'énergie et atteindre 140 km/h. (Source : Wikimedia Commons, auteur : Aptera Motors, juillet 2008)

Figure 2.21 – La compagnie canadienne Zenn Motor a mis en marché, en 2007, une voiture électrique à basse vitesse, la Zenn, acronyme pour Zero Emission No Noise, qui offre une autonomie de 50 km à 80 km et une vitesse maximale de 40 à 55 km/h. (Source : Wikimedia Commons, auteur : Leonard G., décembre 2007)

La compagnie canadienne Zenn Motor (www.zenncars.com) fait office de pionnier pour ce genre de véhicules. En 2007, la compagnie a mis sur le marché la Zenn, acronyme de Zero Emission No Noise (zéro émission sans bruit), qui offre une autonomie de 50 km à 80 km, avec des batteries plomb-acide scellées (figure 2.21). Cette voiturette utilise la carrosserie de la Microcar, un véhicule à essence français, et son groupe de traction électrique est intégré à Saint-Jérôme, au nord de Montréal. Le prix de vente avoisine les 16 000 $. Par ailleurs, en 2009, Zen Motor devrait utiliser les supercondensateurs de EEstor dont nous avons parlé à la section 2.2 et pour lesquels Zenn Motor détient une licence exclusive pour les petites voitures.

2.8 – Deux pionniers modernes de la motorisation électrique

Aussi paradoxal que cela puisse paraître, les pionniers et les visionnaires qui apportent des solutions technologiques pour un monde meilleur font souvent face à beaucoup d'inertie et d'obstacles sur leur route, particulièrement lorsque leurs découvertes dérangent certains intérêts financiers puissants en place. **Lorsqu'une invention présente des bénéfices évidents pour le mieux-être des citoyens et pour l'environnement, les gouvernements devraient tout faire pour favoriser la recherche, le développement et la commercialisation de cette invention.** Malheureusement, c'est souvent le contraire qui se produit.

La voiture hybride réalisée par Victor Wouk en 1974

L'auteur de ce livre a été stupéfait d'apprendre dans ses recherches que Victor Wouk, docteur en génie électrique du California Institute of Technology, avait mis au

point, en 1974, une voiture hybride, essence-électricité, à partir de la carrosserie d'une Buick Skylark (figure 2.22). Cette voiture avant-gardiste affichait une consommation de carburant réduite de moitié !

Figure 2.22 –En 1974, Victor Wouk, sur la photo, met au point une voiture hybride à partir d'une Buick Skylark 1972. Elle consommait la moitié de l'essence d'une voiture traditionnelle ! (Source : Caltech Archive)

Dans les années 1960, Wouk s'était intéressé aux voitures électriques, mais il avait constaté que la capacité de stockage et la puissance des batteries étaient insuffisantes pour offrir aux véhicules électriques des performances semblables à celles des voitures à essence. Déjà à cette époque, les émissions des automobiles polluaient l'air des villes et avaient des incidences néfastes connues sur la santé humaine. La diminution de la consommation de carburant et des émissions des véhicules était cependant une préoccupation de Victor Wouk. **Il lui vint alors à l'esprit qu'une voiture hybride, possédant un moteur à essence assisté par un moteur électrique, offrirait un compromis honorable pour maintenir à la fois les performances usuelles des voitures à essence et diminuer de façon importante la consommation de carburant et les émissions polluantes.**

L'occasion de démontrer la justesse de ce concept allait se présenter en 1970, alors que le gouvernement fédéral étatsunien vote le Clean Air Act qui oblige les véhicules routiers à réduire leurs émissions polluantes de 90 % pour 1976. De manière à stimuler la réalisation de ces objectifs, le gouvernement fédéral met sur pied, en 1970, le Federal Clean Car Incentive Program (FCCIP) (Programme fédéral d'encouragement pour les automobiles propres) qui sollicite des propositions pour démontrer la faisabilité de voitures capables d'atteindre les objectifs du Clean Air Act. C'est l'Environmental Protection Agency (EPA) (Agence de protection de l'environnement) qui est mandaté pour gérer les nouvelles normes anti-pollution ainsi que le programme FCCIP.

Victor Wouk et Charlie Rosen fondent alors la compagnie Petro-Electric Motors, qui négocie une entente avec l'EPA, pour la conception et la réalisation d'une voiture hybride respectant les normes de 1976. L'entente prévoit trois phases. Dans la première, Petro-Electric Motors construit à ses frais une voiture hybride et la fait tester par l'EPA. Si les normes sont respectées, l'EPA paie 30 000 $ à Petro-Electric Motors et donne le feu vert à une deuxième phase dans laquelle l'EPA commande 10 autres voitures pour les tester pendant une année. Si au bout de cette année les 10 voitures respectent encore les normes de faibles émissions et de basse consommation, alors l'EPA achète 350 voitures hybrides pour les flottes de véhicules des agences gouvernementales.

Petro-Electric Motors se lance alors dans la conception et la réalisation d'un prototype de voiture hybride. Le tout est terminé à la fin de 1974. En janvier 1975, l'EPA effectue les tests sur la Buick Skylark hybride de Petro-Electric Motors. À ce moment-là, il s'agit du seul projet encore dans la course du FCCIP, les autres ayant dû abandonner en raison de leur incapacité à respecter les nouvelles normes, très sévères. En fait, le Clean Air Act sera amendé en 1977, puis en 1990, pour étirer les délais d'entrée en vigueur des normes. Ce n'est que dans les années 1990 que les fabricants d'automobiles vont y parvenir. **Pourtant, la Buick Skylark hybride de Petro-Electric Motors a réussi les tests d'émission et de consommation dès janvier 1975.**

Mais c'est là que le chat est sorti du sac, car malgré ce succès technologique extraordinaire, l'EPA a décidé de ne pas poursuivre les autres phases du projet! Victor Wouk a affirmé lors d'une entrevue en 2004[24] que l'un des ingénieurs qui faisait passer les tests à l'EPA lui a confié que le directeur du programme avait averti le personnel qu'il n'était pas question qu'en aucune circonstance, la voiture hybride soit acceptée!

Devant ce manque à gagner et ce manque d'appui du gouvernement, Petro-Electric Motors se retrouve alors seule face aux majors de l'automobile et se voit contraint d'abandonner.

Malheureusement, dans les années 1970, Internet n'existait pas et le public n'a pas été informé des déboires du pionnier des véhicules hybrides, Victor Wouk.

---

24. V. Wouk, Entrevue avec J.R. Goodstein, 24 mai 2004, Archives du California Institute of Technology, Pasadena, Californie. On peut télécharger la transcription de cette entrevue (82 pages) à http://oral-histories.library.caltech.edu/92/.

Les véhicules hybrides d'Andrew Frank et ses étudiants

Andrew Frank (figure 2.23) est un autre pionnier moderne de la motorisation électrique hybride. Ce professeur très allumé de génie mécanique s'est passionné dès le début des années 1970 pour les véhicules hybrides, avec pour objectif de réduire la consommation de carburant et les émissions polluantes, comme l'exigeait le Clean Air Act de 1970. Il a commencé sa carrière à l'Université du Wisconsin et enseigne, depuis 1985, à l'Université de Californie Davis.

Figure 2.23 – Andrew Frank, un pionnier des véhicules hybrides branchables.

Dès 1972, Andrew Frank et ses étudiants conçoivent et construisent un petit véhicule hybride urbain à partir de zéro. C'est ainsi qu'est né ce qu'il a appelé Team Fate (l'équipe Fate), en l'honneur du professeur Fate, un personnage éminent du film *The Great Race* (*La grande course*), tourné dans les années 1960. En tant que groupe de conception et de réalisation de véhicules hybrides relié au professeur Frank, Team Fate existe toujours et a son propre site Internet : www.team-fate.net.

Plusieurs autres véhicules ont été construits depuis et ont participé à divers concours d'étudiants, en remportant plusieurs prix. **Depuis 1996, Team Fate concentre ses énergies sur des voitures et des véhicules utilitaires sports commerciaux qu'ils convertissent en véhicules hybrides branchables pouvant parcourir de 65 km à 100 km en mode électrique pur avec l'électricité du réseau et bien plus en utilisant du carburant.** La figure 2.24 montre le dernier véhicule converti, Trinity. Avec une telle autonomie en mode électrique, le docteur Frank fait remarquer que près de 90 % des kilomètres seront parcourus en utilisant de l'électricité, ce qui diminue de beaucoup les émissions de gaz à effet de serre. De plus, on améliore la sécurité nationale en évitant d'importer trop de pétrole en provenance de pays étrangers, tout en faisant tourner l'économie locale.

En 2007, lors d'une conférence à Winnipeg[25], Andrew Frank comparait les véhicules hybrides branchables construits par Team Fate à UC Davis aux véhicules commerciaux de départ. **Selon lui, les véhicules hybrides de Team Fate :**

- **ne sont pas plus lourds que les véhicules commerciaux de départ,**

- **ont de meilleures performances que les véhicules de départ, tout en étant plus simples au point de vue mécanique,**

- **consomment 2 fois moins d'essence que les véhicules de départ, lorsqu'ils fonctionnent avec le carburant seulement,**

---

25. A.A. Frank, *The Plug-In Highway for Energy Sustainability of Both Transportation and Stationary Use*, symposium PHEV 2007, 1er et 2 novembre 2007, Winnipeg, Manitoba. Téléchargement des présentations à www.pluginhighway.ca/proceedings.php.

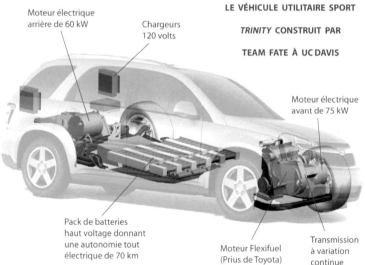

LE VÉHICULE UTILITAIRE SPORT

***TRINITY* CONSTRUIT PAR**

TEAM FATE À UC DAVIS

Moteur électrique
arrière de 60 kW

Chargeurs
120 volts

Moteur électrique
avant de 75 kW

Pack de batteries
haut voltage donnant
une autonomie tout
électrique de 70 km

Moteur Flexifuel
(Prius de Toyota)

Transmission
à variation
continue

Figure 2.24 – Trinity, véhicule utilitaire sport hybride branchable à quatre roues motrices, a été réalisé par Team Fate de UC Davis. Le véhicule de départ est un Chevrolet Equinox 2005. Son autonomie en mode électrique est de 70 km et son autonomie totale (électrique et essence) atteint 950 km. Malgré sa masse de 2130 kg, Trinity accélère de 0 à 100 km/h en 8,5 secondes. (Photo : Andrew A. Frank)

– coûtent moins de 20% plus cher que les véhicules de départ, en raison du coût des batteries, un excédent qui se paye en 4 ans par les économies d'essence et d'entretien.

Il est tout de même étonnant de voir ce qu'une poignée de jeunes de 20 ans, bien encadrés par un professeur compétent et passionné, peuvent faire comparativement à ce que font les grands constructeurs d'automobiles, avec leurs milliers d'ingénieurs professionnels. Ça devient gênant...

2.9 – Pierre Couture réinvente le moteur-roue en 1994

Notre prochain pionnier, Pierre Couture (**figure 2.25**), est également un promoteur inconditionnel des voitures hybrides branchables depuis plus de deux décennies. Il est surtout connu pour avoir développé des moteurs-roues ultra-performants.

C'est un physicien québécois, spécialiste en fusion thermonucléaire par confinement magnétique (il a été un des principaux concepteurs du Tokamak canadien à Varennes, dans les années 1980, et a travaillé sur celui de Princeton), avec une connaissance approfondie de l'électromagnétisme appliqué. En 1973, il a réalisé l'ampleur du non-sens des véhicules traditionnels alors qu'il était coincé dans un embouteillage sur une autoroute à huit voies à New York. Comme il le dit lui-même : «Je voyais un petit pipeline de pétrole qu'on brûlait en pure perte et ça m'a révolté.» La solution était pourtant évidente, il suffisait d'introduire une motorisation électrique dans les véhicules.

Figure 2.25 – Pierre Couture, un autre grand pionnier de la motorisation électrique des véhicules hybrides branchables.

Au début des années 1980, alors qu'il travaille au centre de recherche d'Hydro-Québec, le docteur Couture voit bien que les prototypes de voitures électriques n'ont que des performances réduites, ce qui n'est pas gagnant. Il est convaincu que pour prendre la place des véhicules traditionnels, les véhicules électriques doivent avoir des performances supérieures aux véhicules à essence. Il donne l'exemple des disques compacts numériques qui ont remplacé les disques de vinyle analogiques pour la musique. La transition n'a pas été difficile, car la qualité du son et les fonctionnalités des lecteurs de disques compacts étaient bien supérieures. Les gens en voulaient tout simplement. Pierre Couture décide donc de chercher la solution optimale pour la mobilité électrique qui pourra réduire au maximum les émissions de CO_2 et de gaz nocifs, tout en offrant au conducteur une expérience inégalée de conduite qui le fascinerait dès le premier essai routier.

Cette solution optimale, tous ses calculs lui démontrent que c'est une voiture hybride branchable à moteurs-roues. Il développe donc, avec son équipe, les moteurs-roues les plus performants qui soient et les installe sur une Chrysler

Intrepid convertie (figure 2.26). Le 1er décembre 1994, cette merveille technologique est présentée avec fierté par la direction d'Hydro-Québec, en conférence de presse. (Le site www.pureinvention.com/MoteurRoue montre le matériel promotionnel distribué alors.) Ce jour-là, Pierre Couture, fait l'allocution suivante (texte transmis par Pierre Couture ; les notes entre crochets sont de l'auteur) :

Figure 2.26 – L'automobile électrique dévoilée en 1994 par Hydro-Québec. Cette Chrysler Intrepid transformée possède deux moteurs-roues à l'arrière. Le prototype de 1995 était équipé de quatre moteurs-roues. (Source : archives du quotidien *Le Devoir*)

La technologie que nous vous présentons aujourd'hui est l'aboutissement d'un défi que nous nous étions lancé il y a plus d'une douzaine d'années, celui de développer un groupe de traction pour véhicule électrique qui, grâce à l'électricité, permettrait de régler les problèmes d'environnement, de pollution et de dépendance énergétique qui découlent des véhicules conventionnels.

Notre technologie possède aussi le potentiel pour régler à la satisfaction des consommateurs les principaux problèmes auxquels se heurte le véhicule électrique, qui sont l'autonomie et les performances.

Nous avons voulu concevoir un groupe de traction comparable ou supérieur au groupe de traction traditionnel, et les résultats préliminaires confirment nos espérances. Non seulement croyons-nous avoir mis au point une technologie dont les avantages sont très significatifs, mais nous contribuons, par nos recherches, à redéfinir la technologie des groupes de traction.

Nous avons abordé le problème sous un angle différent de celui des concepteurs d'automobiles. Nous nous sommes éloignés du point de vue mécanique, et avons adopté un point de vue de spécialistes en technologies électriques.

Le projet a débuté en 1982. À ce moment-là, un petit groupe de trois personnes a commencé à réunir les ressources ici et là, et à travailler sur l'une des composantes qui est le moteur-roue. Vers la fin des années 1980, à la lumière des progrès réalisés, du personnel permanent a été embauché, et, en 1991, la direction d'Hydro-Québec a pris la décision d'accélérer le développement du projet après en avoir évalué le potentiel.

Nous avions l'ambition de développer une technologie compétitive. Nos critères ont été les suivants :

– *avoir une autonomie comparable au véhicule traditionnel ;*

– *avoir une accélération au moins équivalente à celle des meilleurs groupes de traction actuels ;*

– *ne pas augmenter le poids du véhicule ;*

– *avoir une technologie compatible avec l'opération d'un véhicule à basse température ;*

– *et avoir une technologie compatible avec les infrastructures de distribution électrique existantes.*

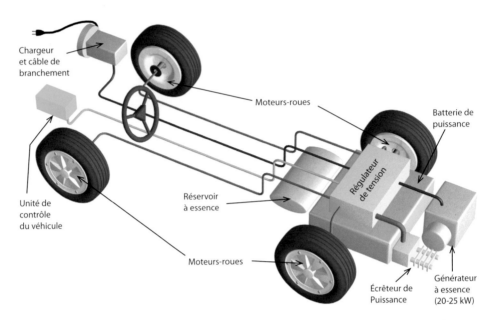

Chargeur
et câble de
branchement

Moteurs-roues

Batterie de
puissance

Régulateur
de tension

Unité de
contrôle
du véhicule

Réservoir
à essence

Moteurs-roues

Écrêteur de
Puissance

Générateur
à essence
(20-25 kW)

Figure 2.27 – Représentation schématique du Groupe de Traction Couture (GTC) muni de quatre moteurs-roues. L'unité de contrôle du véhicule reçoit les commandes en provenance du volant, de la pédale de vitesse et de la pédale de frein. La batterie peut être rechargée par un chargeur ou le générateur à essence. Le surplus d'énergie récupérée au freinage est dissipé au besoin en chaleur dans un écrêteur de puissance, lorsque la batterie est pleine.

Notre approche et nos critères nous ont amenés à développer un groupe de traction intégrale composé de quatre moteurs-roues électriques [figure 2.11], alimentés en énergie par un système hybride comprenant une batterie de puissance et un moteur-générateur pouvant recharger la batterie au besoin [figure 2.27].

Cette configuration hybride confère à notre groupe de traction une autonomie équivalente à ce que les consommateurs connaissent avec les véhicules actuels.

Compte tenu des habitudes de déplacement nord-américaines, les calculs nous montrent qu'environ 80 % des déplacements pourraient être faits en mode tout électrique, sans que le moteur générateur n'entre en action [l'autonomie de la batterie était de 65 km]. L'assistance du moteur-générateur n'est requise en principe que sur les longues distances.

Le mode hybride permet aussi de surmonter le «syndrome de la batterie morte» qui effraye beaucoup de consommateurs, et de contourner le problème du temps de recharge des batteries qui demeure, pour l'instant, un défi technologique et logistique.

Le cœur de notre technologie se situe toutefois au niveau des moteurs-roues. Cette percée a été facilitée, en partie, grâce aux compétences que nous avons développées dans le calcul de configuration magnétique à l'intérieur de nos recherches sur la thermofusion.

Il s'agit de moteurs électriques inversés à courant alternatif, auxquels les pneus du véhicule sont rattachés par l'intermédiaire d'une jante métallique. La jante est fixée au rotor du moteur et le stator est immobile au centre de la roue. L'ensemble est fixé à la suspension du véhicule, et le courant continu de la batterie est transformé en courant alternatif par un convertisseur logé à l'intérieur de la roue (figure 2.11).

Comme vous êtes à même de le constater dans le matériel visuel qui vous a été remis, on élimine toutes les composantes habituelles des groupes de traction. Il n'y a plus de moteur central, ni de transmission, ni d'arbre, ni de différentiel, ni d'essieux. Il n'y a ainsi aucune perte d'énergie due à ces pièces mécaniques, ce qui constitue en soi un gain d'efficacité d'au moins 30% sur les véhicules conventionnels.

Le moteur-roue n'est pas nouveau en lui-même (Ferdinand Porsche a obtenu un brevet de moteur-roue en 1904), mais celui que nous avons développé est capable de déployer une force élevée respectant les exigences des consommateurs en termes d'accélération et de performance.

L'un des avantages importants du moteur électrique réside dans son efficacité énergétique relativement élevée, quelle que soit la vitesse de roulement ou la température ambiante à laquelle il fonctionne.

Les moteurs à combustion interne et les groupes de traction conventionnels fonctionnent à peu près toujours en mode dégradé, que ce soit à cause de la température ou en raison de leur régime optimal de fonctionnement qui se situe généralement à des vitesses élevées. Ces performances dégradées sont responsables de pertes énergétiques élevées, ce qui n'est pas le cas du moteur électrique.

Parmi les autres caractéristiques importantes de la technologie, il faut mentionner le freinage électrique. L'énergie du freinage est récupérée pour recharger les batteries, ce qui contribue à augmenter l'autonomie du véhicule en mode tout électrique.

Finalement, le fonctionnement des quatre moteurs-roues est entièrement contrôlé par logiciel, au moyen d'un processeur central déterminant la position de la roue à des intervalles de temps réguliers. Ce genre de contrôle est plus performant que les systèmes informatisés actuellement utilisés sur les véhicules pour assister le fonctionnement des composantes mécaniques. Il permet un contrôle précis de la traction en toutes circonstances.

La tension électrique vers les moteurs est maintenue constante par un régulateur de tension [figure 2.27], de telle sorte que les performances du véhicule restent les mêmes quel que soit le niveau de charge de la batterie. Il n'y a ainsi aucune dégradation des performances lorsque la batterie se décharge.

La batterie pèse 220 kg et peut être rechargée au moyen d'une prise de courant standard de 110 volts. Pour une charge complète [donnant une autonomie d'environ 65 km], il en coûterait environ 0,60$ [canadien] au consommateur, sur la base des tarifs actuellement en vigueur au Québec [1994].

Parmi les autres bénéfices de la technologie, on peut mentionner rapidement :

- *la réduction de la pollution atmosphérique qui résulterait de l'utilisation à grande échelle de cette technologie, ainsi que de la réduction de la pollution par le bruit ;*
- *un encombrement minimal du véhicule par les composantes du groupe de traction ;*
- *la perspective d'un meilleur aérodynamisme en pouvant sceller le dessous du véhicule ;*

> – *aucun poids excédentaire par rapport aux véhicules actuels;*
> – *et le fait que la technologie est entièrement modulaire.*

Voilà donc en quelques mots la description de la technologie que nous avons développée.

Le potentiel de la technologie

La démonstration du potentiel de la technologie du Groupe de Traction Couture a été reprise en 1997, à l'émission de télévision *Découverte*, diffusée sur les ondes de Radio-Canada. **Près d'un million de personnes ont pu constater les véritables performances de la Chrysler Intrepid équipée d'un groupe de traction Couture (GTC). Elles ont vu les roues motorisées du véhicule décrocher de la chaussée sèche et tourner sur place, presque sans déplacement, en dégageant la fumée du caoutchouc brûlé! (figure 2.28) Une telle performance n'est simplement pas possible avec la Chrysler d'origine munie d'un moteur à essence V8. En fait, le petit vidéo diffusé sur les ondes de Radio-Canada est lourd de conséquences, puisqu'il démontre la fin de l'hégémonie des moteurs à combustion interne.** Pour les experts, on apprenait à l'émission, que le couple («force») développé par chaque moteur-roue était de 1200 N-m, soit 4800 N-m pour quatre moteurs, comparativement à 475 N-m pour un moteur de Corvette! **(figure 2.28)**

Figure 2.28 – Images tirées de l'émission *Découverte* de Radio-Canada, présentant un reportage sur le moteur-roue réalisé en 1997. (Photos: Archives de Radio-Canada)

Reprenons le fil du temps. Le lendemain de la conférence de presse, le 2 décembre 1994, un petit groupe d'Hydro-Québec, incluant Pierre Couture, partait pour Anaheim en Californie où se déroulait le douzième symposium international sur les véhicules électriques (EVS12). C'est là que l'industrie automobile a pris connaissance, pour la première fois, du Groupe de Traction Couture et compris qu'une véritable révolution s'annonçait et devait prendre son essor au Québec.

Les voitures entièrement électriques sur lesquelles travaillaient les fabricants automobiles de l'époque ne s'adressaient qu'à un marché de niche, en raison de leur autonomie limitée. De plus, les performances de ces véhicules électriques étaient réduites car on y intégrait des batteries d'énergie pour augmenter l'autonomie. Or, les batteries d'énergie ont des puissances plus faibles, ce qui réduit les performances des véhicules. **Pierre Couture insiste sur l'importance d'utiliser des batteries de puissance dans un véhicule hybride branchable. La combinaison batteries de puissance et moteurs-roues peu énergivores donne alors au véhicule des performances égales ou supérieures à celles d'un véhicule traditionnel. Par ailleurs, le générateur à essence embarqué permettant de recharger la batterie en cours de route, lors des longs trajets, confère au véhicule hybride à moteurs-roues une autonomie aussi grande que celle d'un véhicule traditionnel.**

Bref, la voiture hybride branchable équipée du Groupe de Traction Couture s'annonçait comme un véritable challenger, tout à fait capable de mettre KO la voiture traditionnelle et de réduire de 80% à 90% sa consommation de pétrole. Les grands de l'automobile ont bien compris tout ça à Anaheim, en décembre 1994. Les voitures électriques, comme la EV1 de GM, ne représentaient pas une véritable menace pour les technologies en place dans l'industrie automobile. En plus de l'autonomie réduite de la EV1, il ne faut pas oublier qu'on a dû utiliser des matériaux légers (composites, aluminium et magnésium) une forme aérodynamique extrême et des pneus à faible résistance, afin d'obtenir des performances se rapprochant de celles d'une voiture traditionnelle.

Toutefois, il n'était pas question de construire des automobiles au Québec, mais seulement les groupes de traction, comprenant les moteurs-roues, un géné-rateur à essence, l'électronique de contrôle, l'électronique de puissance, le char-geur à batterie à haute efficacité et les logiciels. Les compagnies d'automobiles n'auraient eu qu'à intégrer les Groupes de Traction Couture dans leurs véhicules. C'est TM4 (www.tm4.com), une filiale d'Hydro-Québec, qui devait commercialiser cette technologie très prometteuse.

Pour donner une idée du marché potentiel, il faut savoir qu'en 2008, il se fabrique, à l'échelle mondiale[26], environ 73 millions de nouveaux véhicules annuellement. En comptant 6 000 $ en moyenne pour les groupes de traction, excluant les batte-ries, on arrive à un chiffre d'affaire annuel de 420 milliards de dollars. **Ainsi, en supposant une pénétration de 12% du marché mondial, on se retrouve avec une industrie de 50 milliards de dollars par année et des profits annuels de l'ordre de 5 milliards de dollars!** Pour fin de comparaison, mentionnons que les bénéfices nets d'Hydro-Québec, pour l'année 2007, ont été de 2,9 milliards de dollars, selon son rapport annuel.

Cette pénétration de 12% du marché nous semble conservatrice, compte tenu des multiples avantages des moteurs-roues. Tout d'abord, nous avons vu, à la sec-tion 2.4, que les moteurs-roues permettent d'économiser environ 25% d'énergie en conduite mixte et jusqu'à 35% en conduite urbaine, par rapport à un moteur

---

26. Comité des Constructeurs Français d'Automobiles, *op. cit.*

électrique central. Lorsqu'on considère qu'il faudra implanter une motorisation électrique dans plus d'un milliard de véhicules d'ici 2035 environ, une économie d'énergie de 25% signifie 25% moins de consommation d'électricité, 25% moins de consommation de biocarburants, une batterie 25% plus petite et un plus petit générateur embarqué. **Les moteurs-roues sont donc les moteurs qui conduisent au développement le plus durable des transports routiers, en minimisant la consommation des ressources naturelles.**

De plus, **il est particulièrement remarquable que le groupe de traction le plus économe en énergie est en même temps celui qui offre les performances les plus sportives.** Al Gore et James Bond pourraient faire du covoiturage dans une voiture à moteurs-roues et les deux seraient très satisfaits! La force et la puissance très élevées des moteurs-roues en sont responsables. Ces performances supérieures sont dues principalement au plus grand diamètre des moteurs. Pour obtenir autant de puissance et de force avec un moteur électrique central, il devrait occuper le volume des quatre moteurs-roues, ce qui laisserait peu de place pour les bagages, compte tenu des autres composants (grosse batterie, électronique de puissance, générateur) qu'il faut également loger quelque part. En fait, la grande puissance des moteurs-roues permet de récupérer le maximum d'énergie au freinage, même en freinant brusquement, contrairement à un moteur électrique central qui nécessite de freiner lentement. Par ailleurs, le fait que les quatre roues sont motorisées, sans différentiels, rend possible la récupération d'environ 85% de l'énergie au freinage, comparativement à 20% seulement pour les voitures à moteur électrique central avec différentiel, comme nous l'avons vu à la section 2.4.

Enfin, il ne faut pas oublier que le Groupe de Traction Couture comporte **quatre roues motrices**, ce que beaucoup de gens recherchent pour se rendre au chalet ou au camp de pêche, dont les chemins d'accès sont souvent difficiles. De plus, on peut contrôler les moteurs-roues par logiciel de manière à obtenir des fonctions avancées d'anti-dérapage et de freinage anti-bloquage, sans avoir besoin de pièces mécaniques supplémentaires. **En fait, le Groupe de Traction Couture représentait l'avènement de la voiture numérique intégrale dans laquelle l'électronique et l'informatique auraient remplacé le maximum de composants mécaniques.**

Une décision incompréhensible

Malheureusement, il faut parler de cet espoir au passé. Car, **les Québécois ont été consternés d'apprendre, le 3 août 1995, qu'Hydro-Québec avait décidé de ne plus poursuivre le projet du Groupe de Traction Couture dans son ensemble, mais plutôt de concentrer les efforts uniquement sur le moteur-roue.** Les raisons invoquées étaient une réduction des dépenses afin d'assurer une meilleure gestion des fonds publics (Hydro-Québec est une société d'État) et une accélération de la recherche d'un partenaire commercial. Il faut également ajouter que Pierre Couture n'a pas été informé du contenu de la recommandation présentée au conseil d'administration d'Hydro-Québec, le 3 août 1995, et qu'il n'a donc pas pu défendre son projet devant le conseil.

En fait, 28 millions de dollars avaient été dépensés sur le projet du docteur Couture au moment de l'annonce[27] ; il manquait approximativement 20 millions supplémentaires pour compléter la technologie de base. L'échéancier pour y arriver était de 18 mois supplémentaires. Le budget annuel du projet, en 1995, avoisinait les 10 millions de dollars[28], soit environ 8% du budget de recherche d'Hydro-Québec, à l'époque.

La décision d'Hydro-Québec de concentrer les efforts uniquement sur le moteur-roue était difficilement compréhensible. Premièrement, depuis le dévoilement de la technologie à Anaheim, huit mois plus tôt, les compétiteurs étaient alertés de la venue imminente de cette technologie révolutionnaire. Le développement du groupe de traction à moteurs-roues entrait donc dans une phase de course technologique. Ce n'était certainement pas le temps de ralentir le projet, bien au contraire. L'équipe de recherche travaillait sur tous les composants du groupe de traction ; les chercheurs et les technologues ne pouvaient pas subitement tous travailler sur le moteur-roue, qui ne correspondait pas nécessairement à leur spécialité. Sans compter que certaines constantes de temps dans la fabrication des divers prototypes ne sont pas compressibles. De plus, on ne peut pas fabriquer le prototype 4 si le prototype 3 n'a pas été testé ! Car ce sont les résultats de ces tests qui définissent les nouveaux paramètres du prototype suivant. Par conséquent, il aurait fallu dissoudre au moins la moitié de l'équipe de recherche et développement, ce qui est la dernière chose à faire dans une situation de course technologique avec autant d'enjeux économiques et un cheval gagnant. Surtout que les résultats des recherches étaient très encourageants, autant en ce qui concerne les moteurs-roues et l'électronique de puissance que le générateur à haute efficacité.

Par ailleurs, en développant seulement les moteurs-roues, on ne peut les intégrer à un véhicule, puisqu'on a besoin des autres composants du groupe de traction pour ce faire. On est donc restreint à faire des tests sur un banc d'essai dans un laboratoire, sans pouvoir comparer la voiture à moteurs-roues avec une voiture traditionnelle. Le fait de pouvoir conduire la Chrysler Intrepid à moteurs-roues pour un essai routier et de comparer ses performances avec celles de la Chrysler Intrepid traditionnelle à essence faisait partie d'une démarche scientifique rigoureuse et aurait constitué un outil de marketing sans égal. Mais, avec la nouvelle orientation d'Hydro-Québec, ce n'était plus possible.

De plus, la protection intellectuelle des importantes innovations faites par l'équipe de Pierre Couture sur les diverses composantes du groupe de traction était également mise en péril par la décision d'Hydro-Québec de concentrer les efforts uniquement sur les moteurs-roues. Or, cette protection était essentielle pour avoir une position forte de négociation avec un partenaire éventuel.

---

27. Travaux parlementaires, 35ᵉ législature, 2ᵉ session (du 25 mars 1996 au 21 octobre 1998) du gouvernement du Québec, Journal des débats : Commission permanente de l'économie et du travail, le lundi 8 juin 1998, Mandat d'initiative sur le projet de moteur-roue électrique. Transcription des témoignages à : www.assnat.qc.ca/archives-35leg2se/fra/Publications/debats/journal/cet/980608.htm.

28. *Ibid*.

Figure 2.29 – La Cleanova III de Société des véhicules électriques (SVE), présentée en 2006, intègre un groupe de traction à moteur électrique central de TM4, couplé à un prolongateur d'autonomie à essence, dans une plateforme Renault Scenic. (Photo : P. Langlois)

Figure 2.30 – La Citroën C-Metisse, présentée à Paris en 2006, est une voiture hybride concept munie de deux moteurs-roues de 15 kW à l'arrière et d'un moteur diesel de 150 kW à l'avant. (Photo : Citroën)

Voyant toutes ces conséquences néfastes pour le projet et constatant que la relation de confiance avec la direction d'Hydro-Québec était rompue, Pierre Couture donne sa démission comme directeur scientifique du projet, le 7 août 1995. (Voir les documents à www.pureinvention.com/MoteurRoue.) À partir de ce moment, le célèbre inventeur québécois n'a plus jamais collaboré au projet moteur-roue, sauf pour terminer les demandes de brevets en cours. Les hommes de science de génie comme Pierre Couture ne courent pas les rues et c'était là une très lourde perte pour le projet.

Depuis ce temps, TM4, la filiale de Hydro-Québec qui poursuit le projet, a utilisé beaucoup plus d'argent que Pierre Couture n'en demandait pour terminer ses prototypes. De plus, les travaux sur le moteur-roue ont été fortement ralentis, ce qui est très dommage à notre avis. Par ailleurs, alors qu'on demandait à Pierre Couture de se concentrer uniquement sur le moteur-roue et laisser de côté l'ensemble de son groupe de traction, TM4 travaille sur l'ensemble des groupes de traction qu'elle développe (moteur, générateur, électronique), ce qui est normal et aurait dû l'être pour Pierre Couture également, en 1995.

TM4 travaille présentement sur un moteur central pour la Cleanova, un prototype de voiture hybride à prépondérance électrique de la Société des véhicules électriques (SVE), fondée par les entreprises françaises Dassault et Heuliez (www.cleanova.com). La Cleanova III qu'on voit sur la figure 2.29 est en fait une voiture électrique avec un prolongateur d'autonomie (moteur-générateur à essence qui recharge la batterie en cours de route). Sa vitesse maximale est de 130 km/h et l'accélération de 0 à 100 km/h se fait en 13,4 secondes. Sa batterie Li-ion Saft lui permet de rouler 170 km en mode tout électrique sur un cycle mixte (ville-route) et jusqu'à 200 km en conduite urbaine. Lorsque le prolongateur d'autonomie à essence est utilisé, l'autonomie totale atteint 400 à 500 km, selon les habitudes de conduite. Cependant, le moteur générateur thermique utilisé n'est pas assez puissant pour alimenter totalement le véhicule. Après 500 km, il faut recharger la batterie pour continuer. Le temps de recharge est de 8 heures sur une prise de 230 V/16 A, avec la possibilité d'une recharge rapide en 30 minutes pour remplir la batterie à 70% de sa capacité, à l'aide d'une station de recharge dédiée de 35 kW/150 A.

Le moteur électrique central est une technologie moins performante et plus énergivore que les moteurs-roues, mais également plus facile à mettre au point. Voilà pourquoi sans doute la technologie du moteur électrique central est développée un peu partout dans le monde présentement. Il est donc beaucoup plus difficile de se démarquer des compétiteurs. En 2008, aucun constructeur d'automobiles n'a encore adopté le groupe de traction SVE, mais souhaitons que le moteur électrique à aimants permanents et l'électronique de puissance développés par TM4 pour la Cleanova puissent au moins être rendus disponibles pour ceux qui désireraient convertir des véhicules traditionnels en véhicules électriques. En particulier au Québec, puisque ce sont les Québécois qui ont payé le développement de cette technologie, via Hydro-Québec qui y a investi plus de cent millions de dollars. (Hydro-Québec est une société d'État et, de ce fait, appartient aux Québécois.)

Par ailleurs, TM4 a également équipé la voiture Citroën C-Métise de deux moteurs-roues de faible puissance (15 kW) à l'arrière, alors qu'un moteur diesel de 150 kW actionne les roues avant. Cette voiture hybride concept a été présentée au Salon de l'auto de Paris en 2006 (figure 2.30).

Des objections exagérées ou sans fondement

On retrouve dans la littérature certaines critiques sur les moteurs-roues qui sont, selon nous, exagérées ou non fondées[29]. L'une d'elles concerne le fait que les moteurs chaufferaient trop. Or, à l'arrêt aucun courant ne circule dans les moteurs ; ils ne peuvent donc pas chauffer ! De plus, à basse vitesse, très peu de puissance est dissipée dans les moteurs. Par ailleurs, l'efficacité des moteurs-roues développés à Hydro-Québec et TM4 était d'environ 98 %, ou de 96,3 % si on inclut les pertes des convertisseurs intégrés dans la roue[30]. Il faut savoir qu'en roulant à 100 km/h, une voiture intermédiaire requiert moins de 15 kW de puissance pour avancer[31]. La puissance requise par chacun des quatre moteurs-roues est donc moins de 3,75 kW. Et 4 % de pertes sur 3,75 kW signifient à peine 150 watts en chaleur à dissiper.

Un moteur-roue de 15 pouces (38 cm) de diamètre, en ne comptant que les deux faces circulaires du moteur, possède une surface métallique d'environ 2500 cm^2 pour dissiper 150 watts, ce qui donne 0,06 w/cm^2, c'est-à-dire moins de chaleur que **la surface métallique d'une voiture de couleur sombre exposée au soleil. Cette dernière absorbe environ 30 % plus de chaleur par unité de surface.** Par ailleurs, il ne faut pas oublier que le moteur-roue de Pierre Couture était refroidi par le ventilateur centrifuge «sculpté» dans sa bride extérieure (voir la figure 2.11) qui tourne à près de 900 tours par minute, à 100 km/h. **À la lueur de ces faits, il nous apparaît difficile d'adhérer à la thèse des problèmes de refroidissement d'un moteur-roue. D'ailleurs, l'inventeur, Pierre Couture, a toujours affirmé que le refroidissement des moteurs ne posait pas de problèmes.**

Une autre critique souvent formulée au sujet des moteurs-roues concerne leur poids et l'incidence négative potentielle de ce poids sur la suspension d'une voiture, en raison du fait que les moteurs sont dans les roues. Idéalement, on a effectivement intérêt à avoir des roues plus légères pour améliorer la suspension d'un

---

29. P. Rodrigue, «Hydro-Québec n'a pas encore réinventé la roue», revue *Québec Science*, novembre 1995, p. 21 à 24. Lors d'une entrevue à l'émission radiophonique *Les affaires et la vie* du 11 novembre 1995, à Radio-Canada, le journaliste Pedro Rodrigue a reconnu en ondes n'avoir jamais parlé à Pierre Couture, qu'il a par ailleurs traité de patenteux. À l'émission du 18 novembre 1995, Pierre Couture est venu rectifier les faits et a souligné les erreurs grossières et les faussetés dans l'article de M. Rodrigue. Dans cet article, le journaliste avait écrit : «Malgré toutes ses promesses de propreté environnementale et d'économie d'énergie, l'automobile électrique ne sera probablement jamais, hélas, autre chose qu'une curiosité... Si le moteur à combustion interne disparaît un jour, ce sera probablement en raison d'une pénurie d'oxygène et pas d'un manque de carburant !». L'auteur a auditionné ces deux émissions de *Les Affaires et la vie* aux archives de Radio-Canada.
30. Ces valeurs d'efficacité étaient celles qu'on retrouvait pour le moteur-roue de 80 kW sur le site Internet de TM4 en 2006. Ce moteur n'y apparaît plus. Maintenant, TM4 mentionne sur son site (www.tm4.com) que son générateur (même technologie) affiche une efficacité de 98 %.
31. F. Nemry *et al.*, *op. cit.*

véhicule. Les roues font partie de ce qu'on appelle la masse non suspendue d'un véhicule, c'est-à-dire les éléments qui suivent les dénivellations de la route. Le véhicule lui-même et ses occupants constituent la masse suspendue pour laquelle les dénivellations de la route sont amorties par le système de suspension. Pour la masse non suspendue, il faut également ajouter une partie des tables de suspension, des arbres de cardan et des barres d'accouplement de la direction fixés à la roue et au véhicule.

Une roue ordinaire de 15 pouces (38 cm), comme celle de la Chrysler Intrepid utilisée par les chercheurs d'Hydro-Québec, a une masse approximative de 32 kg, en incluant le pneu, la jante, le moyeu et le frein. L'auteur est allé vérifier lui-même la masse des différentes parties dans un atelier de réparation automobile et chez un vendeur de pièces usagées. Les autres pièces fixées à la roue totalisent environ 16 kg, ce qui ajoute approximativement 8 kg à la masse non suspendue. On obtient alors, en moyenne pour chacune des roues traditionnelles de 15 pouces, une masse non suspendue totale d'environ 40 kg.

Maintenant, concernant la masse du moteur-roue installé sur la Chrysler Intrepid par l'équipe de Pierre Couture, **il ne faut pas oublier que c'était un prototype de recherche** parmi une série de plusieurs prototypes dont on devait garder les dimensions égales d'un prototype à l'autre, afin de pouvoir les comparer entre eux. C'est le propre d'une démarche scientifique. **Une fois le développement du moteur terminé, la version commerciale aurait été plus légère**, car un couple aussi élevé que 1200 Nm, comme nous l'avons vu, n'est pas nécessaire, et le design du boîtier moteur aurait été optimisé pour la légèreté.

Pour estimer la masse du modèle commercial qui en aurait découlé, on peut se référer au moteur-roue HDP40 de PML Flightlink (www.pmlflightlink.com), installé sur la Recharge (voir la couverture du livre), un démonstrateur technologique de Volvo. La masse de ce moteur-roue commercial est de 25 kg, et ses performances se rapprochent du moteur-roue Couture (couple = 750 Nm). En ajoutant 10 kg à la masse de ce moteur, incluant un frein de sécurité (plus léger), on obtient 35 kg. N'oublions pas que ce frein mécanique de sécurité ne serait utilisé qu'en cas de défaillance du moteur, car celui-ci se transforme en frein électromagnétique très performant lorsqu'on veut immobiliser la voiture. La masse du pneu et d'une mini-jante étant approximativement 12 kg, on arrive à une masse de 47 kg pour une roue motorisée. Pour ce qui est des systèmes attachés à la roue (arbre de cardan, table de suspension et barres d'accouplement de la direction), on peut utiliser des matériaux plus légers et diminuer leurs masses à environ 10 kg au lieu de 16 kg, ce qui nous donne une masse non suspendue additionnelle d'environ 5 kg au lieu de 8 kg. On aboutit finalement à une masse non suspendue totale de 52 kg pour des moteurs-roues, au lieu de 40 kg pour une roue traditionnelle complète. Ça représente donc une augmentation de la masse non suspendue de 30 % environ.

Est-ce si dramatique? Après tout, la tendance est présentement aux roues de 19 pouces (48 cm) qui ont une masse approximativement 10 % plus élevée que les roues de 15 pouces. Par ailleurs, dans les années 1970, l'auteur se souvient très bien avoir conduit des voitures à traction arrière dont le différentiel et l'essieu oscillaient en même temps que les roues arrière, au gré des défauts de la route. Cette masse supplémentaire augmentait d'au moins 50% la masse non suspendue des roues arrière. Pourtant, le confort de ces voitures était tout à fait convenable. En fait, **le problème de la masse non suspendue est, à notre avis, fortement exagéré et la grande majorité des conducteurs ne sentiraient probablement pas la différence**. Pour les conducteurs plus exigeants, il est possible d'intégrer une suspension active intelligente comme celle de la compagnie Bose (www.bosefrance.fr), utilisant des moteurs linéaires électromagnétiques et offrant des performances nettement supérieures.

Une fausse perception au sujet des moteurs-roues doit être corrigée. Plusieurs pensent, en effet, que la masse accrue de la roue produit, lorsqu'elle tourne, un effet gyroscope plus important qu'une roue traditionnelle, affectant ainsi la stabilité de la conduite. Cette perception est erronée. En fait, le rotor d'un moteur-roue (partie qui tourne) est simplement constitué d'une couche d'aimants permanents de quelques millimètres d'épaisseur. Ils n'ajoutent, somme toute, qu'une faible masse à la partie mobile de la roue. Le gros de la masse du moteur est constitué par le stator (partie centrale) qui ne tourne pas. Une roue traditionnelle de 19 pouces affecte la stabilité de conduite bien plus qu'une roue de 15 pouces avec un moteur intégré.

Par ailleurs, certains craignent que les trous dans la chaussée endommagent l'électronique incorporée aux moteurs-roues, en l'occurrence les convertisseurs qui transforment la tension continue de la batterie en courants alternatifs pour le moteur. À cet égard, il faut savoir que les accélérations typiques subies par une roue qui rencontre un trou dans la chaussée ne dépassent pas 100 g (g = accélération gravitationnelle = 9,8 m/s^2), car le pneu amortit considérablement les chocs. Ce sont là les résultats recueillis par l'équipe de l'IREQ (Institut de recherche d'Hydro-Québec) lors de multiples tests dans différents trous, avec des accéléromètres. Or, certains disques durs d'ordinateur, comme le ST1 de Seagate, peuvent résister à 300 g, et l'électronique de guidage dans les projectiles intelligents, tirés par des canons, doit résister à 10 000 g. Il suffit de monter et emballer les composants avec les technologies appropriées.

Le meilleur groupe de traction

Nous ne saurions trop insister sur l'importance de la voiture prototype conçue par Pierre Couture. Ce pionnier et visionnaire avait compris bien avant les fabricants d'automobiles que la meilleure solution pour la voiture de demain est une voiture hybride branchable à moteurs-roues, capable de parcourir environ 65 km en mode électrique sans consommer de carburant. Cette voiture a été la première dans l'histoire de l'automobile à démontrer une réelle capacité de remplacer l'automobile traditionnelle et de réduire notre consommation de pétrole de 80% à 90%, sans sacrifier les performances, en gardant l'acier comme principal matériau pour l'armature et la carrosserie, et sans avoir à donner aux voitures des profils aérodynamiques extrêmes, comme on l'a fait avec la EV1 de GM, en 1996. On se rappellera également que pour la voiture électrique EV1, on avait dû réduire de beaucoup le poids de la carrosserie et de l'armature en utilisant des matériaux composites, de l'aluminium et du magnésium au lieu de l'acier usuel.

L'auteur de ce livre est personnellement convaincu que les voitures de demain seront telles que Pierre Couture les a vues, bien avant tout le monde, soit des hybrides branchables à moteurs-roues. Compte tenu des immenses progrès accomplis dans le domaine des batteries depuis le début des années 2000, il serait simplement plus avantageux d'inclure dans ces voitures une batterie capable d'une autonomie pouvant aller jusqu'à 100 km, au lieu des 65 km préconisés en 1994 par le Groupe de Traction Couture.

Depuis 2007, le fabricant suédois Volvo expérimente une voiture concept à quatre moteurs-roues, la Recharge, capable de parcourir 100 km sur sa batterie et dont le moteur à combustion interne, qui n'est pas couplé mécaniquement aux roues, actionne un générateur pour recharger la batterie, au besoin. Les moteurs-roues sont fabriqués par PML Flightlink (www.pmlflightlink.com), qui en avait déjà équipé une Mini de BMW en 2006. Par ailleurs, **la compagnie e-Traction (www.etraction. com), aux Pays-Bas, a mis au point un autobus à moteurs-roues très performant qui circule sur les routes depuis 2004** et qui consomme trois fois moins de carburant qu'un autobus diesel traditionnel. Son moteur diesel n'est pas connecté mécaniquement aux roues lui non plus; il fait simplement partie d'un groupe électrogène qui recharge la batterie au besoin. Ces deux véhicules sont des véhicules hybrides série (voir la section 2.11) dont Pierre Couture est l'ardent défenseur depuis plus de deux décennies.

Le film *Who killed the electric car?* de Chris Paine, sorti en 2006, nous a habitués à penser qu'on avait tué la voiture de demain en déchiquetant les voitures électriques EV1 de GM en 2005. **En fait, on peut se demander si la véritable voiture de demain, une hybride branchable à moteurs-roues n'a pas été laissée pour compte au Québec, dix ans plus tôt.**

2.10 – 370 km/h avec les moteurs dans les roues!

Pierre Couture n'est pas le seul à être persuadé que la motorisation des véhicules de demain sera dans les roues. Le docteur Hiroshi Shimizu (figure 2.31), de l'Université Keio au Japon, en est convaincu également. «Les moteurs dans les roues consomment moins d'énergie que les moteurs centraux en plus de libérer de l'espace, affirme-t-il à tous ceux qui veulent l'entendre, car les moteurs dans les roues n'ont pas besoin de transmission ni de différentiel». Hiroshi Shimizu a converti une voiture traditionnelle usagée en voiture électrique en 1983 et, depuis lors, il a réalisé 7 autres véhicules électriques dont plusieurs avec ses étudiants. Parmi ces

Figure 2.31 – Le professeur Hiroshi Shimizu, pionnier de la mobilité électrique au Japon. (Source : AME Info)

Figure 2.32 – La Luciole, un véhicule électrique réalisé par l'équipe du professeur Shimizu, en 1997, peut atteindre une vitesse de 150 km/h et parcourir 130 km sur une pleine charge de sa batterie au plomb. (Photo : Gaura.com)

véhicules, on compte une motocyclette électrique à moteur-roue et une petite voiture à deux places en tandem, nommée Luciole (figure 2.32), conçue de fond en comble en fonction d'une motorisation électrique, afin d'en optimiser les performances.

La Luciole, présentée en 1997, était équipée de deux moteurs dans les roues arrière et jouissait d'une autonomie de 130 km sur sa batterie plomb-acide scellée, tout en pouvant atteindre une vitesse de 150 km/h. Les deux moteurs, d'une puissance maximale de 36 kW chacun, avec un couple maximum de 77 Nm chacun, pouvaient tourner à 8700 rpm. Ils étaient donc couplés aux roues à l'aide d'un engrenage planétaire pour réduire la vitesse. La consommation électrique était seulement de 6,9 kWh/100 km.

À 0,07 $ le kWh au Québec et 0,07 € le kWh en France (de nuit), il en coûte moins de 0,50 $ ou 0,50 € pour parcourir 100 km! La Luciole était donc une petite voiture très fonctionnelle, pouvant très avantageusement servir de deuxième voiture pour se rendre au travail ou faire les emplettes.

Mais, toutes les tentatives de Hiroshi Shimizu pour intéresser les compagnies d'automobiles ont échoué. Pour renverser les préjugés des gens au sujet des voitures électriques, il a décidé de fabriquer une super-voiture qui dépasserait les performances de toutes les voitures traditionnelles. Il s'est même fixé pour objectif de battre la meilleure voiture à moteur thermique sur le marché (en 2004) pour la vitesse et l'accélération : la Porsche 911 Turbo. Ses calculs lui démontraient cette possibilité, à condition d'utiliser les meilleures batteries Li-ion disponibles et des moteurs encore supérieurs à ceux qu'il avait utilisés jusque-là. Pour financer son projet et perfectionner les divers composants, il a réussi à monter un partenariat avec 35 compagnies.

Ce partenariat s'imposait en particulier pour les moteurs électriques, puisqu'il visait une vitesse maximale de 400 km/h avec sa super-voiture! En collaborant étroitement avec un fabricant de moteurs, il a réussi à bobiner les électroaimants des moteurs de façon plus dense. Des aimants permanents plus puissants ont aussi été utilisés et un contrôleur capable de piloter ces moteurs à 12 000 rpm a été créé. Des moteurs compacts d'environ 20 cm de diamètre, capables de mettre au point un couple de 100 Nm, avec une puissance maximale de 60 kW, ont été développés.

Pour atteindre les performances désirées, il a eu besoin de huit moteurs, ce qui l'a conduit à une voiture à huit roues, la Eliica (figure 2.33), qui a été dévoilée au salon de l'auto de Tokyo en 2005. (Son nom est en fait l'acronyme de «Electric Li-ion Car».) Hiroshi Shimizu a livré la marchandise! **Les performances obtenues par Eliica ont été une vitesse maximale de 370 km/h, avec une accélération de 0 à 100 km/h en 4 secondes, et de 0 à 160 km/h en 7 secondes, pour une masse de**

Figure 2.33 – La Eliica, construite par le professeur Shimizu et son équipe et présentée en 2005, est une voiture électrique à huit roues avec huit moteurs dans les roues. Elle a battu une Porsche 911 Turbo, en roulant à 370 km/h et en accélérant de 0 à 160 km/h en 7 secondes. (Source : Wikimedia Commons, http://commons.wikimedia.org, auteur : Anetode, octobre 2005)

2100 kg environ à déplacer (voir www.eliica.com)! La Porsche 911 Turbo a donc été battue puisqu'elle n'accélère de 0 à 160 km/h qu'en 9,2 secondes et que sa vitesse maximale n'est que de 310 km/h, malgré le fait qu'elle ait 500 kg en moins!

Dans sa version plus citadine, limitée à 200 km/h, la Eliica peut parcourir 300 km sur une charge de sa batterie Li-ion de 50 kWh, ce qui lui confère une consommation électrique d'à peine 15 kWh/100 km environ pour une masse de 2400 kg (la version de course a une batterie plus petite de 33 kWh).

Une chose est certaine, Hiroshi Shimizu a gagné son pari: **il a démontré la supériorité de la motorisation électrique pour les voitures**. Par ailleurs, il avait compris depuis longtemps que le meilleur endroit pour installer la motorisation était les roues elles-mêmes. Non seulement il l'a compris, mais il l'a démontré de façon éclatante. Pour en savoir plus, on peut regarder un documentaire impressionnant, sur YouTube (en 5 parties), produit par Geminivideo.TV. Le titre est *Eliica – Super Electric Car*.

Imaginons que Pierre Couture ait pu compléter sa technologie de super moteurs-roues. Hiroshi Shimizu n'aurait pas eu besoin de huit roues, puisqu'avec quatre moteurs-roues Couture on obtient un couple de 4800 Nm et une puissance de 400 kW, à 100 km/h. Même, la limite en puissance des moteurs-roues Couture n'était pas encore atteinte. Alimentés par des batteries performantes, rien, en principe, n'empêchait les quatre moteurs ensemble de dépasser 500 kW. Or, la Eliica, avec ses huit moteurs, développe un couple de 800 Nm seulement pour une puissance de 480 kW. Le plus grand couple des moteurs-roues Couture est dû, entre autres, au fait que la roue elle-même constitue le rotor du moteur (partie qui tourne),

Rouler ^{sans} pétrole

Figure 2.34 – Motorisation d'une Prius de deuxième génération (2004-2008) telle qu'exposée au Deutsches Technikmuseum de Berlin. Le moteur thermique est à gauche, le générateur au centre, et le moteur électrique à droite. (Source : Wikimedia Commons, http://commons.wikimedia.org, Deutsches Technikmuseum Berlin, février 2008)

lui conférant ainsi un diamètre de 38 cm, soit le double environ du diamètre des moteurs de la Eliica. Par ailleurs, ces derniers sont des moteurs traditionnels dans lesquels c'est la partie centrale du moteur qui tourne (rotor central), ce qui réduit davantage la distance du centre de rotation où s'appliquent les forces magnétiques, d'où la réduction du couple.

2.11 – Véhicules hybrides ordinaires et branchables

La Prius de Toyota

Par définition, une voiture hybride possède deux moteurs : un à combustion interne et l'autre électrique. La Prius, de Toyota, commercialisée en 1997 au Japon, a été la première voiture hybride de série à être produite. La **figure 2.34** montre les deux moteurs cohabitant sous le capot d'une Prius de deuxième génération (2004-2008). On y trouve également un générateur, et une batterie dans le coffre arrière, capable d'alimenter le moteur électrique. Dans une voiture hybride ordinaire, comme la Prius de deuxième génération, il n'est pas nécessaire de recharger la batterie sur le réseau. C'est le moteur à combustion qui entraîne le générateur pour la recharger.

Une voiture traditionnelle doit avoir un gros moteur à combustion interne pour faire face à tous les besoins en puissance requis par les divers scénarios de conduite, particulièrement pour les accélérations et les côtes. La plupart du temps, on n'a pas besoin de la puissance maximale du moteur alors que la grosseur du moteur ne fait qu'augmenter la consommation de carburant inutilement. De plus, les moteurs à combustion interne sont très inefficaces lorsqu'ils tournent à bas régime, aux vitesses réduites d'une conduite urbaine. Sans compter qu'ils continuent de tourner aux feux rouges et dans les embouteillages, une autre cause de gaspillage d'énergie et de pollution pour les voitures traditionnelles.

Dans une voiture hybride ordinaire, comme la Prius 2004-2008, le moteur thermique est plus petit et tourne plus souvent près de son régime optimal. De plus, le moteur thermique s'arrête lorsque la voiture s'immobilise; cette dernière redémarre en utilisant le moteur électrique qui assure également la marche du véhicule à basse vitesse. **Lors des accélérations, la puissance plus faible du petit moteur thermique est complétée par celle du moteur électrique qui tire son énergie de la batterie.** Celle-ci est rechargée par le moteur thermique et le générateur lorsque la demande en puissance de la voiture n'est pas trop forte. Toute cette stratégie d'utilisation d'un moteur thermique réduit la consommation de carburant. Finalement, **lors des décélérations ou en descendant les côtes, le moteur électrique agit comme un frein électromagnétique, ce qui génère du courant pour recharger la batterie.** On peut ainsi récupérer une partie de l'énergie utilisée pour accélérer le véhicule ou pour lui faire monter une côte. C'est ce qu'on appelle le **freinage régénératif.**

Pour en savoir plus sur cette technologie, le lecteur pourra consulter le site www.hybridsynergydrive.com/fr/. On y apprend, entre autres, que la puissance maximale du moteur thermique de la Prius est de 57 kW et celle du moteur électrique de 50 kW. Pour ce qui est de la consommation de carburant, il faut consulter le site fueleconomy.gov: on y trouve des chiffres les plus réalistes et à jour qui proviennent des nouvelles normes de l'EPA (Environmental Protection Agency), depuis 2008 (voir: www.fueleconomy.gov/feg/ratings2008.shtml). Selon ces nouvelles normes, la Prius de Toyota consomme 5,1 litres/100 km en conduite mixte (ville-route), alors que l'EPA la cotait auparavant à 4,3 litres/100 km.

Le fait que le moteur électrique de la Prius soit suffisamment puissant lui permet d'accélérer uniquement à l'électricité jusqu'à 55 km/h avant que l'ordinateur de bord ne démarre le moteur thermique. Par contre, la petite capacité de sa batterie ne l'autorise à parcourir seulement 1,5 km environ à l'électricité. Certains bricoleurs de talent ont toutefois perçu le potentiel de diminution de consommation qu'on pouvait réaliser en ajoutant une plus grosse batterie à la Prius et en rechargeant cette batterie sur le réseau électrique. Deux compagnies ont fait office de pionniers pour transformer les véhicules hybrides ordinaires en véhicules hybrides branchables, communément appelés PHEV (*Plug-in Hybrid Electric Vehicles*) dans la littérature technologique internationale. Il s'agit des compagnies CalCars (www.calcars.org) et Hymotion (www.a123systems.com/hymotion).

La compagnie Hymotion offre d'ajouter une batterie Li-ion de 5 kWh pour 10 000 $, incluant l'installation et une garantie de 3 ans. Cette batterie additionnelle qu'on recharge sur le réseau permet, selon la compagnie, de réduire la consommation d'une Prius 2004-2008 jusqu'à 2,4 litres/100 km pour les premiers 50 à 65 km parcourus.

L'organisme Google.org, la branche philanthropique de Google, a mis sur pied le projet Recharge It. Ce projet consiste à comparer les performances d'une flotte de Prius ordinaires avec celles d'une flotte de Prius modifiées, par Hymotion, en hybrides branchables. On peut avoir accès aux résultats pour les consommations réelles d'essence à l'adresse http://google.org/recharge. On y découvre que les Prius ordinaires consomment en moyenne 5,1 litres/100 km, alors que les Prius modifiées en PHEV ne consomment que 2,3 litres/100 km en conduite mixte (ville/route).

Par contre, à 1,50 $ le litre d'essence, il faut de 13 à 15 ans pour récupérer les 10 000 $ que coûte la modification. Quel va être le prix de l'essence en 2015? Par ailleurs, le prix des batteries Li-ion performantes devrait diminuer de plus de la moitié assez rapidement, dès que la production en grandes séries va devenir possible (> 100 000 unités)[32]. De plus, d'autres technologies de batteries Li-ion moins coûteuses sont également à l'étude pour transformer les véhicules hybrides ordinaires en PHEV. C'est le cas du projet PHEV Québec, en cours à l'Université Laval, qui utilise la technologie des batteries Li-ion développée par Modular Energy Devices, une filiale de EnerSys. Cette batterie est constituée de plusieurs petites batteries produites commercialement à grande échelle pour les ordinateurs portables, agencées ensemble, et dont les charges et les décharges sont gérées par un système électronique qui en assure un fonctionnement optimal et sécuritaire. De tels projets vont sûrement se multiplier dans les années qui viennent.

De son côté, **la Prius de troisième génération** (non branchable) qui sortira en 2009 devrait présenter une consommation de carburant réduite d'environ 15 % par rapport à la génération 2. C'est du moins l'objectif déclaré par Toyota. La Prius III devrait donc afficher une consommation de carburant d'environ 4,4 litres/100 km selon les nouvelles normes 2008 de l'EPA, au lieu de 5,1 litres/100 km pour la Prius II. Déjà, des prototypes de Prius avec une batterie plus grosse et le même moteur de 50 kW ont été testés par Toyota en 2007 (**figure 2.35**): ils sont capables d'atteindre 100 km/h en mode électrique pur, au lieu de 55 km/h pour la Prius II. On peut donc s'attendre à ce que la Prius III ait une batterie plus puissante et vraisemblablement un moteur électrique plus puissant également. L'autonomie en mode électrique sera nécessairement accrue et pourrait atteindre de 3 à 5 km, sans avoir à être branchée (au lieu de 1,5 km pour la deuxième génération).

Une version branchable de la Prius III a été annoncée pour 2010, avec des batteries Li-ion. Depuis 2007, les Prius branchables prototypes de Toyota fonctionnent avec des batteries Ni-MH pouvant assurer une autonomie de 11 à 14 km en mode électrique. On peut donc s'attendre qu'avec des batteries Li-ion l'autonomie en mode électrique soit de l'ordre de 20 km pour la Prius branchable qui sera commercialisée par Toyota en 2010.

---

32. L. Sanna, «Driving The Solution – The Plug-In Hybrid Vehicle», *EPRI Journal*, automne 2005, p. 8-17.

Figure 2.35 – Prius branchable expérimentale mise au point par Toyota. (Source : Wikimedia Commons, http://commons.wikimedia.org, auteur : JKT-c, Automotive Engineering Exposition, Yokohama, Japon, mai 2008)

Mais, dès le moment où une voiture hybride branchable peut atteindre une vitesse de 100 km/h en mode électrique, la consommation de carburant chute de façon importante par rapport à une autre voiture similaire qui ne peut atteindre que 50 km/h dans ce mode (comme la Prius II). Car, une voiture capable de rouler à 100 km/h en mode électrique devient en pratique une voiture électrique, puisque le moteur thermique n'est sollicité qu'occasionnellement. Cette situation perdure aussi longtemps que la batterie contient suffisamment d'électricité, après quoi il suffit de brancher la voiture sur le réseau électrique pour la recharger.

Donc, le fait d'ajouter une plus grosse batterie pour transformer une Prius ordinaire en Prius branchable va devenir plus rentable avec la Prius III. Ainsi, Toyota devrait vrai-semblablement offrir différentes grosseurs de batterie, en option, assez rapidement.

Des hybrides diesel

Très friands de voitures diesel, les Européens semblent s'aligner sur des hybrides diesel avec de plus petits moteurs électriques, comme la voiture concept **Peugeot 308 HDI hybride** (figure 2.36), présentée en 2007, et dont nous avons parlé à la section 2.4. Cette voiture concept a un moteur thermique diesel de 80 kW appuyé par un petit moteur électrique de 16 kW, qui lui permet d'afficher une consomma-tion de 3,4 litres/100 km en cycle mixte, selon la norme européenne. Volkswagen

Figure 2.36 – La Peugeot 308 HDI diesel hybride concept, présentée en 2007, affiche une consommation de 3,4 litres/100 km. (Source : PSA Peugeot Citroën)

a également démontré en 2008 une voiture concept hybride diesel, une **Golf TDI hybride** (figure 2.37). Elle est équipée d'un moteur diesel de 55 kW assisté d'un moteur électrique de 20 kW qui fait descendre la consommation de carburant également à 3,4 litres/100 km. Ces deux voitures concept hybrides européennes émettent seulement 89 grammes de CO_2 par kilomètre, comparativement à 104 g CO_2/km pour une Prius II.

Les petits moteurs électriques de ces voitures permettent la fonction arrêt-départ du moteur diesel lorsque la voiture s'immobilise, tout en prenant en charge le redémarrage en mode électrique. Il est également possible, grâce à eux, de parcourir de courtes distances à basse vitesse sans le moteur diesel. Comme pour la Prius, le moteur électrique assiste le moteur thermique pour les accélérations et récupère de l'énergie par freinage régénératif lors des décélérations. Ainsi, la plage des régimes du moteur diesel est moins large, ce qui permet une meilleure efficacité. Le fait que

Figure 2.37 – La Golf TDI diesel hybride concept, présentée en 2008, affiche une consommation de 3,4 litres/100 km. (Source : Volkswagen)

le moteur diesel soit plus petit économise également du carburant (moins de frottement et moins d'inertie).

Ces technologies hybrides-diesel devraient être commercialisées vers 2010 sur des modèles qu'il reste à déterminer. C'est la plus grande efficacité des moteurs diesel qui permet d'atteindre d'aussi basses consommations avec seulement un petit moteur électrique. Un litre de carburant diesel contient 10 % plus d'énergie qu'un litre d'essence. Mais, même en tenant compte de ce fait, il semble bien que la technologie diesel hybride européenne devrait battre la Prius de troisième génération en matière de consommation de carburant.

Cependant, le plus gros moteur électrique de la Prius rend possible l'ajout d'une plus grosse batterie pour la transformer en voiture hybride branchable et lui permettre de parcourir la majorité de son kilométrage en mode électrique. Or, cette conversion en hybride branchable n'est pas possible, ou du moins n'est pas avantageuse pour des voitures équipées seulement de petits moteurs électriques.

L'avenir est définitivement aux plus gros moteurs électriques et aux plus petits moteurs thermiques, justement pour diminuer au maximum notre consommation de pétrole et même l'éliminer, grâce aux biocarburants de deuxième génération produits à partir de résidus, de déchets et de plantes non alimentaires (voir le chapitre 4).

Des véhicules hybrides branchables à moteur central

La compagnie GM effectue un changement de cap important dans cette direction, avec sa technologie E-Flex annoncée en janvier 2007. Le E de cet acronyme symbolise la motorisation électrique uniquement, alors que le Flex fait allusion à la flexibilité des solutions pour produire l'électricité à bord du véhicule, à l'aide d'un groupe électrogène thermique ou d'une pile à combustible, éventuellement. L'option pile à combustible est peu probable compte tenu de ses multiples désavantages (voir le chapitre 3).

Les énergies de GM pour la technologie E-Flex sont concentrées sur la **Chevy Volt** que la compagnie compte bien commercialiser en 2010, à un prix de 40 000 $ environ (figures 2.38 et 2.39). En fait, la Volt est une voiture hybride branchable dont le moteur à essence n'est pas connecté aux roues, mais sert uniquement à faire tourner un générateur pour recharger la batterie, lorsque la charge diminue à environ 30 % de sa capacité de stockage. Cette batterie est normalement rechargée sur le réseau électrique, la nuit, et donne à la Volt une autonomie de 64 km (40 milles), avant que le moteur thermique ne se mette en marche.

Donc, aussi longtemps que les trajets journaliers ne dépassent pas 64 km, la voiture ne consomme pas une «goutte» de carburant. C'est, en fait, une voiture électrique avec un prolongateur d'autonomie thermique. Pour les trajets plus longs que 64 km, la Chevy Volt fonctionne en mode hybride et peut aller aussi loin que n'importe quelle des voitures traditionnelles. Il suffit de faire le plein de carburant.

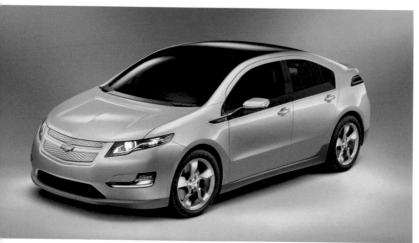

Figure 2.38 – La Chevy Volt de GM, annoncée en 2007, devrait être commercialisée en 2010. C'est une hybride branchable qui peut rouler 64 km à l'électricité seulement. Son moteur-générateur flexifuel prolonge son autonomie lorsque la batterie a atteint son niveau de maintien. (Source : General Motors)

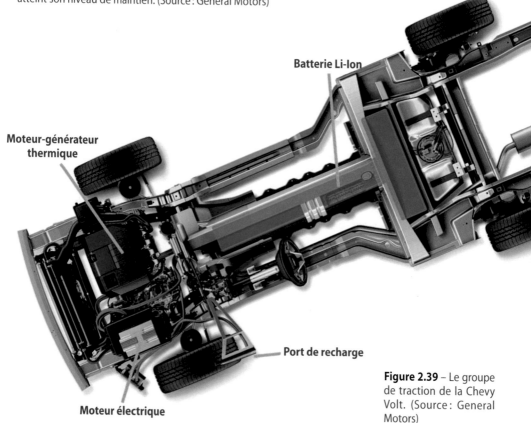

Batterie Li-Ion

Moteur-générateur thermique

Port de recharge

Moteur électrique

Figure 2.39 – Le groupe de traction de la Chevy Volt. (Source : General Motors)

Figure 2.40 – La Flextreme de Opel, présentée en 2007, est une hybride diesel branchable concept qui peut rouler 55 km à l'électricité seulement. Aucune date pour une commercialisation n'est donnée. (Source : Opel)

Figure 2.41 – Prototype branchable du véhicule utilitaire sport Ford Escape, avec une autonomie de 50 km en mode tout électrique. (Source : Wikimedia, http://commons.wikimedia.org, JKT-c, auteur : IFCAR, mars 2008)

Lorsque la voiture fonctionne en mode électrique on dit également que son groupe de traction est en **mode déplétion de la charge** (*charge depletion mode*). Par la suite, lorsque l'état de charge de la batterie a atteint environ 30%, le groupe de traction tombe en **mode de maintien de la charge** (*charge sustaining mode*), alors que le groupe électrogène maintient la charge de la batterie en démarrant périodiquement.

Les performances anticipées de la Chevy Volt sont très respectables puisque la vitesse maximale sera approximativement de 200 km/h (sur des durées limitées) et l'accélération de 0 à 100 km/h se fera en 8,5 secondes. Elle sera équipée d'un moteur électrique central de 120 kW, alors que son groupe électrogène pourra générer une puissance électrique maximale de 53 kW. Le moteur thermique qui l'actionnera pourra fonctionner autant à l'essence qu'avec un mélange à 85% d'éthanol. C'est ce qu'on appelle un **moteur flexifuel**. La consommation de carburant, en mode de maintien de la charge, est estimée à 4,7 litres/100 km d'essence.

Le concept E-Flex de GM, où le moteur thermique n'est pas connecté aux roues, constitue ce qu'on appelle un groupe de traction **hybride série**. Lorsque le moteur thermique et le moteur électrique peuvent être connectés ensemble mécaniquement pour actionner les roues, on parle alors d'un groupe de traction **hybride parallèle**. La Golf TDI hybride concept est une hybride parallèle. Certaines voitures, comme la Prius, peuvent fonctionner autant en hybride parallèle qu'en hybride série. Dans ce dernier cas, le moteur thermique de la Prius ne fait que recharger la batterie, en actionnant le générateur.

Dans la mesure où l'on veut économiser le maximum de pétrole, on a intérêt à ce qu'un véhicule puisse fonctionner avec ses pleines performances en mode électrique, ce qui requiert un gros moteur électrique. Le moteur thermique se doit alors d'être plus petit, et la motorisation hybride série devient la configuration logique. Car, pour que l'hybridation série soit performante, il faut disposer d'une batterie dont l'efficacité est supérieure à 95% et utiliser des moteurs et générateurs électriques avoisinant 95% d'efficacité. Sinon, le moteur thermique ne pourrait être utilisé de façon efficace. Par exemple, les batteries Ni-MH ont une efficacité de l'ordre de 70%; elles ne peuvent donc pas être utilisées dans une motorisation hybride série. Par contre, en 2008, on dispose de batteries Li-ion efficaces à 98% et des moteurs électriques à aimants permanents dont l'efficacité atteint 95%. Avec de tels composants, les groupes de traction hybrides série prennent tout leur sens.

Le pendant européen de la Chevy Volt, pour le moment en version concept, est la **Opel Flextreme**, présentée en 2007 (**figure 2.40**). Ce qui la différencie, en plus de son profil plus aérodynamique, c'est son moteur diesel. Ce dernier fait partie d'un groupe de traction hybride série, comme la Chevy Volt. L'autonomie en mode électrique pur de la Flextreme est de 55 km. On peut toutefois s'attendre à une commercialisation éventuelle plus tardive que celle de la Volt.

Ford entre également dans la danse des véhicules hybrides branchables, avec une flotte expérimentale de 20 **Escape hybrides branchables**. Le premier de ces véhicules utilitaires sport (VUS) a été livré à **Southern California Edison**, en décembre 2007, afin d'être intégré dans sa flotte pour évaluation, selon une entente de collaboration avec Ford.

Les Escape hybrides branchables (figure 2.41), sont en fait des Escape hybrides modifiées, utilisant une plus grosse batterie (Li-ion de 10 kWh)et capables d'une autonomie en mode tout électrique de 50 km en conduite légère, c'est-à-dire ne dépassant pas 65 km/h. Le moteur électrique a une puissance de 70 kW et le moteur à essence affiche 100 kW. Lorsque la batterie a été déchargée jusqu'à son niveau de maintien, la consommation d'essence est de 7,4 litres/100 km en traction avant (conduite mixte) et de 8,4 litres/100 km en traction intégrale.

Par ailleurs, un nouveau venu étatsunien dans le monde de l'automobile, Fisker Automotive (www.fiskerautomotive.com), s'est également lancé dans la course des hybrides branchables, en présentant la Karma au salon de Détroit, en janvier 2008 (figure 2.42)**, dont la mise en marché est prévue en 2010 à un prix avoisinant 90 000 $.** Elle aussi utilise une batterie Li-ion qui lui autorise une autonomie de 80 km en mode électrique pur. Sa vitesse maximale est de 200 km/h et il est prévu qu'elle accélère de 0 à 100 km/h en 6 secondes.

Les Chinois plongent également dans la course et ont de bonnes chances de la gagner. En effet, **la compagnie BYD Auto (pour Build Your Dreams : www.byd. com) a annoncé au salon de Détroit de janvier 2008 la commercialisation en Chine en 2009, à un prix variant de 20 000 $ à 30 000 $, d'une grosse berline hybride branchable (1800 kg), la F6DM** (figure 2.43). La compagnie envisage d'attaquer le marché mondial quelques années plus tard. Le DM dans F6DM signifie Double Mode, c'est-à-dire un mode voiture électrique et un mode voiture hybride. Ce dernier mode s'enclenche automatiquement lorsque la batterie s'est déchargée jusqu'à son niveau de maintien (généralement de 20 % à 30 % de la pleine charge).

L'autonomie de la F6DM en mode électrique est de 100 km et la voiture peut atteindre une vitesse de 160 km/h. Son groupe de traction est composé d'un moteur à essence de 50 kW, d'un générateur de 20 kW et d'un moteur électrique de 75 kW (figure 2.44). Ces éléments peuvent fonctionner de trois manières : mode électrique pur, mode hybride série et mode hybride parallèle pour les plus hautes vitesses. La batterie Li-ion phosphate de 20 kWh, fabriquée par le Groupe BYD, peut être rechargée en 10 minutes à 50 %, avec un chargeur haute puissance, ou en 9 heures sur une prise de 220 volts. Cette batterie peut subir 2000 cycles de recharge avant que sa capacité ne chute à 80 % de sa valeur initiale. On parle donc d'une durée de vie de 8 ans à raison de 5 recharges par semaine (500 km électriques par semaine). **BYD Auto a également présenté une voiture hybride branchable plus petite, la F3DM** (figure 2.45)**, au salon de Genève en mars 2008. Son autonomie en mode électrique est de 160 km, avec un moteur électrique de 50 kW au lieu de 75 kW pour la F6DM.**

Figure 2.42 – La Karma de Fisker Automotive, présentée en 2008, est une voiture sport hybride branchable capable d'une autonomie de 80 km en mode tout électrique. Sa commercialisation est prévue pour 2010. (Source : Fisker Automotive)

Figure 2.43 – La berline F6DM (1800 kg) de BYD Auto, présentée à Détroit en janvier 2008, est une voiture hybride branchable dotée d'une batterie Li-ion lui permettant une autonomie de 100 km en mode tout électrique. Sa commercialisation est prévue en Chine en 2009. (Source : BYD Auto)

Figure 2.44 – Le moteur hybride de la F6DM de BYD Auto, tel qu'exposé au Salon de l'auto de Beijing en 2008. (Source : Tech-On, avril 2008)

Figure 2.45 – La F3DM de BYD Auto, présentée à Genève en mars 2008, est une voiture hybride branchable, plus petite que la F6DM et dotée d'une batterie Li-ion lui autorisant une autonomie de 160 km en mode tout électrique. Sa commercialisation est prévue en Chine en 2009. (Source : BYD Auto)

La compagnie BYD Auto a de fortes chances de devenir un challenger de premier plan pour les grands de l'automobile, comme Toyota et GM. BYD Auto fait partie du Groupe BYD, le deuxième plus gros fabricant mondial de batteries rechargeables, produisant 30 % du marché global des batteries Li-ion pour les téléphones portables et les baladeurs MP3. Le groupe compte plus de 100 000 employés ; il s'est lancé dans le marché de l'automobile en 2003. La position stratégique qu'il détient lui permet d'obtenir des batteries Li-ion à un prix très concurrentiel, ce qui lui confère un avantage sérieux dans l'industrie automobile de demain. Par ailleurs, il dispose de 3000 personnes dédiées à la recherche et au développement sur les automobiles, avec une détermination exemplaire pour mettre les voitures hybrides branchables sur le marché. Tout ça ressemble à une formule gagnante et va sans aucun doute mettre de la pression sur les fabricants d'automobiles japonais, coréens et occidentaux qui voudraient traîner de la patte.

Les véhicules hybrides branchables que nous avons examinés dans cette section ont tous des moteurs électriques centraux. Cette configuration rend l'espace sous le capot très encombré et les voitures plutôt lourdes lorsqu'on veut installer une batterie capable de lui faire parcourir 100 km en mode électrique.

Une voiture hybride branchable à moteurs-roues

Nous avons vu à la section 2.4 que les moteurs-roues électriques pouvaient diminuer la consommation d'énergie de 25 % en conduite mixte et de 35 % en conduite urbaine. Une telle économie d'énergie signifie qu'on a besoin d'un moteur thermique et d'un générateur 25 % moins puissants, de même qu'une batterie 25 % plus petite. L'espace libéré par les moteurs électriques, qui se retrouvent dans les roues, s'additionnant à l'espace libéré par des composants plus petits du groupe de

Figure 2.46 – La ReCharge de Volvo, présentée à Francfort en septembre 2007, est une voiture hybride branchable concept à 4 moteurs-roues, capable d'une autonomie de 100 km en mode tout électrique. (Source : Volvo)

Figure 2.47 – Le groupe de traction de la Volvo ReCharge comporte un moteur-générateur diesel et quatre moteurs-roues électriques de PML Flightlink. (Source : Volvo)

traction, donne beaucoup plus de flexibilité dans le design des voitures, tout en les allégeant. On a donc une plus faible consommation de matières premières, ce qui améliore le développement durable de l'industrie automobile.

La compagnie suédoise Volvo expérimente depuis l'automne 2007 une voiture hybride branchable concept à quatre moteurs-roues, qu'elle a baptisé la ReCharge (figure 2.46). La carrosserie est celle de la Volvo C30. Les moteurs-roues proviennent de la compagnie PML Flightlink d'Angleterre (www.pmlflightlink.com). La ReCharge a une autonomie en mode tout électrique de 100 km, avec une batterie Li-ion capable de stocker 12 kWh d'électricité utilisable pour la propulsion. Sa consommation électrique n'est que de 12 kWh/100 km (20 % à 25 % moins qu'une voiture à moteur central). Selon Volvo, il faudra attendre la mise au point d'un système de gestion de la puissance pour effectuer des tests. Les simulations déjà faites donnent une vitesse maximale de 160 km/h et une accélération de 0 à 100 km/h en 9 secondes. Chacun des quatre moteurs-roues développe une puissance maximale d'environ 80 kW, à la vitesse de 160 km/h, pour un total de 320 kW.

Dans la version présentée au salon de Détroit en janvier 2008, la ReCharge était équipée d'un moteur turbo-diesel de 81 kW actionnant un générateur de 50 kW et formant un groupe électrogène qui recharge la batterie en cours de route (figure 2.47). Étant une hybride série, son moteur diesel n'est pas connecté mécaniquement aux roues. Après avoir parcouru 100 km en mode électrique, le moteur diesel démarre et consomme alors 4 litres/100 km pour le restant du voyage.

Le moteur diesel est deux fois plus puissant que normalement requis, en particulier avec des moteurs-roues. Il ne faut pas oublier que les pointes de puissance devraient être assurées par la batterie. Il suffit que cette dernière puisse débiter son courant à une puissance de 120 kW environ. Le générateur n'a qu'à opérer à la puissance moyenne de la voiture, qui est inférieure à 25 kW approximativement, lorsqu'on dispose d'un freinage régénératif efficace. Ce qui est le cas avec des moteurs-roues. **On est toujours surpris d'apprendre qu'une voiture intermédiaire nécessite moins de 15 kW de puissance moteur pour rouler à 100 km/h sur une surface plane[33]** ! Ainsi, en diminuant de 40 % à 50 % la puissance du générateur et du moteur diesel de la ReCharge, sa consommation de carburant devrait descendre à près de 3 litres/100 km, au lieu des 4 litres/100 km telle que montrée en 2008.

D'ailleurs, Volvo admet que la ReCharge est un banc d'essai pour les moteurs-roues. La compagnie n'a pas l'intention de commercialiser une telle voiture avant 2018. On comprend donc qu'elle n'ait pas cherché à optimiser ce démonstrateur technologique pour le moment, voulant possiblement utiliser un de ses moteurs thermiques disponibles.

---

33. F. Nemry *et al.*, *op. cit.*

Les hybrides branchables de demain

Le mouvement enclenché chez les constructeurs automobiles pour les hybrides branchables est irréversible. La montée en flèche du prix du pétrole et la diminution imminente du prix des batteries Li-ion ne vont qu'accélérer l'entrée sur le marché de cette technologie tant attendue. Les constructeurs qui voudraient retarder indûment la production de véhicules hybrides branchables risquent de perdre des plumes.

Par ailleurs, les véhicules hybrides branchables à moteurs-roues vont constituer la technologie de choix autant pour l'économie d'énergie et de matières premières que pour les performances. Ainsi, l'équipe du docteur Couture (section 2.9) avait calculé, en 1995, que la Chrysler Intrepid modifiée aurait pu accélérer de 0 à 100 km/h en 3 secondes avec 4 moteurs-roues! Pas étonnant avec 4800 Nm de couple disponible et plus de 400 kW de puissance de moteur, à 100 km/h. Il suffisait de compléter l'électronique de puissance et équiper la voiture d'une bonne batterie de puissance. Les batteries Li-ion d'aujourd'hui sont amplement capables de donner toute la puissance requise. Trois secondes, c'est mieux que la Roadster de Tesla Motors (figure 2.3) qui accélère de 0 à 100 km/h en 4 secondes. Sans compter que la Roadster a un châssis et une carrosserie en matériaux composites, en aluminium et en panneaux de polymères pour l'alléger, alors que la Chrysler Intrepid était entièrement faite d'acier! Par ailleurs, la Chrysler Intrepid était également désavantagée sur le plan aérodynamique. La Roadster offre, en effet, beaucoup moins de résistance à l'écoulement de l'air.

Imaginez-vous conduire une voiture pareille à moteurs-roues tout en sachant que vous consommez de 25% à 35% moins d'électricité et de carburant qu'une voiture hybride à moteur électrique central et qu'en plus vous avez quatre roues motrices! Après l'avoir essayée vous n'en voudriez probablement plus d'autres. Le premier fabricant d'automobiles qui mettra une voiture hybride branchable à moteurs-roues sur le marché bien conçue va nécessairement s'assurer d'une part importante du marché.

2.12 – Les nouvelles voitures entièrement électriques

Comme nous l'avons déjà mentionné, même si la majorité des voitures principales devraient être hybrides branchables, il existe aussi un marché pour les voitures entièrement électriques. Les familles qui possèdent une deuxième voiture et les entreprises ou les services gouvernementaux qui ont des flottes de voitures parcourant moins de 200 km par jour, constituent des clientèles cibles. La part de marché pour les voitures urbaines entièrement électriques pourrait représenter de 25% à 35% des automobiles de demain.

Dans la mesure où l'autonomie d'une voiture électrique est la même que celle d'une voiture hybride branchable (même grosseur de batterie), soit environ 100 km, l'avantage évident de la voiture électrique est un plus faible coût. En effet, on n'a pas à ajouter un moteur thermique, un générateur, un réservoir d'essence et un système d'échappement des gaz incluant un catalyseur. Le nombre de pièces du groupe de traction étant considérablement réduit, le montage des voitures électriques est plus simple et l'inventaire des pièces de rechange moins important. C'est donc avantageux pour un nouveau fabricant qui minimise ainsi son investissement de départ. Pour le consommateur, le prix d'une voiture entièrement électrique sera nécessairement moins cher que celui d'une voiture hybride branchable de même autonomie (en mode électrique). C'est là un avantage alléchant, surtout lorsqu'il s'agit d'une deuxième voiture familiale ou d'une voiture d'entreprise à circulation journalière restreinte. Cela représente également une économie au niveau des ressources planétaires dans lesquelles on puise sans cesse et de plus en plus.

Pour le moment, en 2008, avec le prix des batteries Li-ion qui avoisine 1000 $/ kWh, il en coûte environ 15 000 à 20 000 $ pour une batterie capable de donner une autonomie de 100 km, selon la grosseur de la voiture et la vitesse maximale qu'elle peut atteindre. Par conséquent, ajouter 100 km de plus d'autonomie à une voiture électrique coûte beaucoup plus cher, en 2008, que d'y installer un petit groupe électrogène. Mais, d'ici 2012 à 2014, le prix des batteries devrait avoir diminué d'un facteur 2 à 3, en raison de la production de masse. Il suffit pour cela de dépasser une production de 100 000 batteries par année environ, selon une étude du Electric Power Research Institute (EPRI)[34]. L'ajout de batteries supplémentaires pour donner une autonomie de 200 km aux voitures électriques deviendra alors une pratique plus compétitive, particulièrement lorsqu'on parcourt souvent 150 km et plus dans une journée, avec un prix du pétrole élevé. Les taxis et les voitures d'entreprises qui distribuent la poste et l'énergie (relevé des compteurs) seraient au nombre des utilisateurs les plus avantagés.

En fait, compte tenu du prix des carburants qui monte en flèche, on devrait voir de plus en plus de fabricants produire des voitures entièrement électriques dans les années qui viennent. C'est un marché particulièrement attrayant pour des nouveaux joueurs qui veulent se positionner et profiter de la lenteur des gros fabricants d'automobiles à prendre des virages importants. Si les voitures sont de qualité, les consommateurs, eux, seront au rendez-vous ; ils seront mêmes impatients de s'en procurer, particulièrement s'ils y sont encouragés par des réductions de taxes ou des crédits d'impôt.

Les Norvégiens produisent des voitures électriques

La compagnie norvégienne Think a bien compris cela. Elle vient de mettre sur le marché, en 2008, la petite voiture Think City, entièrement électrique (figure 2.48). Cette citadine a une autonomie de 180 km en conduite mixte et de 200 km en conduite urbaine, grâce aux batteries de A123 Systems et de Enerdel, deux des meilleures batteries Li-ion du commerce. Sa vitesse maximale est de 100 km/h.

---

34. M. Duval *et al.*, *Advanced Batteries for Electric-Drive Vehicles*, rapport 1009299 du Electric Power Research Institute (EPRI), mai 2004.

Think a été fondée en 1991. On se souviendra que Ford en avait pris le contrôle en 1999 pour rencontrer les exigences de la Californie d'introduire des voitures électriques dans cet État américain à partir de 1998. Mais, comme les autres fabricants d'automobiles, lorsque Ford a vu que la Californie allait perdre la poursuite en justice que l'industrie automobile lui intentait, la compagnie a décidé de se débarrasser de sa production de voitures électriques en 2003, parce qu'elle jugeait ce marché trop peu lucratif. Elle avait l'intention de reprendre les voitures qui avaient été louées pour les détruire et les recycler, comme GM avait fait avec la EV1. Mais, sous de très fortes pressions de la part des Norvégiens, Ford a finalement consenti à leur revendre les voitures. Les Norvégiens ont alors repris le contrôle de l'usine, après que Ford y ait investi plus de 100 millions de dollars, de 1999 à 2003.

Figure 2.48 – La petite voiture tout électrique Think City de la compagnie norvégienne Think jouit d'une autonomie de 180 km sur une pleine charge de sa batterie Li-ion, avec une vitesse maximale de 100 km/h. Elle est sur le marché depuis 2008. (Source : Think)

L'approche commerciale de Think consiste à vendre les Think City environ 20 000 € (31 000 $, en juin 2008) et offrir un forfait mensuel pour la batterie, qui inclut la location, l'entretien, la consommation d'électricité et l'assurance, pour 200 € par mois (310 $/mois).

Sachant qu'en France, le prix du litre d'essence est de 1,50 €, il faut acheter 33 litres d'essence par semaine pour arriver à 200 € par mois. À raison de 8 litres d'essence aux 100 km pour une voiture à essence, il faut donc qu'un conducteur parcoure environ 400 km par semaine ou 20 000 km par année pour que le forfait soit rentable, aux prix de 2008. Mais le prix de l'essence n'a pas fini de grimper… et le prix des batteries va diminuer rapidement. L'achat d'une Think City peut donc être rentable en 2008, même pour quelqu'un qui ne conduirait que 15 000 km/an, si on tient compte que la durée de vie de la voiture est de l'ordre de 15 ans.

Dans quelques années, alors que le coût des batteries aura baissé considérablement, les États pourront transférer graduellement la taxe de l'essence à l'électricité consommée par les véhicules électriques. Le montant de 200 €/mois pour la batterie et l'électricité ne devrait pas être majoré et sera même diminué à terme. Par ailleurs, il ne faut pas oublier que la Think City ne sera produite qu'à 1200 unités en 2009, alors que l'usine actuelle pourrait en produire 10 000 unités par année. Le prix de telles voitures sera réduit considérablement lorsque plusieurs centaines de milliers d'exemplaires seront produites annuellement.

Figure 2.49 – La Think Ox, présentée à Genève en mars 2008, est une voiture tout électrique prototype à cinq passagers. Elle possède une autonomie de 200 km sur une pleine charge de sa batterie Li-ion, avec une vitesse maximale de 135 km/h. (Source : Think)

D'importants investisseurs se sont joints à Think en 2008. La compagnie a réalisé un prototype d'une voiture plus spacieuse, la Ox, présentée au salon de Genève en mars 2008 (figure 2.49). Comme la Think City, cette voiture 5 places de 1850 kg a été conçue à partir de zéro, en optimisant le design pour tenir compte des particularités d'un véhicule électrique, comme l'emplacement des batteries et l'encombrement réduit du moteur. La Ox a une autonomie de 200 km en conduite mixte et de 250 km en conduite urbaine, avec une vitesse maximale de 135 km/h et une accélération de 0-100 km/h en 8,5 secondes. Elle jouit donc des pleines performances auxquelles sont habitués les conducteurs. Son moteur électrique a une puissance nominale de 60 kW et une puissance crête de 100 kW pour les courtes durées des accélérations.

L'échange des batteries : Project Better Place

Un autre projet a le vent dans les voiles concernant les voitures entièrement électriques. Il s'agit de Project Better Place (www.projectbetterplace.com) qui a vu le jour à l'automne 2007 à Paulo Alto, en Californie, avec un investissement initial de 200 000 000 $. La vision de son fondateur, Shai Agassi, est d'installer une infrastructure de recharge et d'échange de batteries dans un pays, afin de pouvoir conduire uniquement à l'électricité. Les postes de recharge sont répartis dans les stationnements privés et publics, et les stations d'échange peuvent échanger une batterie vide pour une batterie pleine, en quelques minutes seulement, lors de longs trajets. La batterie est insérée par un bras robotisé qui l'introduit dans une cavité accessible au-dessous de l'automobile, juste derrière le siège arrière. Un système GPS à bord donne la position des stations d'échange et des postes de recharge les plus près. L'autonomie des véhicules prévue est de 200 km environ.

Les voitures électriques sont vendues sans les batteries, à un prix équivalent ou moindre que celui d'une voiture à essence, et avec des performances similaires. Les batteries demeurent la propriété de Project Better Place, qui met en place l'infrastructure de recharge en échange d'un montant mensuel qui tient compte des kilomètres parcourus. C'est un peu le principe de l'industrie des téléphones portables qui offre un service avec une tarification à l'utilisation et prend en charge l'infrastructure de communication. La tarification mensuelle doit faire en sorte de ne pas coûter plus cher que l'achat d'essence, au moment du déploiement du projet.

Project Better Place cible donc, dans un premier temps, les petits pays où le prix de l'essence est plus élevé. Par ailleurs, Shai Agassi s'est trouvé un allié de taille pour la fabrication des voitures électriques, soit la compagnie Renault-Nissan. Mais, pour partir en affaires il faut également que le gouvernement d'un État soit partie prenante du projet, en favorisant par diverses incitations fiscales l'achat de tels véhicules électriques.

Toutes ces conditions ont été réunies en janvier 2008, alors que Project Better Place, Renault-Nissan et l'État d'Israël ont annoncé la signature d'un protocole d'accord. Dans ce protocole, Renault-Nissan s'engage à construire une usine de voitures électriques en Israël, qui devrait ouvrir ses portes en 2011, et Project Better Place doit installer 500 000 bornes de recharge et 150 stations d'échange des batteries. Le gouvernement israélien, quant à lui, diminue la taxe de vente sur les automobiles électriques à 10 %, alors qu'elle peut aller jusqu'à 60 % pour les véhicules à essence gourmands. La taxe augmentera graduellement jusqu'à 2019, ce qui encouragera davantage les premiers acheteurs. En fait, Israël veut devenir indépendant du pétrole d'ici 2020.

C'est la première fois dans l'histoire que de telles conditions sont réunies pour commercialiser des voitures électriques à grande échelle. Une production de 100 000 voitures par année est prévue en 2011.

Des premiers prototypes de Renault Mégane électriques ont été testés et démontrés en Israël, en mai 2008 (figure 2.50). Les batteries Li-ion seront produites par Automotive Energy Supply Corporation (AESC), un partenariat conclu entre Nissan et NEC, au Japon.

Project Better Place a également signé une déclaration d'intention avec le Danemark en mars 2008, puis avec le Portugal en juillet 2008.

Nul doute que le concept de Project Better Place peut fonctionner de façon avantageuse dans certains endroits sur la planète. Par ailleurs, un tel projet permet de créer les conditions favorables à la production de masse des véhicules électriques, ce qui est fantastique. Voyons comment se comparent l'option véhicules tout électriques par échange de la batterie et l'option des véhicules hybrides branchables.

Figure 2.50 – Renault Mégane électrique, prototype de Project Better Place testé en Israël en mai 2008. (Source : Project Better Place)

Tout d'abord, l'option Project Better Place exige d'avoir des stations d'échange des batteries à la grandeur d'un pays et, idéalement, dans les pays voisins aussi, alors que pour les véhicules hybrides branchables les stations-service sont déjà en place pour les carburants (pétroliers ou biocarburants) partout dans le monde. De plus, on peut faire le plein journalier d'électricité avec une simple rallonge électrique chez soi ou au travail. Ensuite, le coût de l'infrastructure requise pour des voitures électriques à échange de batteries est substantiel et doit être refilé aux consommateurs.

Par ailleurs, tous les véhicules doivent avoir le même format de batterie et celles-ci doivent être disposées verticalement dans l'enceinte à batterie, ce qui enlève de la flexibilité au design des véhicules. Or, il est avantageux, pour un véhicule électrique, de disposer les batteries horizontalement en dessous de l'habitacle pour abaisser le centre de gravité et améliorer la tenue de route, tout en libérant l'espace pour les bagages. C'est d'ailleurs ce qu'a fait la compagnie Think avec ses voitures. Il est également intéressant de pouvoir disposer les batteries dans un tunnel central, entre les sièges avant, comme l'a fait GM avec la Chevy Volt. Par ailleurs, certaines batteries Li-ion peuvent être rechargées en 10 minutes et donner une autonomie de 200 km sans avoir à changer la batterie. Cette option de recharge rapide revêt beaucoup plus d'intérêt pour les fabricants d'automobiles qui jouissent alors de toute la flexibilité voulue dans le design de leurs véhicules et de leurs batteries.

Finalement, pour les Québécois qui ont vécu la crise du verglas en 1998 au cours de laquelle les pylônes électriques se sont effondrés comme des châteaux de cartes, le tout-électrique représente une option fragile. N'oublions pas qu'un bon nombre d'abonnés d'Hydro-Québec ont été privés d'électricité pendant plus de trois semaines en plein hiver! Avec l'option des voitures entièrement électriques, ils auraient été privés également de transport. Le fait de pouvoir utiliser du carburant dans une voiture hybride apporte une certaine redondance énergétique particulièrement appréciable en cas de panne électrique générale. Pour obtenir la même redondance, il faudrait que la production d'électricité soit décentralisée ou, encore mieux, que les stations d'échange et de recharge des batteries puissent produire leur propre électricité. Par ailleurs, avec une voiture hybride, on dispose d'un générateur électrique puissant pour alimenter toute une maison en cas de panne. On peut même aller dans des endroits isolés en apportant avec nous notre propre source d'électricité, ce qui constitue un autre avantage non négligeable.

Pour toutes ces raisons, nous croyons que les véhicules hybrides branchables sont une meilleure solution globale que les véhicules électriques avec échange de batteries. Nous sommes conscients, toutefois, que le concept Project Better Place peut très bien fonctionner dans certains environnements.

La recharge rapide des batteries

En réalité, si on y pense bien, la raison pour laquelle on échange la batterie pour faire le plein est simplement parce que ça prendrait trop de temps pour la recharger à une station-service. Or, depuis 2006, plusieurs compagnies ont annoncé des batteries Li-ion à recharge très rapide (moins de 10 minutes). Il est donc tout à fait pensable de mettre en place des stations de recharge rapide le long des autoroutes et dans les villes et villages, à certains endroits stratégiques. Toutefois, pour être réellement pratique lors des longs trajets, une voiture entièrement électrique devrait avoir une autonomie de 400 km et plus. Avec les technologies de 2008, les batteries requises seraient beaucoup trop lourdes et encombrantes, sans compter qu'on épuiserait les ressources planétaires inutilement. N'oublions pas, en effet, que 80 % de notre kilométrage est fait de trajets journaliers inférieurs à 100 km environ. Enfin, une batterie capable de donner une autonomie de 400 km coûterait très cher pour le peu de fois qu'on aurait besoin de toute sa capacité. Ça n'aurait donc pas de sens du point de vue financier.

Non, définitivement, les voitures hybrides branchables avec une autonomie de 100 km en mode électrique semblent la meilleure solution pour couvrir l'ensemble de nos besoins en transport. D'ailleurs, ces voitures pourraient également bénéficier des stations de recharge rapide lors de longs voyages, car on peut très bien faire une pose recharge de temps à autre, afin de diminuer la consommation de carburant.

Par ailleurs, une voiture uniquement électrique avec une batterie Li-ion donnant une autonomie de 150 à 200 km fait du sens au niveau économique et environnemental, tout en ayant une masse et un encombrement raisonnables. Utiliser une telle voiture pour tous nos besoins de transport est possible mais peu pratique pour les longs voyages, car il faudrait la recharger souvent. En fait, cela serait l'équivalent des voitures électriques à échange de batterie de Project Better Place et, comme nous l'avons vu, il vaudrait mieux décentraliser la distribution d'électricité, afin d'éviter la vulnérabilité occasionnée par une panne électrique généralisée.

Qu'en est-il des technologies de recharge rapide pour les voitures électriques ? Les batteries les plus performantes à cet égard sont les batteries Li-ion avec du titanate de lithium structuré à l'échelle des nanomètres (1 nanomètre = 1 millionième de millimètre), comme celles de la compagnie Altairnano (www.altairnano.com). Les véhicules du constructeur étatsunien Phoenix Motorcars (www. phoenixmotorcars.com) dont le véhicule utilitaire sport (VUS) de la figure 2.51 en sont équipés.

Figure 2.51 – Le véhicule utilitaire sport électrique de Phoenix Motorcars, disponible en 2008, peut parcourir 160 km sur une pleine charge de sa batterie Li-ion de Altairnano et être rechargé à 95 % en moins de 10 minutes. (Source : Phoenix Motorcars)

Le VUS de Phoenix peut faire le plein d'électricité en 10 minutes pour atteindre 95 % de sa pleine charge, ce qui lui donne une autonomie de 160 à 200 km selon les habitudes de conduite, alors que sa masse est de de 2186 kg à vide. Pour recharger aussi rapidement sa batterie de 35 kWh, on a besoin d'un poste de recharge de 240 kW (480 volts, 3 phases, 500 ampères) qu'on retrouve fréquemment dans l'industrie et qui peut être installé sur l'emplacement d'une entreprise utilisant une flotte de tels véhicules. Ces recharges rapides n'affectent en rien la très longue durée de vie des batteries Altairnano (plus de 15 000 décharges profondes).

Pour ce qui est des performances, ce SUV entièrement électrique, avec un moteur de 200 kW crête, atteint une vitesse maximale de 150 km/h et réalise une accélération de 0 à 100 km/h en 10 secondes. Phoenix a commencé la production en 2008 pour les flottes d'entreprise et prévoit offrir ce SUV au public en 2010 pour environ 45 000 $.

De son côté, Subaru s'apprête à commercialiser, en 2010, une petite voiture électrique, la R1e (figure 2.52). Cette petite citadine, développée conjointement avec TEPCO (Tokyo Electric Power Corporation), peut parcourir 80 km sur une pleine charge, tout en ayant une vitesse maximale de 105 km/h, grâce à un moteur électrique de 40 kW.

Sa batterie Li-ion, développée par NEC, utilise de l'oxyde de manganèse et peut être rechargée en 8 minutes à 80 % de sa pleine charge, ce qui lui permet de parcourir 64 km. Subaru et TEPCO comptent bien réduire ce temps de recharge à 5 minutes d'ici 2010, année de son entrée sur le marché. Le chargeur qu'on aperçoit sur la figure 2.52 a une puissance de 50 kW et la grosseur d'un réfrigérateur. Il peut facilement être installé sur le terrain d'une entreprise qui aurait une flotte de R1e.

Figure 2.52 – La voiture électrique citadine R1e, de Subaru, sera commercialisée en 2010. Elle est équipée d'une batterie Li-ion lui donnant une autonomie de 80 km. Sa vitesse maximale est de 105 km/h et elle peut être rechargée à 80 % en 8 minutes. (Source Y.M.M.V, mars 2007)

Par ailleurs, en 2007, **Mitsubishi** introduisait la voiture électrique concept **iMiev sport**, illustrée à la figure 2.53, utilisant les batteries à recharge rapide fabriquées par la compagnie japonaise GS Yuasa. Cette voiture électrique, d'une autonomie de 200 km, est équipée de **deux moteurs-roues** (développés par Mitsubishi) de 20 kW et 250 Nm chacun à l'avant, ainsi que d'un moteur central de 47 kW et 180 Nm à l'arrière. Elle peut se déplacer à 180 km/h. Les batteries sont réparties en dessous de l'habitacle, et le moteur arrière ainsi que l'électronique de puissance en dessous du coffre à bagages et du siège arrière. Pour diminuer sa consommation d'énergie, on l'a allégée en utilisant de l'aluminium pour la structure de la cabine et un polymère recyclable pour les panneaux extérieurs. De plus, le fait que les quatre roues soient motorisées lui permet de récupérer plus d'énergie au freinage.

Figure 2.53 – La iMiev sport concept de Mitsubishi, présentée en 2007, est une voiture électrique munie de deux moteurs-roues à l'avant et d'un moteur central à l'arrière. Elle affiche une autonomie de 200 km sur sa batterie Li-ion à recharge rapide et une vitesse de pointe de 180 km/h. (Source : Mitsubishi)

Tohru Hashimoto, directeur du programme de voiture électrique iMiev, déclarait, le 20 mai 2008[35],

---

35. S. Clemenger, *Mitsubishi's Electric Car Future*, entrevue avec Tohru Hashimoto, paru sur le site EV World (www.evworld.com), le 16 juin 2008. Aller à http://evworld.com/article.cfm?storyid=1473.

Figure 2.54 – La iMiev est une petite voiture électrique que Mitsubishi commercialisera en 2009. Son autonomie est de 160 km sur une pleine charge de sa batterie Li-ion, rechargeable à 80 % en 20 minutes. Sa vitesse de pointe de 130 km/h lui donne une pleine performance sur autoroute. (Source : Mitsubishi)

que le moteur-roue était la technologie de l'avenir, mais qu'il restait encore de la recherche à faire pour l'amener au niveau commercial à un prix compétitif.

Pour accélérer la pénétration sur le marché d'une voiture électrique, Mitsubishi a donc décidé de commercialiser, en 2009, une version citadine de la iMiev, avec un seul moteur central arrière, un châssis et une carrosserie en acier, et une autonomie de 160 km (**figure 2.54**). Cette petite voiture de 1080 kg a une vitesse maximale de 130 km/h et elle accélère de 0 à 80 km/h en 10 secondes. **Sa batterie de 20 kWh peut être rechargée à 80 % en 20 minutes, pour une autonomie de 128 km**.

Du côté de la Chine, **BYD Auto** (www.byd.com), qui a définitivement l'avenir dans le collimateur, **compte commercialiser en 2010, en Chine, une berline électrique de 1530 kg, la F3e, pour 15 000 € (23 000 $)**! BYD Auto souligne que cette voiture peut parcourir 300 km sur une pleine charge, à condition de rouler à 40 km/h[36]. En conduite mixte normale, on doit donc s'attendre à une autonomie réelle d'environ 225 km. La **figure 2.55** montre la F3e, de même que les deux chargeurs offerts (à droite de la figure). Le petit chargeur est conçu pour les stationnements, alors que **le gros chargeur de 500 ampères permet de remplir la batterie de 36 kWh à 70 % en 10 minutes, ce qui donne une autonomie approximative de 160 km**. La batterie Li-ion fabriquée par BYD utilise du phosphate de fer et elle peut subir 2000 décharges profondes avant de perdre 20 % de sa capacité. Elle devrait donc permettre de parcourir plus de 450 000 km!

---

36. *Les voitures chinoises. La voiture électrique de BYD : F3e*, article paru le 1er juin 2007 sur le site www. lesvoitureschinoises.com.

Figure 2.55 – La berline électrique F3e de BYD, qui sera commercialisée en 2010, est équipée d'une batterie Li-ion lui donnant une autonomie maximale de 300 km, avec une vitesse de pointe de 105 km/h. Elle peut être rechargée à 70 % en 10 minutes. (Source : ABTOPEBIO 2006)

La F3e peut atteindre une vitesse maximale de 150 km/h et accélérer de 0 à 100 km/h en 13,5 secondes. Pour cela, elle est équipée d'un moteur électrique de 75 kW crête.

Des voitures électriques et des vélos communautaires

Mêmes électriques, les autos causent des problèmes de stationnement et d'embouteillage dans les villes. Les transports en commun doivent donc être fortement encouragés et leur service amélioré. Par ailleurs, le transport individuel en voiture peut être amélioré également. Les chercheurs du groupe Smart Cities du Massachusetts Institute of Technology (http://cities.media.mit.edu), proposent une idée originale : **des voitures électriques communautaires empilables** (figure 2.56) dont le tarif de location dépend de la durée d'utilisation. Ces voitures, appelées City Car, peuvent être utilisées par plusieurs personnes dans une même journée, et elles occupent beaucoup moins d'espace de stationnement.

Figure 2.56 – La City Car est un véhicule électrique urbain empilable conçu par le groupe Smart Cities du Media Lab au MIT. Les chercheurs de ce laboratoire travaillent présentement à la réalisation de prototypes à moteurs-roues. (Image de Franco Vairani du Smart Cities Group, MIT)

Les moteurs électriques des City Car sont des moteurs-roues qui, selon leurs concepteurs, offrent plus de flexibilité dans le design des véhicules tout en consommant moins d'électricité. On imagine facilement un système de réservation par téléphone portable avec écran et GPS intégré qui indique la voiture disponible la plus près. Advenant une non-disponibilité dans le voisinage immédiat, un service de minibus électrique pourrait passer vous prendre pour vous conduire à votre destination. Il serait souhaitable également qu'un tarif moins élevé soit établi pour une utilisation à deux personnes, une façon d'encourager le covoiturage.

Dans cet esprit, la Ville de Paris a annoncé en 2008, qu'elle comptait mettre en service communautaire 4000 petites voitures électriques qui seront réparties dans 700 emplacements à travers la ville et la banlieue. Ce service, appelé Autolib, devrait démarrer en 2009. C'est le pendant voiture du fameux projet Vélib (www.velib.

paris.fr) qui met à la disposition des Parisiens 20 600 vélos répartis dans 1451 emplacements (figure 2.57), depuis 2007. Une autre façon géniale de rouler sans pétrole. On peut louer ces vélos communautaires 24 heures par jour, 7 jours par semaine, et les remettre dans un emplacement différent. Les 30 premières minutes sont gratuites. Ce qui est particulièrement intéressant dans ce concept de véhicules communautaires c'est qu'un même véhicule peut servir à plusieurs personnes dans la même journée, diminuant d'autant notre ponction sur les ressources planétaires.

Figure 2.57 – Vélos du projet parisien Velib. Plus de 20 000 vélos, répartis sur 1451 emplacements, sont mis en location à Paris. La première demi-heure est gratuite. (Source : Wikimedia Commons, http://commons.wikimedia.org, auteur : Rcsmit, juillet 2007)

L'avenir des voitures entièrement électriques

Dans un article du *Wall Street Journal* (www.wsj.com), paru le 12 juin 2008[37], on apprend que le directeur de la R&D chez Nissan Motor Corporation a déclaré que les batteries Li-ion allaient être considérablement améliorées au cours des prochaines années. Selon lui, l'autonomie des voitures électriques devrait passer à 400 km, à l'horizon 2015, pour une même grosseur de batterie. Déjà, en 2010, les premières voitures électriques produites par Nissan sortiront sur le marché et pourront nous faire parcourir 170 km.

---

37. E. Taylor, «New Lithium Batteries Improve Electric Car Range», article du *Wall Street Journal* (www. wsj.com), paru le 12 juin 2008.

À la section 2.4, nous avons vu que l'utilisation de moteurs-roues pouvait faire diminuer la consommation d'énergie des voitures de 25% et que des matériaux plus légers pour le châssis et la carrosserie pouvaient également apporter une réduction importante de la consommation d'énergie. Par conséquent, la quantité d'électricité requise pour faire parcourir 100 km à une voiture va diminuer également. **Il est donc tout à fait probable qu'en 2015-2020, on puisse rouler pendant 500 km avec une batterie de même poids que celles qui nous donnent une autonomie de 150 km en 2008. De plus, à la lueur du développement fulgurant réalisé de 2005 à 2008 dans la recharge rapide des batteries, il y a de fortes chances pour qu'on puisse remplir une batterie suffisamment en 10 minutes pour nous faire parcourir 400 kilomètres.** On imagine alors très bien des véhicules de dépannage pouvant donner une charge électrique permettant de parcourir 50 km environ, suffisamment pour se rendre à la prochaine station de recharge rapide.

Lorsque nous serons rendus là, si nous y arrivons, les voitures entièrement électriques vont devenir aussi intéressantes que les voitures hybrides branchables. Il ne restera plus alors qu'à mettre en place des mini-réseaux électriques indépendants dédiés aux stations de recharge rapide, afin d'éviter la vulnérabilité encourue lors de pannes électriques généralisées. Une autre option serait de produire l'électricité aux stations de recharge elles-mêmes, à condition, bien sûr, de trouver une façon sécuritaire, non polluante et renouvelable de le faire, qui ne dépend pas des conditions météorologiques, comme c'est le cas avec les éoliennes et les panneaux solaires, actuellement.

Dans un environnement futur où la distribution d'électricité serait décentralisée, les voitures entièrement électriques domineraient alors le marché du transport des personnes et une bonne partie du transport urbain des marchandises.

2.13 – Les scooters électriques et le Segway® PT

Les véhicules à deux roues ne sont pas en reste en ce qui concerne la motorisation électrique. Là aussi ça bouge rapidement.

Depuis 2007, on trouve plusieurs modèles de scooters électriques dans différentes gammes. Le **scooter chinois GoWatt** (**figure 2.58**) est maintenant en vente en France et en Belgique au prix de 1750 € (2730 $). Il permet de circuler à 45 km/h sur une distance de 50 km, grâce à un moteur électrique de 1,5 kW. Sa batterie au plomb est bonne pour 500 recharges, soit environ 18 mois d'utilisation à raison de 300 km par semaine.

La compagnie **Vectrix** (www.vectrix.com), de son côté, offre un maxi-scooter capable de circuler à 100 km/h, avec une autonomie de 60 km à 85 km, selon la conduite (**figure 2.59**). Un moteur électrique de 3,8 kW nominal et une batterie Ni-MH de 3,7 kWh lui permettent de telles performances. **Sa consommation approximative est de 4,5 kWh/100 km, soit 4 fois moins qu'une voiture intermédiaire électrique.** Son prix est toutefois substantiel, puisqu'il est de 11 000 $ (7 000 €), en 2008.

Figure 2.58 – Le scooter électrique chinois GoWatt permet de circuler à 45 km/h sur une distance de 50 km. (Source : GoWatt)

Figure 2.59 – Le maxi-scooter Vectrix offre une autonomie de 60 km à 85 km et permet une vitesse de pointe de 100 km/h. (Source : Vectrix)

En plus de leur voiture pliante (figure 2.56), les chercheurs et étudiants du groupe Smart Cities du Massachusetts Institute of Technology (http://cities.media.mit.edu) ont également conçu un scooter pliant, le RoboScooter, appelé à être loué à la manière des vélos de Vélib à Paris. Le prototype qu'on voit sur la **figure 2.60** a été réalisé en collaboration avec l'Institut de Recherche en Technologie Industrielle de Taïwan et SYM, un fabricant de scooter également de Taïwan. Il a été présenté au salon de l'auto de Milan à l'automne 2007. Une fois plié, le RoboScooter est très peu encombrant, donc idéal pour des emplacements de location. Dans ces emplacements dédiés, le scooter s'accrochera à des bornes de recharge qui serviront aussi à le maintenir en position. Les concepteurs ont choisi des moteurs dans les roues ce qui, selon eux, élimine les mécanismes de transmission et simplifie le design. On ne connaît pas encore ses performances.

En terminant cette section sur les véhicules électriques à deux roues, nous ne pouvons passer sous silence le transporteur personnel **Segway**® (**figure 2.61**) stabilisé par effet gyroscopique. Le Segway® PT est équipé de batteries Li-ion et procure à son utilisateur une autonomie de 26 à 39 km et une vitesse maximale de 20 km/h. Il est très apprécié des agents de sécurité qui l'utilisent pour faire leur ronde.

Figure 2.60 – Le RoboScooter, développé conjointement par le groupe de recherche Smart Cities du MIT, l'Institut de recherche en technologies industrielles de Taïwan et la compagnie SYM, un fabricant taïwanais de scooters, est appelé à être loué à la manière des vélos de Velib à Paris. (Image : Smart Cities Group, MIT)

Figure 2.61 – Le transporteur personnel Segway® permet de rouler jusqu'à 20 km/h sur des trajets de 26 à 39 km. (Source : Wikimedia Commons, http://commons. wikimedia.org, auteur : Kmf164, septembre 2005)

On imagine facilement qu'avec des batteries Li-ion performantes, l'autonomie des scooters va atteindre 120 km et plus, pour des vitesses supérieures à 80 km/h. On disposera alors de véhicules personnels particulièrement intéressants avec des coûts d'entretien très réduits. Le silence et la propreté des scooters électriques seront un baume pour nos villes congestionnées et polluées. Sans compter que les scooters consomment beaucoup moins d'énergie que les voitures pour transporter une ou deux personnes.

2.14 – Des vélos avec une assistance électrique

Le vélo demeure le moyen de transport par excellence lorsqu'on considère l'efficacité énergétique. Sans compter que c'est une excellente façon de faire de l'exercice physique. Toutefois, lorsque les parcours ont des dénivellations importantes ou nombreuses, ou lorsqu'on veut faire de longs trajets, ou aller plus vite, celui ou celle qui enfourche le vélo doit être en bonne condition physique. Ces contraintes écartent donc un bon nombre de personnes du cyclisme, particulièrement les gens plus âgés.

C'est en voulant remédier à cette situation que l'entrepreneur québécois Jean-Yves Dubé a fondé la compagnie **BionX** pour commercialiser une bicyclette à assistance électrique. **Ce n'est pas une bicyclette électrique à proprement parler, car on doit pédaler pour la faire avancer, le moteur-roue électrique (figure 2.62) amplifie la force des jambes**, d'un facteur qu'on ajuste selon la difficulté. On peut ainsi tripler notre puissance, ou l'augmenter de seulement 25 %, 50 % ou 100 % (doubler) au choix.

Figure 2.62 – Le kit BionX pour assistance électrique des vélos comprend une roue arrière équipée d'un moteur-roue, une batterie Li-ion et une petite console de commande. (Photo : P. Langlois)

La batterie Li-ion de 3,1 kg permet de doubler nos efforts sur un trajet de 55 km, ou de l'augmenter de 50 % sur 75 km. Le moteur-roue de 350 watts ne pèse que 4 kg et agit comme générateur en descendant les côtes, pour recharger la batterie.

Le kit BionX, incluant le moteur, la batterie et la console, peut s'installer sur n'importe quelle bicyclette. Il suffit de changer la roue arrière.

Figure 2.63 – Le tramway de Strasbourg. (Source: Wikimedia Commons, http://commons. wikimedia.org, auteur: Ignis, août 2006)

2.15 – Les transports en commun et le biberonnage

De plus en plus populaire et de plus en plus nécessaire, le transport en commun de passagers doit lui aussi subir de profondes mutations, ne serait-ce que pour diminuer au minimum la consommation de carburant. C'est ce que nous verrons dans cette section.

Le transport en commun urbain

Les métros que l'on retrouve dans les villes densément peuplées constituent bien entendu une partie de la solution au transport urbain des passagers. On peut ainsi s'affranchir complètement de la circulation automobile de surface. Cela permet aux rames de circuler à 75 km/h et augmente de beaucoup le nombre de personnes qu'on peut transporter, jusqu'à 20 000 passagers à l'heure par voie. Le fait que les métros soient électriques enlève également les émissions polluantes au cœur de la ville. Le coût est de l'ordre de 125 à 175 millions de dollars par kilomètre (78 000 000 à 110 000 000 €/km).

Les tramways électriques (figure 2.63), pour leur part, transportent de 200 à 250 personnes par rame à des vitesses de 20 à 25 km/h en surface. Ils peuvent ainsi transporter jusqu'à 5000 personnes à l'heure. Leur coût varie de 30 à 60 millions de dollars du kilomètre (19 000 000 à 38 000 000 €/km). L'alimentation en électricité se fait par un troisième rail encastré dans la chaussée et divisé en plusieurs sections. Seule la section sous le tramway est activée de manière à ne pas présenter de danger pour les piétons. Pour que cette approche fonctionne sans problème, on équipe les tramways d'une batterie qui leur permet de parcourir quelques centaines de mètres de façon autonome. Cette batterie est constamment rechargée au contact des sections activées du rail d'alimentation. Pour que les tramways puissent atteindre leur performance maximale, ils doivent fonctionner en sites propres, c'est-à-dire dans des voies dédiées auxquelles les autres véhicules n'ont pas accès.

Mais, l'arrivée sur le marché de batteries à recharge très rapide, depuis 2007, et la possibilité d'accrocher virtuellement plusieurs autobus électriques l'un à l'autre, va changer la donne. Les autobus électriques qu'on recharge rapidement à tous les 4 ou 5 kilomètres, sont appelés à occuper une place de choix dans les transports en commun propres de demain, à un coût plus abordable que les tramways, tout en offrant plus de flexibilité. Pour obtenir des débits similaires, il suffit de les faire fonctionner en sites propres, comme les tramways. Plus besoin de défaire la chaussée et d'installer des rails. Ce qu'on appelle désormais le **busway** devient de plus en plus populaire. Cette solution collective a été adoptée, entre autres, à Nantes en France, en 2006. Cependant, les busways actuels utilisent des autobus diesel ou au gaz naturel.

Par ailleurs, les autobus d'aujourd'hui sont appelés à connaître des transformations importantes afin d'améliorer leurs performances énergétiques et écologiques.

Les autobus ont une importance capitale dans les transports en commun, mais ils consomment beaucoup de carburant. Une étude faite en 2007 par le Département des transports étatsunien fait état d'**une consommation moyenne de 60 litres de carburant diesel aux 100 km pour les flottes d'autobus urbains**[38]. En 2008, les meilleurs autobus diesel (non hybrides) font approximativement 40 litres/100 km en cycle urbain. Les départs et les arrêts fréquents de ces véhicules et les pertes considérables dans leurs systèmes de transmission de la force, du moteur aux roues, en sont grandement responsables.

Pour diminuer leur consommation de carburant, la première étape à franchir est l'hybridation par l'ajout de moteurs électriques. Nous l'avons dit à plusieurs reprises, **les moteurs-roues électriques sont les plus performants, et particulièrement dans le cas des autobus**. Les moteurs électriques centraux derrière un différentiel sont très inefficaces pour récupérer l'énergie de freinage, alors que les moteurs-roues peuvent en récupérer 85 %. Or, les autobus urbains sont constamment en arrêt et départ, et une partie plus importante de leur consommation d'énergie sert à les accélérer constamment.

La compagnie e-Traction (www.etraction.com) des Pays-Bas a fait la preuve de l'efficacité des moteurs-roues pour les autobus. Son prototype à moteurs-roues, appelé Whisper (figure 2.64), affiche une consommation de 17 litres/100 km en conduite urbaine! Il présente une configuration hybride série, c'est-à-dire que le moteur diesel n'est pas connecté aux roues, mais à un générateur qui recharge les batteries Li-ion en cours de route, au besoin.

---

38. N.N. Clark *et al.* (U.S. Department of Transportation), *Transit Bus Life Cycle Cost and Year 2007 Emissions Estimation*, rapport numéro FTA-WV-26-7004.2007.1, juillet 2007.

Figure 2.64 – L'autobus hybride prototype, The Whisper, de la compagnie e-Traction est mû par des moteurs-roues à l'arrière. Il permet de consommer trois fois moins de carburant qu'un autobus diesel traditionnel moyen. (Source : e-Traction)

Cette configuration hybride série à moteurs-roues permet de réduire la consommation de carburant d'un facteur 3 par rapport à la moyenne des autobus diesel traditionnels, alors que les autobus hybrides à moteur électrique central réduisent la consommation normalement de 20 % à 40 % (en 2008). Si on utilisait, pour l'autobus de e-Traction, une construction plus légère en acier à haute résistance, comme l'autobus GTB-40 de Fisher Coachworks (www.fisher-coachworks.com) que nous avons présenté à la section 2.4, on pourrait alors atteindre une réduction de consommation de carburant d'un facteur 4 !

Par ailleurs, la compagnie e-Traction a démontré que ses moteurs-roues électriques consomment 65 kWh/100 km d'électricité en ville. Or, il est intéressant de comparer cette quantité d'énergie à celle consommée par un autobus diesel. Sachant que chaque litre de carburant diesel contient 10,6 kWh d'énergie chimique (évalué au pouvoir calorique supérieur, pour les experts), il suffit de multiplier la consommation de 50 litres de carburant par 100 km par cette quantité d'énergie. On obtient alors une consommation de 530 kWh/100 km sous forme de carburant pour un autobus diesel traditionnel, soit 8 fois plus d'énergie que celle qui est consommée sous forme d'électricité par l'autobus hybride série à moteurs-roues de e-Traction !

On peut diminuer davantage la consommation de carburant de l'autobus hybride e-Traction en ajoutant une batterie plus grosse que l'on recharge la nuit sur le réseau électrique. En moyenne, un autobus urbain parcourt environ 200 km par jour. Une batterie de 80 kWh serait donc suffisante pour la moitié du kilométrage journalier de l'autobus et on pourrait ainsi réduire la consommation de carburant d'un facteur 6 au lieu de 3. Il est également possible d'installer une batterie de 160 kWh et ne plus consommer de carburant. Dans ce cas, on pourrait enlever le moteur diesel et le générateur ou le garder pour pallier des pannes électriques éventuelles.

Les batteries Li-ion performantes coûtent présentement 1000 $ US le kWh, en moyenne. On prévoit que le prix diminuera à environ 400 $ US le kWh, d'ici 2012-2014, lorsqu'elles seront produites en grande série. Actuellement, il faudrait donc augmenter de façon importante le coût de chaque autobus pour le faire fonctionner avec une grosse batterie. Une solution plus économique et plus durable consiste à recharger très rapidement une batterie plus petite à intervalles réguliers le long du trajet de l'autobus. C'est ce qu'on appelle le **biberonnage**. Une batterie qui permet de parcourir 25 km est alors suffisante (capacité de 20 kWh). Pour ce qui est du temps de recharge, la compagnie Altairnano (www.altairnano.com) vend une batterie Li-ion de 35 kWh qui peut être rechargée, de façon répétitive, en moins de 10 minutes! Cela donne donc une durée de 17 secondes par kWh pour la recharge. Or, en étant conservateur, notre autobus à moteurs-roues peut rouler un kilomètre avec 0,8 kWh. **Pour alimenter un autobus, il suffirait de recharger la batterie 30 secondes à tous les 2 km, 1 minute à tous les 4 km ou encore 2 minutes aux 8 km, et encore moins souvent si l'autobus était ultraléger, comme le GTB-40 de Fisher Coachworks.**

De plus, les batteries Altairnano peuvent subir 15 000 décharges complètes avant de perdre 20% de leur capacité de stockage. Plus encore si on ne les décharge pas entièrement. On peut donc s'attendre à ce qu'elles durent une dizaine d'années dans des autobus biberonnés.

L'avantage du biberonnage est qu'on n'a pas besoin de fils aériens au-dessus des rues, comme pour les trolleybus, ni de rails comme pour les tramways. Il suffit d'installer une station de recharge rapide à tous les quatre kilomètres environ. Le coût des infrastructures s'en trouve réduit d'autant. Un système d'autobus électriques biberonnés offre également **plus de flexibilité**, car on peut changer de parcours facilement, ce qui n'est pas le cas des tramways ou des trolleybus, qui doivent suivre leurs tracés pour être alimentés en électricité.

Le principe du biberonnage n'est pas nouveau. On l'a essayé en Suisse au début des années 1950 avec le Gyrobus (**figure 2.65**), construit par la société Oerlikon. À cette époque, il n'y avait évidemment pas de batteries à recharge rapide de longue durée comme aujourd'hui. Le système de stockage d'énergie utilisé était un volant d'inertie mis en rotation rapide (3 000 tours/min.) par un moteur électrique, lors de la charge. Ensuite, ce volant d'inertie de 1,6 mètre de diamètre actionnait un générateur pour produire le courant requis par le véhicule électrique, tout en ralentissant progressivement sa rotation. On pouvait ainsi stocker 9 kWh d'énergie, soit assez pour parcourir 8 km, à une vitesse pouvant aller jusqu'à 50 km/h[39]. Le Gyrobus était même équipé de freinage régénératif pour retourner une partie de l'énergie de freinage dans la rotation du volant. Pour faire le plein d'énergie, il fallait que le Gyrobus se connecte pendant 70 secondes à tous les deux kilomètres, au lieu des 30 secondes que nous avons calculées pour les batteries à recharge très rapide de Altairnano.

---

39. B. Schoentgen, «Spinning Wheel Powers Noiseless Bus», revue *Science and Mechanics*, avril 1954, p. 71 à 73.

Cet ancêtre de l'autobus électrique urbain biberonné était parfaitement fonctionnel. Le problème était qu'en 1950, le litre de carburant diesel valait 0,05 $, alors que l'électricité coûtait 0,03 $ le kWh. Par conséquent, le coût en énergie pour parcourir un kilomètre était le même avec le carburant qu'avec l'électricité. Les villes étant moins polluées à l'époque et le réchauffement climatique encore inexistant, ces facteurs n'avaient pas autant de poids, sans compter que le pétrole était très abondant pour la demande qu'on en avait alors. Pourtant, le Gyrobus offrait l'avantage d'un fonctionnement silencieux et inodore, tout en ayant un entretien réduit par rapport à un autobus diesel. Cette technologie aurait donc dû prendre une part du marché.

À la même époque, un autre moyen de transport urbain électrique bien connu, les tramways, a cédé la place aux omniprésents autobus diesel polluants et bruyants. À cet égard, Edwin Black, dans son livre *Internal Combustion*[40] dévoile comment les lobbies fonctionnaient. Il nous apprend, entre autres,

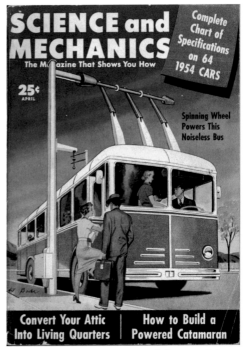

Figure 2.65 – Page couverture de la revue *Science and Mechanics* du mois d'avril 1954, montrant une illustration du Gyrobus biberonné.

que General Motors, Standard Oil, Firestone et quelques autres compagnies de moindre importance s'étaient unies pour mettre sur pied la compagnie National City Lines. Dans les années 1930-1950, cette dernière achetait les compagnies de transport en commun des villes étatsuniennes, alors que les tramways électriques étaient rois et maîtres. Pourquoi acheter des tramways électriques munis de roues en fer quand on fait son argent avec les moteurs à combustion, les pneus et le pétrole? Et bien, je vous ai déjà donné la réponse. Les tramways électriques ne sont pas restés longtemps dans le décor; ils ont été remplacés rapidement par un fort contingent d'autobus GM roulant avec des pneus Firestone et alimentés par du carburant diesel de la Standard Oil...

Après cette petite capsule historique, revenons à l'avenir des transports en commun urbains. L'auteur est intimement convaincu que les autobus électriques biberonnés vont sillonner nos rues dans les années qui viennent, en nombre toujours croissant. **Les transports en commun urbains de demain seront à nouveau entièrement électriques.**

---

40. E. Black, *Internal Combustion*, St. Martin's Press, New York, 2006.

Déjà certaines villes possèdent des petites flottes de minibus électriques. La Ville de Québec, par exemple, a mis en service 8 minibus électriques en 2008 (**figure 2.66**), année de son 400ᵉ anniversaire. Ces minibus de la compagnie italienne Technobus ont été adaptés pour l'hiver par le CEVEQ (Centre d'Expérimentation des Véhicules Électriques du Québec). Ils sont utilisés pour faire la navette des passagers dans le vieux Québec, de façon moins bruyante et moins polluante. Leur autonomie est de 100 km, grâce à une batterie Zebra (voir la section 2.2), avec une vitesse maximale de 40 km/h. Ils ne consomment que 3,00 à 4,00 $ d'électricité par jour (1,90 € à 2,50 €/jour)!

Figure 2.66 – Le Réseau de Transport de la Capitale (RTC) de Québec, a mis en service, en 2008, huit microbus électriques de la compagnie Technobus, dans le but d'offrir des navettes moins bruyantes et moins polluantes, à l'intérieur des fortifications du Vieux Québec. Leur autonomie est de 100 km, et ils consomment de 3 $ à 4 $ d'électricité par jour! (Photo : Jean Cazes)

Le transport en commun interurbain

Quiconque a voyagé en TGV (**figure 2.67**) a constaté à quel point le parcours entre deux villes est rapide et confortable. Les gares étant dans les centres-villes, si on compte la durée des trajets d'un centre-ville à un autre, un voyage en TGV est plus rapide que l'avion pour des distances allant jusqu'à 1000 à 1200 kilomètres… en utilisant de l'électricité au lieu du carburant. La rareté du pétrole et la nécessité de diminuer les gaz à effet de serre vont forcer l'utilisation des transports rapides terrestres au lieu des avions, pour des distances inférieures à 1500 kilomètres environ.

Mais le TGV est très coûteux à implanter dans les pays aux hivers froids, comme le Canada. Tout d'abord, il faut exproprier un corridor pour y construire la voie. Ensuite, il faut que cette voie ait une assise profonde qui l'affranchisse des aléas du gel et du dégel. Sachant qu'il en coûte en France 15 millions d'euros (15 M€) par kilomètre (23 M$/km), on imagine que ce montant pourrait atteindre 25 M€/km, soit 40 M$/km au Canada. **Une ligne de TGV entre Québec et Montréal (250 km) pourrait donc coûter 10 milliards de dollars!**

Par ailleurs, pour rentabiliser de telles infrastructures il faut une grande densité de population, alors qu'au Canada, les villes populeuses sont peu nombreuses et très étendues. Le TGV n'est donc pas la solution à tous les problèmes.

Ce problème du transport en commun interurbain rapide, Pierre Couture, l'inventeur du moteur-roue moderne (section 2.9), y a longuement réfléchi. Il aboutit à un concept tout à fait révolutionnaire. Jugez-en par vous-même.

Afin de minimiser les travaux d'assise des voies qui doivent résister au gel, la solution proposée par Pierre Couture serait de construire un monorail ultraléger, à deux voies, dont la structure serait supportée par des poteaux simples se terminant en Y. Le même genre de poteaux qu'on retrouve dans les nouveaux pylônes pour les lignes à haute tension, mais plus robustes, plus rapprochés, moins haut, et avec des structures latérales appropriées pour soutenir les fermes ajourées en dessous desquelles sont fixées deux poutres en l. **Des wagons capables de transporter une soixantaine de passagers seraient autonomes et voyageraient séparés l'un de l'autre, à une vitesse de 250 km/h environ.**

Pour les alléger, les wagons seraient fabriqués en aluminium et en matériaux composites. Cela diminue-

Figure 2.67 – Le TGV Atlantique français. (Source : Wikimedia Commons, http://commons.wikimedia.org, auteur : Marsupilud, novembre 2004)

rait aussi la résistance au roulement et, par conséquent, la consommation d'énergie. Évidemment, l'avant et l'arrière des wagons seraient profilés de manière à réduire la résistance à l'écoulement de l'air pour diminuer davantage la consommation d'énergie.

Pour éviter d'avoir à exproprier des terrains afin de construire les lignes, les rails seraient disposés entre les deux chaussées des autoroutes ou le long des emprises pour les rails des trains. Les surfaces utilisées au sol auraient à peine quelques mètres carrés à tous les soixante mètres ! Pour les virages trop serrés, il suffirait de déborder légèrement des tracés et d'incliner les travées. Les wagons seraient suspendus et motorisés par 16 moteurs-roues au-dessus des wagons (figure 2.68). Les roues s'appuieraient sur la branche horizontale inférieure de la poutre en l, de chaque côté de la branche verticale. Elles seraient équipées de pneus en caoutchouc, qui offrent une meilleure adhérence que les roues en fer des trains, permettant ainsi au monorail de gravir les pentes des autoroutes.

La travée étroite sur laquelle rouleraient les moteurs-roues serait recouverte et englobée par une enceinte légère, suffisamment en pente pour que la neige ne s'y accumule pas.

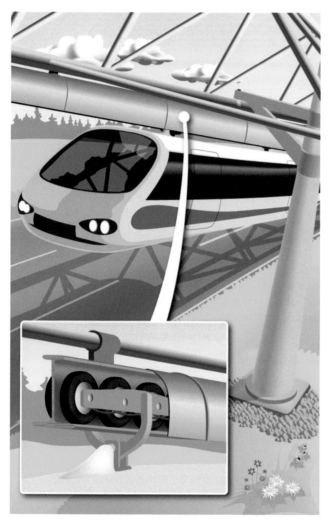

Figure 2.68 – Vue artistique du monorail interurbain à grande vitesse, mû par 16 moteurs-roues, conçu par Pierre Couture. (Illustration : Paul Berryman)

Même à 250 km/h, chaque wagon dépenserait beaucoup moins d'énergie que si ses 60 passagers avaient circulé dans 40 automobiles différentes. L'encombrement des routes s'en trouverait ainsi considérablement réduit et nous utiliserions de l'électricité au lieu de carburants. Il y aurait donc moins d'émissions de gaz à effet de serre et d'émissions polluantes tout court. On économiserait les ressources planétaires, puisque le même wagon pourrait servir à près de 1000 personnes différentes dans la même journée, sur un trajet de 250 km. **Quelle agréable perspective que de pouvoir parcourir 250 km en une heure dans un wagon confortable et spacieux, d'un centre-ville à l'autre, sans avoir à conduire, ni à chercher de stationnement !**

À bien y penser, ce **monorail léger et rapide à moteurs-roues, imaginé par Pierre Couture, serait très avantageux un peu partout sur la planète, pas seulement dans les pays froids. Surtout que le coût des infrastructures serait de 3 à 5 fois moins élevé que celui d'un train à très grande vitesse !**

Ces monorails légers et rapides seraient idéaux également pour relier les centres-villes aux aéroports, ou désengorger les ponts à l'heure de pointe, en accrochant les rails aux structures latérales des ponts. Les gens qui habitent la rive sud du fleuve Saint Laurent et qui vont travailler sur l'île de Montréal apprécieraient un tel service de transport en commun, beaucoup moins cher qu'un métro sous le fleuve.

2.16 Des camions hybrides et électriques

Pour rouler sans pétrole, il n'y a pas que le transport des personnes à considérer. Il faut aussi tenir compte du transport routier des marchandises, qu'on peut diviser en deux catégories : les livraisons urbaines et le transport interurbain.

L'électrification des véhicules de livraison urbains

La livraison des marchandises dans nos villes est une source intarissable de bruit, de pollution et d'encombrement de la circulation, particulièrement dans les quartiers aux rues étroites qu'on trouve dans plusieurs villes d'Europe. Un marchand peut recevoir quatre ou cinq livraisons différentes dans une journée en provenance de différents fournisseurs. Souvent, les camions de livraison transportent une cargaison peu volumineuse en comparaison de la capacité de leur boîte. Dans les rues étroites, ces camions bloquent le trafic, le temps de décharger leurs marchandises. La qualité de vie des citoyens qui habitent ces quartiers s'en trouve donc affectée de différentes manières.

Pour tenter de remédier à la situation, la Commission Européenne a financé un projet pilote appelé Elcidis (acronyme de *Electric Vehicle City Distribution*), de 1998 à 2002, dans six villes d'Europe (voir www.elcidis.org). La ville de La Rochelle en France, une ville historique dont les plus vieux quartiers ont des rues étroites, a pu ainsi démontrer une nette amélioration face aux divers aspects que nous avons mentionnés.

Après avoir délimité la zone urbaine la plus problématique, la Ville n'y a autorisé la circulation des camions plus lourds que de 6 h 00 à 7 h 30 du matin. Ensuite, elle a exigé que les camions de transport interurbain apportent leur marchandise à une plateforme installée en périphérie (figure 2.69). Les employés de cette plateforme

Figure 2.69 – Camionnettes électriques du projet Elcidis, à La Rochelle, prenant leurs cargaisons à la plateforme de transfert des marchandises. (Source : Wikimedia Commons, http://commons. wikimedia.org, auteur : LHOON, mai 2001)

Figure 2.70 – Le camion électrique Quicksider, développé par Unicell et Arvin Meritor pour la compagnie de courrier rapide Purolator, a une vitesse de pointe de 110 km/h et une autonomie de 100 km avec la batterie Zebra installée dans la première version. (Photo : P. Langlois)

y regroupent les colis qui vont au même endroit et en chargent des fourgonnettes électriques (des Citroën Berlingo dont nous avons parlé à la section 2.5). Ce faisant, les fourgonnettes n'effectuent généralement qu'une livraison par jour chez un même marchand, au lieu de plusieurs. Et cette livraison s'effectue dans le silence, sans bloquer la circulation (petit véhicule) et sans aucune pollution. Toute une amélioration !

Les flottes de camions de livraison urbains parcourent généralement moins de 200 km par jour et reviennent à l'entrepôt à la fin de la journée. De plus, ces camions n'ont pas besoin de circuler à des vitesses supérieures à 90 km/h. Ces particularités font que, la plupart d'entre eux peuvent très bien être entièrement électriques.

Plusieurs compagnies qui gèrent des flottes importantes de camions de livraison urbains ont compris ces avantages. Leur budget de fonctionnement ne cessant d'augmenter en raison des augmentations accélérées du prix du carburant les a incités à revoir de près leur politique de renouvellement de leur flotte. Ainsi, la compagnie canadienne de courrier rapide Purolator a innové, en 2007, en utilisant un nouveau camion entièrement électrique, le Quicksider (figure 2.70), développé par les compagnies Unicell (www.unicell.com) et ArvinMeritor.

Le fait qu'un moteur électrique indépendant actionne chacune des roues arrières élimine le besoin d'un essieu et permet un plancher plus bas. Ce plancher peut même s'abaisser à l'arrière pour aller toucher le sol, ce qui facilite beaucoup le chargement et le déchargement.

La puissance des deux moteurs combinés est de 172 kW. Le Quicksider peut donc atteindre une vitesse maximale de 110 km/h, ce qui est amplement suffisant pour ses fonctions. Dans sa première version, il est équipé de batteries Zebra au nickel et au sel fondu (NaNiCl) qui lui donnent une autonomie de 100 km. La compagnie Electrovaya (www.electrovaya.com), également partenaire dans le projet, met présentement au point un système de batteries lithium-ion polymère pour le Quicksider. On peut donc s'attendre à ce qu'une version ultérieure de ce camion ait une plus grande autonomie.

Le profil bas du camion ainsi que ses lignes aérodynamiques diminuent de 50% la résistance de l'air, ce qui améliore son efficacité énergétique. Par ailleurs, une boîte monocoque en fibre de verre, une structure en acier inoxydable et la longévité accrue de la motorisation électrique devraient prolonger à 15 années la vie de ce véhicule, malgré une utilisation intensive. Ajoutons à cela des coûts d'entretien moins élevés et on perçoit facilement que l'avenir des véhicules de livraison urbains est électrique!

La série de camions Newton de la compagnie Smith Electric Vehicules constitue un autre bel exemple de camions de livraison électriques. La figure 2.71

Figure 2.71 – Un des 150 camions électriques Newton achetés par la compagnie de courrier rapide anglaise TNT, en 2007 et en 2008. Ces camions de 7,5 tonnes métriques, fabriqués par Smith Electric Vehicles et munis de batteries Zebra, ont une autonomie de 160 km et une vitesse maximale de 80 km/h. (Photo : TNT)

montre un modèle de 7,5 tonnes métriques (chargé), un des 150 camions achetés par la compagnie TNT, en 2007 et en 2008. TNT est la plus grosse entreprise de courrier rapide entre entreprises du Royaume-Uni.

Les camions Newton sont équipés de moteurs électriques de 120 kW et de 4 batteries Zebra au Nickel Chlorure de Sodium de 21 kWh chacune, pouvant être déchargées à 80% (selon le fabricant), ce qui donne 67 kWh pour faire avancer le camion. Avec cette batterie, l'autonomie est de 160 km et la vitesse maximale de 80 km/h, ce qui est suffisant pour des livraisons en ville.

La consommation électrique du Newton est donc de 42 kWh/100 km. Or, un camion diesel de 7,5 tonnes consomme 25 litres/100 km de carburant, selon l'information complémentaire fournie avec le communiqué de presse du 12 mai 2008 de TNT (www.tnt.com). Chaque litre de carburant diesel contenant 10,6 kWh d'énergie chimique (évalué au pouvoir calorique supérieur, pour les experts), **la consommation d'énergie d'un camion diesel de même catégorie que le Newton est donc de 265 kWh/100 km, soit 6 fois plus importante que celle du camion électrique!**

Selon Smith Electric Vehicules, avec le Newton, on peut économiser 40% des dépenses encourues sur la durée de vie du camion (incluant l'achat). Le moteur n'a que 4 pièces mobiles, contrairement à 1000 environ dans un moteur diesel!

TNT économise de façon importante sur le carburant dont le prix dépasse 2,00 $ le litre en Angleterre. L'électricité coûte 6 fois moins cher que le carburant diesel pour une même distance parcourue. L'économie réalisée en énergie est de 16 000 $ par année pour chaque camion. À ce montant s'ajoutent 3 500 $ par année de taxes par camion pour circuler dans la ville de Londres, puisque les camions électriques sont exemptés de cette taxe.

Il ne manque à ces camions que des moteurs-roues pour récupérer l'énergie du freinage, ce qui diminuerait leur consommation d'électricité (voir les sections 2.4 et 2.9).

L'autonomie réduite requise par les véhicules de livraison urbains en fait des candidats idéaux pour une motorisation entièrement électrique. Des véhicules de livraison hybrides branchables seront aussi utilisés, mais en plus petit nombre. **On peut envisager de façon réaliste qu'à terme et à l'instar des voitures, les véhicules de livraison urbains de petites et moyennes tailles vont effectuer 80 % de leur kilométrage, en moyenne, en fonctionnant à l'électricité et 20 % en brûlant du carburant.**

Par ailleurs, en mode carburant, les véhicules de livraison urbains hybrides avancés ne consommeront, en moyenne, que le quart du carburant des camions de livraison traditionnels d'aujourd'hui.

Comme nous l'avons vu à la section 2.15, il existe déjà un autobus hybride à moteurs-roues prototype qui consomme moins du tiers du carburant diesel consommé par la moyenne des autobus traditionnels. Ajoutons à cela une amélioration prévisible de l'efficacité des moteurs diesel (section 2.4) un profil bas et aérodynamique, comme celui du Quicksider, une diminution du poids telle que réalisée sur l'autobus Fisher GTB-40 (section 2.4), et on aboutit au facteur 4 de diminution de la consommation de carburant.

Le transport interurbain de marchandises

Selon les statistiques étatsuniennes de 2007 sur le transport routier[41], environ la moitié des camions semi-remorques (figure 2.72) font plus de 3000 km par semaine et approximativement 20 % roulent plus de 4000 km par semaine. On parle donc de 600 à 800 km et plus par journée ouvrable.

Pour réduire la consommation de carburant des véhicules moyens et lourds, un consortium de recherche et développement a été formé en 2000 aux États-Unis, le 21st Century Truck Partnership (21CTP). Le consortium a commencé par établir la répartition de la consommation d'énergie des véhicules, dont celle d'un camion semi-remorque typique, chargé (36 tonnes métriques) et roulant à la vitesse constante de 105 km/h

---

41. S.C. Davis, S.W. Diegel, *R.G. Boundy, Transportation Energy Data Book*, 27e édition, Oak Ridge National Laboratory, U.S. Department of Energy, 2008. Téléchargement à http://cta.ornl.gov/data/index.shtml.

sur une surface plane[42]. Le 21CTP a ensuite fixé des objectifs pour 2010 de réduire de 40 % les diverses dépenses d'énergie qui interviennent (résistance de l'air, résistance au roulement, pertes dans la transmission, pertes au freinage, pertes thermiques du moteur, consommation des accessoires), dans les mêmes conditions. En se basant sur les données du consortium pour le camion de 2010, on peut déterminer qu'**en transformant ce camion semi-remorque de 2010 en camion électrique, il consommerait, à 105 km/h, approximativement 120 kWh/100 km, soit trois fois moins que l'énergie consommée sous forme de carburant par un camion semi-remorque diesel typique de 2007 (360 kWh pour 100 km, selon 21CTP).** Ce n'est pas la solution envisagée par 21CTP. En ville cependant, le consortium préconise l'hybridation des camions pour réduire la consommation de carburant de 60 %.

Figure 2.72 – Un camion semi-remorque traditionnel. (Source : banque d'images IMSI)

Les objectifs du consortium 21CTP sont à relativement court terme, soit pour la période 2010-2013. À l'horizon 2020-2030, on pourra encore faire mieux. En matière d'aérodynamisme, par exemple, le 21CTP prévoit économiser environ 10 % de carburant, en apportant quelques modifications aux camions déjà existants, comme un profilage partiel de l'arrière de la remorque et l'ajout de panneaux latéraux sur les côtés entre les roues de la remorque. Mais une refonte en profondeur du design des camions semi-remorques pour diminuer leur résistance à l'écoulement de l'air pourrait apporter davantage d'économie d'énergie. Le designer de renommée internationale Luigi Colani (www.colani.ch) en a déjà fait la preuve avec les camions prototypes qu'il a réalisés depuis 2001 (figure 2.73). Il affirme qu'il a pu ainsi réduire la consommation de carburant de 40 % par rapport à la moyenne des camions de même catégorie.

Figure 2.73 – Camions conçus par Luigi Colani. (Source : Wikimedia Commons, http://commons.wikimedia.org, auteur : wikipedia-ce, août 2005)

42. *21ˢᵗ Century Truck Partnership*, Roadmap and Technical White Papers, rapport numéro 21CTP-0003, décembre 2006. Pour télécharger ce rapport, aller à http://www1.eere.energy.gov/vehiclesandfuels/, dans la section Research Partnerships.

Le consortium ne semble pas envisager la chose, mais les moteurs-roues seraient également avantageux pour réduire la consommation, en raison de l'absence de pertes dans la transmission de la force du moteur aux roues et de la possibilité de récupérer plus d'énergie au freinage et dans les descentes. Leur utilisation ferait économiser environ 15%, du fait que la majorité des kilomètres d'un camion semi-remorque se font sur la route. En ville, les moteurs-roues peuvent faire économiser jusqu'à 35%, par rapport à un moteur électrique central.

Enfin, le consortium 21CTP prévoit qu'en 2010, l'efficacité des moteurs diesel atteindra 50%, comparativement au 42% actuel. Cette amélioration est comptée dans sa prévision d'une diminution de 40% de la consommation du camion semi-remorque type qu'il prépare pour 2010. Il serait encore possible, selon le consortium, d'augmenter l'efficacité du moteur diesel à 55%, en récupérant l'énergie contenue dans les gaz d'échappement. Cette contribution supplémentaire laisse donc présager encore 10% de plus d'économie de carburant pour un camion hybride.

Ainsi, en combinant ces trois technologies avancées (aérodynamique poussée, moteurs-roues et moteur diesel à 55% d'efficacité) dans un camion remorque hybride avancé de 2025, il semble tout à fait plausible qu'on puisse atteindre une diminution globale de la consommation de carburant de 60%, soit un facteur de diminution de 2,5 par rapport à la moyenne des camions semi-remorque en circulation aujourd'hui.

Par ailleurs, lorsque de tels camions avancés fonctionneront en mode électrique à 105 km/h bien chargés et sur une surface plane, ce ne sont plus 120 kWh/100 km qui seront consommés mais environ 90 kWh/100 km, soit 4 fois moins d'énergie que ce qu'utilisent les camions semi-remorques actuels sous forme de carburant (360 kWh/100 km selon 21CTP, ce qui correspond à 34,6 litres/100 km de carburant diesel).

Si on fait le compte pour un trajet journalier de 800 km, on arrive quand même à 720 kWh d'énergie électrique consommée par un camion semi-remorque hybride avancé, en mode électrique. C'est beaucoup d'électricité. Par comparaison, plus de 80% des voitures personnelles typiques parcourent moins de 100 km par jour, ce qui se traduit par une consommation électrique journalière inférieure à 17 kWh en 2008 et éventuellement inférieure à 12 kWh pour les voitures électriques avancées de demain (moteurs-roues, plus grande légèreté et aérodynamisme poussé).

Compte tenu de leur forte consommation journalière d'énergie, il n'est donc pas question que les camions semi-remorque fassent 80% de leur kilométrage à l'électricité comme pour les autres véhicules routiers, en moyenne. Parcourir un tiers des kilomètres en mode électrique apparaît plus réaliste. Cela impliquerait d'équiper les camions avec des batteries dont la capacité de stockage pourrait aller jusqu'à 250 kWh, correspondant à une masse pour la batterie de 3 tonnes métriques environ avec les technologies de 2008, et possiblement moins de 2 tonnes d'ici 2015. Le conducteur pourrait ainsi rouler pendant 300 km environ en mode électrique, à 95 km/h.

À terme, des stations de recharge rapides le long des autoroutes pourraient faire le plein d'électricité de ces camions semi-remorque en 18 minutes, à l'aide d'un chargeur d'un million de watts (1 MW). Par comparaison, un TGV est alimenté à une puissance de 9 MW. C'est donc tout à fait faisable ; il suffirait d'automatiser la recharge de manière à ce que personne ne manipule les câbles électriques. Ainsi, un camionneur qui ferait une courte pause toutes les quatre heures pourrait rouler presque entièrement à l'électricité !

D'ici là, plusieurs mesures peuvent être prises pour réduire la consommation de carburant. L'une d'elles est de nature législative et consiste simplement à réduire la vitesse maximale permise sur les autoroutes pour ce type de camions. Souvent, les camions semi-remorque roulent à plus de 110 km/h. **En réduisant leur vitesse de 110 km/h à 95 km/h, c'est près de 18 % de carburant qui pourrait être économisé. Ainsi, l'économie de 60 % de carburant d'un camion hybride avancé passerait à 67 % environ, ce qui signifie que sa consommation de carburant, en conduite plus modérée, serait trois fois moindre que celle des camions d'aujourd'hui en conduite plus vive.**

Une deuxième mesure à envisager serait de réduire de 25 % environ le nombre de camions semi-remorque sur les routes. Sur ces 25 %, 10 % pourraient provenir d'une diminution effective du transport des marchandises. Dans le contexte de rareté énergétique qui nous attend, il est, en effet, beaucoup plus sage de consommer localement.

Les 15 % restants pourraient être atteints de différentes manières. Une façon de réduire le nombre de camions sur les routes et, par le fait même, la consommation de carburant, serait de transporter plus de marchandises dans un même camion semi-remorque. Dans ce dernier scénario, il suffirait d'ajouter un axe aux camions ou d'utiliser des trains routiers (deux remorques). Ces super-camions roulant moins vite et étant moins nombreux sur les routes ne devraient pas poser de problèmes particuliers aux automobilistes sur les autoroutes à quatre voies et plus (deux dans chacun des sens). L'économie en carburant vient du fait que la consommation n'augmente pas proportionnellement au poids du camion, car la résistance de l'air n'est presque pas modifiée.

Par ailleurs, de plus en plus de compagnies de transport font des alliances pour utiliser au maximum le volume de chargement de leurs camions et diminuer leurs dépenses en carburant. Si, par exemple, le camion d'une compagnie n'est pas plein pour un voyage donné, alors il va transporter de la marchandise des autres compagnies de l'alliance. C'est, pour ainsi dire, du cocamionnage de marchandise, le pendant du covoiturage de passagers. Une autre façon intelligente de réduire le nombre de camions sur les routes.

Enfin, une troisième façon de diminuer le nombre de camions lourds sur les routes consisterait à détourner une partie du transport de marchandises vers des trains électriques, pour les longs trajets. Ce concept appelé ferroutage est de plus en plus populaire en Europe (**figure 2.74**).

Figure 2.74 – Gare intermodale de ferroutage entre le Luxembourg et Perpignan gérée par la compagnie française Lorry Rail. (Source : Lorry Rail, www.lorry-rail.com)

Les voies ferrées non électrifiées pourraient l'être à moindres frais grâce aux dernières technologies de batteries à recharge très rapide et au biberonnage. Au lieu d'installer un câble électrique tout le long d'une ligne de chemin de fer, il suffirait d'en installer des bouts à intervalles réguliers, c'est-à-dire sur environ 20 % de la longueur des voies. On pourrait, par exemple, avoir des bouts de caténaire[43] de 40 km tous les 200 km de voie. L'énergie électrique collectée grâce à ces caténaires serait alors stockée dans des batteries à recharge très rapide, pour être utilisée sur les 80 % du trajet sans caténaire.

Sachant qu'un train de 1000 tonnes (environ 650 tonnes de fret) utilise de 2500 à 3500 kWh/100 km[44], un tel train roulant à 100 km/h aura alors besoin d'une puissance moyenne de 3000 kW, soit 3,0 MW. Si on veut limiter l'alimentation à 20 % de la longueur de la ligne, il faudra doter les sections de biberonnage d'une puissance de 15 Mw environ. Notons que le TGV V150 qui a atteint 574,8 km/h en avril 2007 (record mondial pour un train sur roues) était alimenté par une caténaire de 20 MW à 31 000 volts. Par ailleurs, pour du biberonnage tous les 200 km, la batterie pour le stockage de l'électricité devrait avoir une capacité de l'ordre de 6000 kWh, ce qui correspond à une masse de 60 tonnes environ (Li-ion). Produite en grande série, une telle batterie

---

43. **Caténaire** : du latin *catena* (chaîne), est constituée d'un ou de deux fils de contact suspendu(s) par des pendules à un ou deux porteur(s), la tension mécanique du (ou des) conducteur(s) pouvant être maintenue constante (régularisation) ou non, (Source : www.techno-science.net)

44. M.W. Jorgensen et S.C. Sorenson, *Estimating Emissions from Railway Traffic*, rapport ET-EO-97-03 pour le projet MEET, financé par la Commission européenne, Department of Energy Engineering, Technical University of Denmark, juillet 1997 et J.C. Jong et E.F. Chang, «Models for estimating Energy Consumption of Electric Trains», *Journal of the Eastern Asia Society for Transportation Studies*, vol. 6, p. 278 à 291, 2005.

coûterait approximativement 2 400 000 $ (1 550 000 €), et pourrait être remboursée en 2 à 3 ans à même les économies de carburant, alors que sa durée de vie serait d'environ 10 ans (6 recharges par jour, 300 jours/an)!

Comme on peut le constater, l'arrivée sur le marché de batteries Li-ion à recharge très rapide et de longue durée (entre autres, celles de Altairnano, avec du tinanate de lithium nanométrique : www.altairnano.com) ouvre toute une nouvelle gamme de possibilités pour les transports électriques, autant pour les scooters, les automobiles, les autobus et les camions que pour les trains.

2.17 – Incidences des véhicules branchables sur les réseaux électriques

À présent que nous avons vu les incroyables possibilités offertes par la motorisation électrique des véhicules, la première question qui nous vient naturellement à l'esprit est : Combien faudra-t-il d'électricité de plus pour électrifier les transports ?

Combien d'électricité faut-il pour réaliser notre scénario ?

Pour répondre à cette question, il faut d'abord établir un scénario de consommation pour déterminer quel pourcentage de kilomètres sera parcouru par les différents véhicules routiers à l'aide de l'électricité du réseau. Ensuite, il faut connaître le pourcentage du pétrole utilisé pour les transports routiers qui est consommé par les différents types de véhicules. Enfin, il faut pondérer ce pourcentage par la consommation relative d'énergie de chaque type de véhicule du parc lorsqu'il fonctionne à l'électricité. À cet égard, **nous allons définir le facteur de diminution de consommation d'énergie lorsqu'on passe d'un véhicule traditionnel utilisant du pétrole vers un véhicule électrique. Nous l'appellerons le «facteur P-É» (P pour pétrole et É pour électricité).** Par exemple, un facteur P-É de 1/5 signifie qu'il faut multiplier la consommation d'énergie d'un véhicule traditionnel sous forme de carburant, par 1/5 pour obtenir la consommation d'énergie électrique typique d'un véhicule électrique de même catégorie.

Pour les véhicules légers (plus petits que 4,5 tonnes ou 10 000 livres) nous postulons qu'ils parcourent 80 % de leurs kilomètres à l'électricité. Or, cette catégorie de véhicules consomme 78 % du pétrole du parc états unien de véhicules[45], et également 78 % du parc français[46]. Par ailleurs, on a vu à la section 2.3 que les véhicules légers consommaient 5 fois moins d'énergie lorsqu'ils fonctionnaient à l'électricité, et 7 fois moins dans le futur. Ils ont donc un facteur P-É variant de 1/5 à 1/7.

Aux États-Unis, en 2006[47], les véhicules lourds (camions semi-remorques) ont consommé 16 % du pétrole ayant servi aux transports routiers. Par ailleurs, nous avons vu à la section 2.16, que les camions semi-remorque pourraient avoir une

---

45. S.C. Davis, S.W. Diegel et R.G. Boundy, *op. cit.*
46. Comité des Constructeurs Français d'Automobiles, *op. cit.*
47. S.C. Davis, S.W. Diegel et R.G. Boundy, *op. cit.*

batterie capable de leur faire parcourir en mode électrique le tiers des trajets journaliers, sur une charge. De plus, nous avons vu dans cette section qu'en 2015, les
camions semi-remorque hybrides branchables pourraient rouler en mode électrique
en ne consommant en énergie que le tiers de la consommation des camions semi-
remorque d'aujourd'hui sous forme de carburant (facteur P-É de 1/3). En 2025, c'est
quatre fois moins d'énergie sous forme d'électricité qu'ils consommeront (facteur P-É
de 1/4). Enfin, en transportant une partie des remorques par trains électriques (ferroutage), vers 2025 environ, la portion des kilomètres parcourus en mode électrique
par ces remorques pourrait augmenter à 40 %.

Les autres véhicules sont qualifiés de moyens. Cette catégorie inclut tous les
véhicules routiers à l'exception des véhicules légers (plus petits que 4,5 tonnes ou
10 000 livres) et des camions semi-remorque. Les autobus et les autocars en font
partie. La plupart des véhicules moyens font la majorité de leur kilométrage dans un
contexte urbain pour la livraison des marchandises ou le transport des personnes.
Nous avons vu à la section 2.15 que l'autobus hybride à moteurs-roues prototype
de la compagnie e-Traction consomme trois fois moins de carburant par rapport à
la moyenne des autobus de même taille et qu'en mode électrique alimenté par une
batterie, son facteur P-É est de 1/8. Par ailleurs, dans la section 2.16 nous avons
vu que le camion électrique Newton de 7,5 tonnes sans moteurs-roues a un facteur
P-É de 1/6. Tous les véhicules moyens peuvent parcourir sans problème 80 % de
leur kilométrage en mode électrique du fait qu'ils sont utilisés principalement en
contexte urbain. Enfin, les véhicules moyens consomment, selon les statistiques
étatsuniennes de 2006[48], 6 % du pétrole consacré aux transports routiers.

**Les données des trois derniers paragraphes sont reportées dans les
tableaux 2.3 et 2.4. Ces tableaux permettent d'évaluer la quantité d'énergie
électrique requise pour faire rouler les véhicules électriques et hybrides
branchables de demain, comparativement à l'énergie du pétrole consommée
aujourd'hui pour tout un parc routier dans les pays industrialisés.** Le premier
tableau correspond à des technologies rapidement commercialisables (en 2015) et
le deuxième à des technologies avancées (en 2025).

Pour obtenir les pourcentages de la dernière colonne, il suffit de multiplier les
pourcentages de la première colonne par les fractions des deuxième et troisième
colonnes. Le résultat final qui apparaît en bas de la dernière colonne correspond
au pourcentage de l'énergie du pétrole, dédié aux transports routiers et consommé
aujourd'hui, qu'il faudrait fournir en énergie électrique pour mettre en place notre
scénario. C'est la somme des pourcentages apparaissant dans la dernière colonne.
**Un pays industrialisé devra donc fournir en électricité entre 11,1 % et 15,1 %
de l'énergie consommée en pétrole pour les transports routiers à l'intérieur
de ses frontières.** Cette énergie est généralement donnée en tonne d'équivalent
pétrole ou tep, qu'il suffit de convertir en milliards de kWh, soit des térawattsheures
(TWh). Finalement, en divisant l'énergie électrique requise par l'énergie électrique

---

48. *Ibid.*

consommée dans le pays en question, on obtient le pourcentage de l'électricité consommée dans le pays qu'il faudrait produire en plus pour alimenter le parc de véhicules électriques et hybrides de demain.

Technologies de 2015	Pourcentage du pétrole utilisé pour les transports routiers	Fraction de l'énergie pour des véhicules électriques (facteur P-É)	Portion des km parcourus à l'électricité selon notre scénario	Pourcentage de l'énergie du pétrole fourni par le réseau électrique
Véhicules légers	78 %	1/5	4/5	12,5 %
Véhicules moyens	6 %	1/6	4/5	0,8 %
Véhicules lourds	16 %	1/3	1/3	1,8 %
Total	100 %			15,1 %

Tableau 2.3 – Énergie électrique et énergie du pétrole. Quantité d'énergie électrique requise pour faire rouler les véhicules électriques et hybrides branchables de demain, comparativement à l'énergie du pétrole consommée aujourd'hui pour tout un parc routier dans les pays industrialisés, en utilisant des technologies rapidement commercialisables (en 2015).

Technologies de 2025	Pourcentage du pétrole utilisé pour les transports routiers	Fraction de l'énergie pour des véhicules électriques (facteur P-É)	Portion des km parcourus à l'électricité selon notre scénario	Pourcentage de l'énergie du pétrole fourni par le réseau électrique
Véhicules légers	78 %	1/7	4/5	8,9 %
Véhicules moyens	6 %	1/8	4/5	0,6 %
Véhicules lourds	16 %	1/4	2/5	1,6 %
Total	100 %			11,1 %

Tableau 2.4 – Énergie électrique et énergie du pétrole. Quantité d'énergie électrique requise pour faire rouler les véhicules électriques et hybrides branchables de demain, comparativement à l'énergie du pétrole consommée aujourd'hui pour tout un parc routier dans les pays industrialisés, en utilisant des technologies avancées (en 2025).

C'est ce que nous avons fait dans le graphique de la figure 2.75, en consultant les statistiques appropriées[49] pour trois pays (États-Unis, France, Canada), un État (Californie) et une province (Québec). Le pourcentage supérieur correspond aux

49. Sources : S.C. Davis, S.W. Diegel et R.G. Boundy, *op. cit.* ; Comité des Constructeurs Français d'Automobiles, *op. cit.* ; Transports Canada, *Les transports au Canada 2007*, rapport annuel, Disponible sur le site de Transports Canada à www.tc.gc.ca. ; Gouvernement du Québec, Banque de données des statistiques officielles sur le Québec: www.bdso.gouv.qc.ca. ; The California Energy Commission, Energy Almanach: http://energyalmanac.ca.gov. Informations sur la consommation de carburants pour les transports routiers, et d'électricité ; Ministère des Ressources naturelles et de la Faune du Québec ; L'énergie: www.mrnf.gouv.qc.ca. Informations sur la consommation d'électricité ; Agence Internationale de l'Énergie (AIE/IEA), *Key World Energy Statistics 2007*. Téléchargement sur le site de l'AIE à www. iea.org. Informations sur la consommation d'électricité des pays.

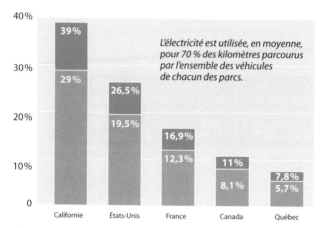

Figure 2.75 – Pourcentage de l'électricité consommée requis pour faire fonctionner les parcs de véhicules routiers sur différents territoires, selon notre scénario. Les technologies plus poussées, disponibles vers 2025, vont donner les pourcentages inférieurs, alors que les technologies de 2015 environ correspondent aux pourcentages supérieurs.

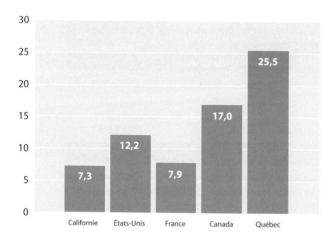

Figure 2.76 – Consommation annuelle d'électricité par habitant (MWh / habitant), année 2005. Cette comparaison de la consommation annuelle d'électricité par habitant fait ressortir que les Québécois disposent de trois fois plus d'électricité par habitant que la France et la Californie.

technologies commercialisables rapidement (2015), alors que le pourcentage inférieur s'applique aux technologies avancées (2025).

Dans l'évaluation de la consommation électrique des véhicules, nous avons tenu compte de l'électricité contenue dans la batterie des véhicules, afin d'effectuer une comparaison équitable avec les véhicules à carburant traditionnels. En effet, lorsqu'on parle de la consommation de carburant d'un véhicule, on réfère toujours au carburant contenu dans son réservoir, sans compter les pertes encourues du puits de pétrole au réservoir. Dans le même esprit pour la consommation d'électricité, nous n'avons pas tenu compte des pertes de la centrale à la batterie. Avec les meilleures technologies d'aujourd'hui, il aurait fallu augmenter d'environ 12 % les valeurs représentées à la figure 2.76. Nous ne l'avons pas fait, en présumant que la crise d'énergie à venir va conduire les gens à acheter des véhicules plus petits et mieux adaptés à leurs besoins réels, ce qui devrait diminuer la consommation d'un parc d'au moins 12 %. Par ailleurs, ceux qui vont recharger leurs batteries avec des panneaux solaires sur leur maison ou au-dessus d'un stationnement n'auront pas de pertes de transmission sur le réseau électrique.

À part ce réalignement vers des véhicules mieux adaptés aux besoins réels, **les consommations électriques de la figure 2.75 ne tiennent pas compte d'un**

changement de comportement des gens, comme l'utilisation accrue des transports en commun, des scooters ou des vélos, le covoiturage, le rapprochement de l'habitation du lieu de travail, le télétravail ou la semaine de 4 jours de travail. De tels changements de comportement que les politiques devraient encourager, auront un impact important sur la consommation d'énergie reliée aux transports routiers. **Par conséquent, les consommations réelles d'électricité vont certainement être inférieures à celles de la figure 2.75.**

Il est intéressant de noter qu'une étude menée conjointement par le Electric Power Research Institute (EPRI) et le Natural Resource Defense Council (NRDC), publiée en juillet 2007[50], confirme notre évaluation de l'électricité supplémentaire requise pour les États-Unis. Les simulations faites dans cette étude démontrent que des véhicules hybrides branchables parcourant 20 % des kilomètres en mode électrique, en 2030, nécessiteraient environ 6 % de plus d'électricité. Or, selon notre scénario, environ 70 % des kilomètres seront parcourus grâce à l'électricité, en moyenne, ce qui nécessitera approximativement 21 % d'électricité supplémentaire aux États-Unis, avec les véhicules avancés de 2030. Nous obtenons donc le même résultat que l'étude EPRI-NRDC en ce qui concerne le besoin en électricité des véhicules à motorisation électrique, pour un kilométrage donné. En effet, en multipliant les 20 % de « kilomètres électriques » de l'étude EPRI-NRDC par 3,5, on obtient notre 70 % de « kilomètres électriques ». De même, en multipliant les 6 % d'électricité supplémentaire requise dans l'étude par le même facteur, on obtient notre 21 % pour les besoins accrus en électricité. Nous reviendrons à cette étude dans la prochaine section.

En regardant la figure 2.75, il est tout de même étonnant de constater une aussi grande disparité dans les besoins en électricité des différents États représentés. On comprend mieux ces différences à la lueur des figures 2.76 et 2.77 qui montrent respectivement la consommation annuelle d'électricité par habitant et la consommation annuelle

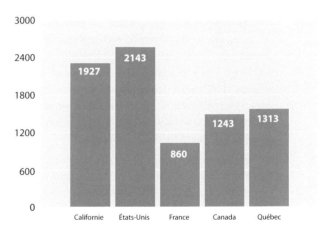

Figure 2.77 – Consommation annuelle par habitant de carburants pour les transports routiers (litres/habitant), année 2005. Cette comparaison de la consommation annuelle de carburant par habitant pour les transports routiers confirme que les Étatsuniens consomment plus de carburant que le Canada et la France.

50. E. Knipping et M. Duvall, *Environmental Assessment of Plug-In Hybrid Electric Vehicles*, Volume 2 : *United States Air Quality Analysis Based on AEO-2006 Assumptions for 2030*, rapport conjoint du Electric Power Research Institute (EPRI) et du National Resources Defense Council (NRDC), juin 2007.

de carburant par habitant pour les transports routiers. On y constate que **les Québécois disposent de trois fois plus d'électricité par habitant que la France et la Californie**. Il faut dire que la moitié de l'électricité consommée au Québec l'est par le secteur industriel, principalement l'industrie de la fonte et de l'affinage, dont les alumineries, ainsi que l'industrie des pâtes et papier. Par ailleurs, la figure 2.77 nous confirme que les Étatsuniens consomment plus de carburant que le Canada et la France, en raison du fait qu'ils sont friands de grosses voitures et de véhicules sport utilitaires, tout en ayant des transports en commun moins développés et un étalement urbain important.

Malgré cette situation peu favorable, **le Department of Energy (DOE) des États-Unis a publié, en 2006, une étude qui démontrait qu'en rechargeant des véhicules hybrides branchables la nuit sur le réseau, il était possible d'accommoder 84% des véhicules légers (voitures, camionnettes, fourgonnettes et véhicules sport utilitaires) avec une autonomie de 53 km (33 milles) en mode électrique, sans construire de nouvelles centrales électriques**[51]. Ce faisant, les États-Unis réduiraient leurs importations de pétrole de 52%. Les auteurs de l'étude ont souligné que leurs estimations de la capacité du réseau électrique étaient très conservatrices. Par ailleurs, une meilleure utilisation des centrales, entre autres la nuit, permettrait de réduire le coût de l'électricité.

Où trouver l'électricité nécessaire ?

Il est bien évident, toutefois, que les Étatsuniens vont devoir changer leurs habitudes de transport en réduisant de façon importante la grosseur de leurs véhicules et en développant davantage les transports en commun. Par ailleurs, **tous les pays peuvent diminuer leur consommation d'électricité en mettant de l'avant des programmes sérieux d'efficacité énergétique. Une analyse faite en 2004 de plusieurs études sur ce sujet démontre qu'on peut techniquement réduire la consommation d'électricité aux États-Unis de 18% à 37% selon les États, alors qu'on peut la réduire de 13% à 27% de façon économique**[52].

En plus des changements d'habitudes et de l'efficacité énergétique, on peut également installer des systèmes de captation d'énergie solaire et géothermique. Par exemple, au Québec, 70% du chauffage des bâtiments est électrique, ce qui représentait 17% de la consommation d'électricité des Québécois en 2001[53]. Or, un bon système de thermopompe géothermique peut réduire la dépense d'électricité de 60% et plus.

---

51. Un communiqué du Pacific Northwest National Laboratory, du 11 décembre 2006, en fait l'annonce sur le site de ce laboratoire (www.pnl.gov). Une version plus récente du rapport peut également être téléchargée sur ce site : M. Kintner-Meyer *et al.*, *Impacts Assesment of Plug-In Hybrid Vehicles on Electric Utilities and Regional U.S. Power Grids*, Part 1: *Technical Analysis*, novembre 2007.

52. S. Nadel, A. Shipley et R.N. Elliott, *The Technical and Achievable Potential for Energy-Efficiency in the U.S. – A Meta-Analysis of Recent Studies*, Proceedings of the 2004 ACEEE Summer Study on Energy Efficiency in Building. ACEEE signifie American Council for an Energy Efficient Economy.

53. Ministère des Ressources naturelles et de la Faune du Québec, *Évolution de la demande d'énergie au Québec – Scénario de référence, horizon 2016*, rapport produit en septembre 2004 et mis à jour en juillet 2005.

On pourrait donc réduire de 10% la consommation d'électricité au Québec si tout le chauffage électrique des bâtiments passait à la géothermie. En pratique, une économie de 7% semble réalisable en convertissant 70% des systèmes de chauffage électrique aux endroits les plus appropriés. Ces changements pourraient s'échelonner sur 20 ans, le temps de la transition vers les véhicules à motorisation électrique. **En recourant à la géothermie, on pourrait libérer toute l'électricité nécessaire pour faire fonctionner le futur parc de véhicules électriques et hybrides branchables du Québec, sans construire de nouvelle centrale électrique.**

En ce qui concerne la Californie, l'installation de panneaux solaires photovoltaïques sur le toit des résidences (figure 2.78) et des entreprises de même qu'au-dessus des stationnements pourrait fournir une partie importante de l'électricité requise. En 2008 en Californie, le coût de l'électricité produite par des panneaux solaires photovoltaïques est approximativement 0,25 $/kWh. Puisqu'une voiture intermédiaire électrique consomme environ 17 kWh/100 km, il en coûterait 4,25 $ d'électricité pour parcourir 100 km. À

Figure 2.78 – Les panneaux solaires sur les toits des maisons ou au-dessus des stationnements peuvent produire l'électricité pour une voiture électrique à moindre coût que de faire le plein en carburant d'une voiture traditionnelle. (Source : Wikimedia Commons, http://commons.wikimedia.org, auteur : Gray Watson, janvier 2006)

titre de comparaison, en juin 2008, le prix de l'essence en Californie était de 4,20 $ le gallon, soit 1,11 $ le litre, ce qui, à raison de 9 litres/100 km pour une voiture intermédiaire, entraîne un coût de 10,00 $ pour 100 km. **Ainsi, en Californie, l'essence pour une voiture traditionnelle coûte déjà plus du double de l'électricité photovoltaïque pour une voiture électrique ! Par ailleurs, tous les experts prédisent que le coût de l'électricité solaire photovoltaïque va diminuer d'au moins un facteur 2 dans les 10 prochaines années, alors que le pétrole risque fort de doubler, voire de tripler, d'ici là. Même en transférant les 10% de taxes sur l'essence à l'électricité photovoltaïque, cette dernière serait encore 55% moins chère que l'essence en juin 2008 !**

En Californie, 12 mètres carrés de panneaux solaires seraient suffisants pour faire parcourir en mode électrique 16 000 km par année à une voiture intermédiaire. Pour cette évaluation, nous comptons une efficacité de 20% pour les panneaux photovoltaïques, comme celle des meilleurs panneaux qu'on retrouve sur le marché en 2008. Des panneaux efficaces à 10% nécessiteraient 24 mètres carrés.

Il y aurait un corollaire intéressant à cette électrification. **Le fait d'avoir des dizaines de millions de véhicules hybrides branchables ou s va mettre à la disposition des réseaux électriques une capacité importante de stockage de l'électricité, qui pourra être mise à profit pour augmenter la portion d'énergie renouvelable des réseaux électriques.** En effet, les énergies éolienne, solaire et marémotrice varient dans le temps et doivent être régulées pour suivre la demande. Or, la très grande majorité des véhicules légers roulent moins de deux heures par jour. Ainsi, en implantant un réseau de bornes électriques intelligentes, on pourrait les utiliser autant pour recharger les véhicules que pour prélever de l'électricité des batteries, au besoin. Une entente préalable pourrait être convenue entre le propriétaire du véhicule et le fournisseur d'électricité pour prélever un certain pourcentage de l'électricité de sa batterie. La logique est la suivante. La nuit, la demande d'électricité est minimale et le réseau recharge les véhicules à moindre coût. Le jour, pendant les 22 heures où un véhicule demeure branché à une borne, le réseau prélève de l'électricité dans la batterie de ce véhicule aux heures de pointe de la demande électrique ou au moment où l'énergie renouvelable diminue. C'est ce qu'on appelle dans la littérature anglophone un système V2G [*Vehicle To (two) Grid*], qu'on pourrait traduire par système Du véhicule au réseau.

Le concept de connection bidirectionnelle intelligente entre les véhicules et le réseau est pris très au sérieux et plusieurs centres de recherche y travaillent. **Le professeur Kempton, de l'Université du Delaware (www.udel.edu/V2G/), est particulièrement actif pour faire valoir les avantages de cette approche. Lui et d'autres chercheurs ont même démontré qu'il serait possible d'envisager une forte pénétration de l'énergie éolienne (figure 2.79) grâce à un système V2G à grande échelle[54].** Cependant, produire plus de 20% de l'électricité d'un réseau avec des éoliennes devient difficile, voire impossible, en raison des fluctuations inhérentes à l'énergie du vent. En effet, il faut présentement compenser ces fluctuations avec des centrales à démarrage rapide qui assurent la relève lorsque le vent tombe. Pour aller au-delà de 20%, il est nécessaire d'introduire le stockage d'énergie afin de réguler la puissance. Il faut alors une capacité de stockage de 10% à 20% de l'énergie moyenne produite par les éoliennes installées[55]. Plus le réseau d'éoliennes est étendu sur une grande surface, plus les variations sont faibles, et moins on a besoin de capacité de stockage. Avec des bornes électriques intelligentes il serait donc pensable d'atteindre une pénétration de 30% à 35% de l'énergie éolienne.

Selon le professeur Kempton, les gens pourraient également se faire un petit revenu de l'ordre de 2000$US par année en louant une partie de leur batterie au

54. W. Kempton et J. Tomic, «Vehicle to Grid Implementation: from stabilizing the grid to supporting large-scale renewable energy», *J. Power Sources*, vol. 144, n° 1, 1er juin 2005, p. 280 à 294. Téléchargement sur le site V2G de l'Université du Delaware, à www.udel.edu/V2G/.
55. The European Wind Energy Association (EWEA), *Large Scale Integration of Wind Energy in the European Power Supply: Analysis, Issues and Recommandations*, rapport rendu public en décembre 2005. Téléchargement gratuit sur le site de l'EWEA à www.ewea.org.

Figure 2.79 – Pour régulariser les fluctuations de l'énergie éolienne, on peut relier un grand nombre d'éoliennes réparties sur des distances de 1000 km et plus et utiliser le stockage dans les batteries de millions de véhicules électriques ou hybrides branchables. (Source : Wikimedia Commons, http://commons.wikimedia.org, auteur : Kapipelmo, avril 2008)

fournisseur d'électricité[56]. En fait, un tel revenu suffirait pour payer la batterie et l'électricité utilisée pour faire fonctionner la voiture ! Il suffirait de recharger la batterie la nuit et de laisser la voiture branchée à des bornes spéciales intelligentes, de 10 à 20 kW, pendant la journée. Toutefois, pour ce faire, il faut implanter un réseau élaboré de bornes V2G, ce qui implique des coûts d'infrastructure difficiles à évaluer pour le moment. Les revenus annuels de location des batteries que nous postulons sont donc nécessairement entachés d'imprécision.

Pour les centrales électriques consommant des carburants fossiles (charbon, pétrole et gaz naturel), une solution de remplacement existe désormais qui réduit considérablement les émissions gaz à effet de serre. Il s'agit des centrales solaires thermiques avec stockage d'énergie sous forme de chaleur. Le principe est simple : les rayons du soleil sont concentrés sur un récepteur pour chauffer un liquide ou un gaz qui transporte et transfère la chaleur dans un réservoir de sel fondu, isolé thermiquement. Ce sel liquide très chaud réchauffe de l'eau et produit de la vapeur qui actionne une turbine, laquelle entraîne un générateur d'électricité. Lorsque le soleil se couche ou est caché par des nuages, la chaleur stockée dans le sel fondu continue de chauffer l'eau pour la transformer en vapeur sous pression afin d'actionner la turbine même la nuit.

---

56. J. Muller, *A light Bulb Goes On*, article paru au site de Forbes.com le 7 janvier 2008, décrivant la vision de Willett Kempton. Voir www.forbes.com/claytonchristensen/forbes/2008/0107/100.html.

Figure 2.80 – La centrale solaire thermique Solar Two. (Source : Concentrating Solar Power Photo and Document Database, Sandia National Laboratories, auteur : Joe Florez, 2000)

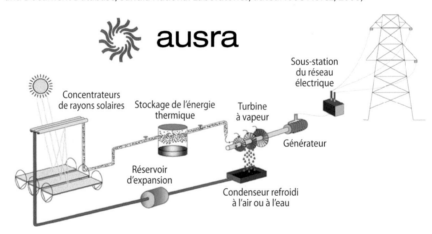

Figure 2.81 – Principe de fonctionnement des centrales solaires thermiques à stockage de chaleur (réservoir de vapeur) de la compagnie Ausra. (Source : Ausra)

Figure 2.82 – Collecteur solaire thermique de 5 mégawatts utilisant la technologie Ausra des miroirs de Fresnel plans pour concentrer les rayons du soleil sur un ensemble de tuyaux horizontaux en hauteur, dans lesquels circule de la vapeur d'eau. (Source : Ausra)

Ce type de centrale solaire thermique peut donc fonctionner 24 h par jour et remplacer une centrale au charbon! Il suffit de placer de telles centrales dans les endroits désertiques où la couverture nuageuse est pratiquement inexistante. On peut même installer une bouilloire au gaz naturel pour pallier les rares périodes nuageuses prolongées. La première centrale solaire thermique expérimentale à stockage de chaleur dans du sel fondu est la centrale Solar Two (**figure 2.80**), qui a fonctionné en Californie de 1995 à 1999. La centrale Solar Tres, dont la fabrication a commencé en 2008 en Espagne, devrait constituer la première centrale solaire thermique commerciale à stockage de chaleur dans le sel fondu. Plusieurs compagnies envisagent présentement de commercialiser de telles centrales, avec divers systèmes de stockage thermique et types de concentrateurs. La compagnie Ausra (www.ausra.com) est l'une d'elles. Cette dernière vient d'ouvrir une usine en juin 2008 à Las Vegas. Elle y fabrique des réflecteurs linéaires de Fresnel qui concentrent les rayons du soleil sur des rangées de tubes horizontaux (**figures 2.81** et **2.82**). Le fait que les miroirs soient plans[57] et près du sol permet de réduire les coûts au point que **le kWh d'électricité peut se vendre entre 0,10 $ et 0,12 $**, un prix déjà compétitif avec les centrales au gaz naturel.

Les chercheurs de la compagnie Austra ont calculé qu'il était possible de produire toute l'électricité des États-Unis avec leur technologie actuelle de stockage de vapeur d'eau sous pression et avec la technologie de sel fondu qu'ils développent. La surface requise serait l'équivalent d'un carré de 150 km de côté, dans les zones désertiques. Il suffirait de mettre en place un réseau de lignes à haute tension approprié pour distribuer l'électricité.

Les Européens envisagent également de s'approvisionner en électricité à partir de l'énergie solaire thermique produite en Afrique du Nord et au Moyen-Orient, assistée par le stockage de chaleur. La chaleur perdue dans la production de l'électricité (65 % environ) pourrait être utilisée pour dessaler l'eau de mer et offrir en même temps de l'eau potable aux régions désertiques, à raison d'environ 40 litres d'eau potable par kWh d'électricité. Un groupe appelé Trans-Mediterranean Renewable Energy Cooperation (TREC), une initiative du Club de Rome, fait présentement la promotion d'un tel projet (voir ce site rempli d'informations à www.trec-uk.org.uk).

D'autres solutions permettent également de réguler les énergies renouvelables et d'augmenter leur proportion dans les portefeuilles énergétiques. L'une d'entre elles mérite une attention particulière; il s'agit des centrales hydroélectriques pompées souterraines, dont Pierre Couture, l'inventeur du moteur-roue moderne (encore lui!), a raffiné le concept. Le sujet a fait l'objet d'un article de Louis-Gilles Francoeur dans le journal *Le Devoir* de Montréal, le 22 janvier 2004, intitulé: «Hydro ignore un projet de centrale urbaine sans pollution» (www.ledevoir.com/2004/01/22/45494. html). On apprend dans cet article que Pierre Couture avait proposé à Hydro-Québec un projet de centrale pompée devant servir aux heures de pointes pour la demande d'électricité. Pour une centrale de 1 gigawatt, Pierre Couture suggérait

---

57. Un miroir plan est un miroir dont la surface est un plan de l'espace.

de creuser un puits de deux mètres de diamètre et trois kilomètres de profondeur muni de trois turbines à chaque kilomètre (figure 2.83). De multiples cavernes au fond auraient contenu l'eau qui s'écoule pendant huit heures, en provenance du fleuve Saint-Laurent, à la période de la journée où la demande aurait été la plus forte. La nuit, alors que la demande est réduite, on aurait remonté l'eau à la surface. Et ainsi de suite chaque jour! L'efficacité d'un tel système est de 80% environ, ce qui implique des pertes de 20%. Le volume des cavernes peut être d'autant plus petit que le puits est profond et qu'une superficie très réduite est requise en surface.

De telles centrales pompées souterraines sont très avantageuses pour les réseaux électriques sous plusieurs aspects. Tout d'abord, en associant des centrales pompées souterraines à des centrales thermiques, on peut faire fonctionner ces dernières à un régime constant optimisé, 24 heures par jour. Cela permet d'utiliser des technologies plus efficaces, comme les centrales au gaz naturel à cycle combiné, dont l'efficacité approche 60% au lieu du 35 à 40% de la plupart des centrales thermiques. Pour une diminution de 50% entre le maximum et le minimum de la demande journalière d'électricité, il faut stocker environ 25% de l'électricité produite par la centrale thermique et dont on perd approximativement 20% en raison du pompage. Reporté sur l'énergie totale produite par la centrale thermique, il y a donc 5% de perte pour la réguler avec une centrale pompée, d'où une efficacité globale de 57% au lieu de 60% pour une centrale au gaz naturel à cycle combiné, ce qui demeure bien au-delà de l'efficacité moyenne des centrales thermiques.

Par ailleurs, installer des centrales pompées en milieu urbain permet d'augmenter la capacité de transmission des lignes à haute tension d'environ 30%, puisque ces dernières sont moins sollicitées aux heures de pointe.

Finalement, les centrales pompées souterraines peuvent réguler les variations inhérentes aux énergies renouvelables (solaire, éolienne ou océanique). La seule contrainte est d'avoir une géologie rocheuse appropriée, près d'une bonne rivière, de grands lacs ou de la mer. Remarquez qu'on pourrait également prévoir un lac artificiel en surface et utiliser la même eau plusieurs fois, ce qui diminuerait la contrainte sur le débit du cours d'eau.

Présentement, on utilise des barrages hydroélectriques ou des centrales au gaz naturel pour équilibrer les variations de l'énergie éolienne. Mais le fait que le prix du gaz naturel a presque quadruplé de 2002 à 2008 rend cette dernière option beaucoup moins favorable du point de vue économique, sans compter les gaz à effet de serre. Mentionnons, à cet effet, l'exemple d'Hydro-Québec qui a dû payer 150 millions de dollars pour maintenir la centrale au gaz naturel de Bécancour fermée en 2008, sans compter les années subséquentes du contrat qui lie Hydro-Québec à la société albertaine TransCanada Energy[58]. Cette politique de fermeture permet tout de même d'éviter des pertes plus élevées qui surviendraient si la centrale fonctionnait!

---

58. Pierre Couture (homonyme du chercheur d'Hydro-Québec), «Bécancour: Hydro-Québec devra verser près de 200 M$», quotidien *Le Soleil*, 25 juillet 2008.

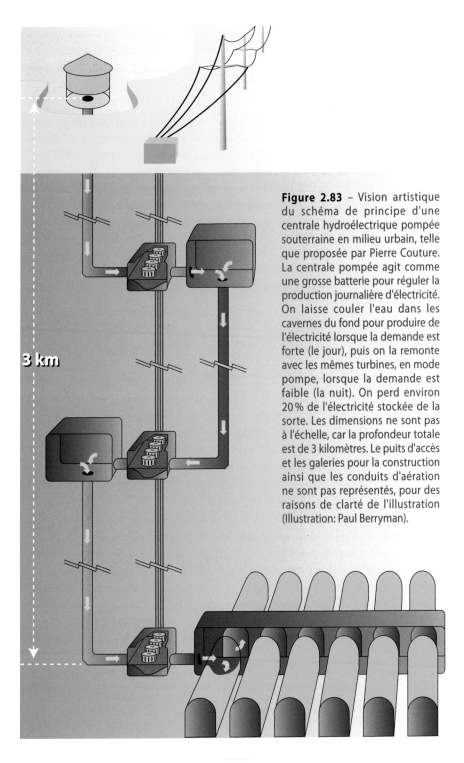

3 km

Figure 2.83 – Vision artistique du schéma de principe d'une centrale hydroélectrique pompée souterraine en milieu urbain, telle que proposée par Pierre Couture. La centrale pompée agit comme une grosse batterie pour réguler la production journalière d'électricité. On laisse couler l'eau dans les cavernes du fond pour produire de l'électricité lorsque la demande est forte (le jour), puis on la remonte avec les mêmes turbines, en mode pompe, lorsque la demande est faible (la nuit). On perd environ 20 % de l'électricité stockée de la sorte. Les dimensions ne sont pas à l'échelle, car la profondeur totale est de 3 kilomètres. Le puits d'accès et les galeries pour la construction ainsi que les conduits d'aération ne sont pas représentés, pour des raisons de clarté de l'illustration (Illustration: Paul Berryman).

Bien sûr, il était difficile de prévoir une telle escalade des prix. Mais espérons que les fournisseurs d'électricité vont comprendre et développer rapidement les énergies renouvelables accompagnées de stockage d'énergie, comme les centrales pompées souterraines pour l'énergie éolienne, photovoltaïque ou océanique (vagues et marées), et le stockage thermique pour les centrales solaires thermiques.

Alors, il semble bien que l'approvisionnement en électricité propre pour les véhicules à motorisation électrique n'est pas réellement un problème. Malgré cela, on se doit de diminuer au maximum notre consommation d'énergie et de matières premières, afin de réduire notre empreinte écologique. **Il est essentiel de ne pas perdre de vue l'importance de développer au maximum les transports en commun, de diminuer l'étalement urbain et favoriser le covoiturage. Il est aberrant d'avoir à déplacer 1500 kg pour transporter la majorité du temps une personne de 75 kg.**

2.18 – Incidences des véhicules branchables sur les émissions atmosphériques

En ce qui concerne les émissions des véhicules hybrides branchables, **les opposants à cette technologie ont toujours argumenté que transférer les émissions des automobiles aux centrales électriques (au charbon) n'améliorerait pas les choses.**

Les émissions de CO_2 (gaz à effet de serre)

Regardons tout d'abord quelles sont les émissions de CO_2 causées par des véhicules à motorisation électrique branchés sur divers réseaux électriques en Amérique et en Europe. Pour le déterminer, il faut prendre en compte les émissions des différents réseaux, exprimées en grammes de CO_2 par kilowattheure d'électricité produite par le réseau considéré. Ces valeurs peuvent être obtenues en consultant les statistiques des ministères ou départements de l'énergie ou de l'environnement des différents pays ou États[59], ou encore celles des sociétés d'électricité d'État (France et Québec)[60].

Toutefois, les émissions de gaz à effet de serre données par les agences gouvernementales, les ministères et les départements sont celles qui résultent de la combustion des carburants fossiles dans les centrales elles-mêmes. Les émissions dues aux activités minières pétrolières ou gazières pour aller chercher sous terre les différents carburants, dont l'uranium pour les centrales nucléaires, ne sont pas comptées. Ces données ne tiennent pas compte non plus de la transformation des matières premières et de leur transport, ni de la construction des centrales. Il y manque également les émissions qui résultent de la décomposition des arbres

---

59. Site Internet de Environnement Canada dédié aux émissions canadiennes de gaz à effet de serre : www.ec.gc.ca/pdb/ghg. Voir l'Inventaire canadien des GES ; site Internet de l'Energy Infirmation Administration (EIA) : www.eia.doe.gov. Aller dans la section Electricity et choisir Electric Power Annual dans Reports, et State Electricity Profiles dans Analyses ; site Internet du California Air Resources Board (CARB) : www.arb.ca.gov. Dans l'onglet Data & Statistics, choisir Greenhouse Gas Emissions.
60. Site Internet de Électricité de France (EDF) : www.edf.com ; site Internet de Hydro-Québec : www.hydroquebec.com.

submergés dans les réservoirs des barrages hydroélec-triques. Pour tenir compte de ces divers aspects, il faut effectuer une étude du cycle de vie d'un kilowattheure d'électricité, de la terre à la prise. Les deux études de la sorte identifiées par l'auteur[61] nous apprennent, en gros, qu'il faut ajouter 15 % d'émissions pour le pétrole et le charbon et 25 % pour le gaz naturel. Pour ce qui est des centrales nucléaires, on compte 15 $gCO_2/$kWh, et il faut ajouter 18 $gCO_2/$kWh pour les barrages hydroélectriques. En procédant de la sorte, on obtient pour la Californie, les États-Unis, la France, le Canada et le Québec les intensités d'émissions du tableau 2.5.

Plusieurs chercheurs du Centre de recherche en géochimie et géodynamique (GEOTOP) de l'Université

États	Intensités d'émissions (g CO_2 / kWh)
Californie	470
États-Unis	710
France	56
Canada	267
Québec	25

Tableau 2.5 – Intensités des émissions des gaz à effet de serre par divers réseaux électriques, de la terre à la prise, exprimées en équivalent CO_2.

du Québec à Montréal (UQAM) ont effectué de nombreuses mesures sur les réservoirs des barrages québécois ; ils arrivent à la conclusion que les émissions de gaz à effet de serre (GES) en équivalent CO_2 sont de 50 $gCO_2/$kWh[62] au lieu du 18 $gCO_2/$kWh que nous avons utilisé et qui provient des études de cycle de vie mentionnées plus haut[63]. Par ailleurs, les émissions augmentent à mesure qu'on se rapproche des tropiques. Au Brésil, par exemple, certaines centrales hydroélectriques émettent autant de GES par leur réservoir qu'une cen-trale au gaz naturel. En prenant en compte les résultats de ces chercheurs, les émissions de GES dues au réseau électrique québécois seraient de l'ordre de 55 $gCO_2/$kWh au lieu de 25 $gCO_2/$kWh, exprimé plus haut. Pour le Canada, dont 59 % de l'électricité est hydro-électrique, les émissions dues aux centrales électriques deviendraient 287 $gCO_2/$kWh au lieu de 267 $gCO_2/$kWh. Par ailleurs, il faut préciser qu'Électricité de France (EDF) donne des émissions de 45 $gCO_2/$kWh pour les centrales électriques françaises en 2006, alors que nous avons retenu 56 $gCO_2/$kWh plus haut, en appliquant le même barème à tous les pays pour les émissions des centrales nucléaires et des barrages. EDF utilise des valeurs très basses, soit 5 $gCO_2/$kWh, tant pour ses centrales nucléaires que pour ses barrages hydroélectriques, alors que nous avons utilisé, au Canada et aux États-Unis, 18 $gCO_2/$kWh pour les barrages et 15 $gCO_2/$kWh pour les centrales nucléaires. Ces variations importantes d'émissions d'un endroit à l'autre s'expliquent ainsi.

61. (S&T)2 Consultants, *Results from GHGenius: Feedstocks, Power, Fuels, Fertilizers and Materials*, rapport présenté à Ressources naturelles Canada, 24 janvier 2006. Téléchargement à www.ghgenius.ca. ; J.V. Spadaro, L. Langlois et B. Hamilton, «Greenhouse Gas Emissions of Electricity Generation Chains – Assessing the Difference», *IAEA Bulletin*, vol. 42, n° 2 , p. 19 à 24, 2000. Téléchargement sur le site de l'IAEA à www.iaea. org/Publications/Magazines/index.html. Les données sont en grammes de carbone. Pour obtenir des grammes de CO_2, multiplier par 3,666.

62. D. Forget, «Protocole de Kyoto – Émissions québécoises non comptabilisées», *L'UQAM* (Journal de l'Université du Québec à Montréal), vol. XXX, n° 10, 9 février 2004. Télécharger à partir du magazine électronique *UQAM Sciences Express* du 9 février 2004, à www.sciences.uqam.ca/scexp/9fev04/vol3_no6_imprimable.html (voir la section À la recherche) ; É. Duchemin, M. Lucotte, V. St-Louis, R. Canuel, «Reservoirs as an anthropogenic source of GHG emissions», *World Resources Review*, vol. 14, n° 3, page 334 à 353, 2002.

63. (S&T)2 Consultants, *op. cit.* et J.V. Spadaro, L. Langlois et B. Hamilton, *op. cit.*

Le Québec affiche des émissions très faibles parce que 94% de son électricité provient de centrales hydroélectriques qui émettent seulement un peu de méthane en provenance des bassins de rétention d'eau, que l'on exprime en équivalent CO_2. De plus, on retrouve au Québec une centrale nucléaire qui fournit 1,8% de l'électricité et, encore là, avec très peu de CO_2.

D'autres provinces canadiennes ont une portion importante de centrales hydro-électriques auxquelles s'ajoutent des centrales nucléaires, conférant ainsi à l'ensemble du Canada des émissions plutôt réduites pour son réseau électrique.

En France, 88% de l'électricité est produite par des centrales nucléaires et 8% par des centrales hydroélectriques et d'autres énergies renouvelables. Cela explique pourquoi les émissions sont très faibles.

Par contre, aux États-Unis, 49% de l'électricité est produite avec des centrales au charbon, alors que 20% proviennent de centrales au gaz naturel, d'où les émissions élevées.

En Californie, les centrales au charbon ne produisent que 16% de l'électricité et les centrales au gaz naturel en produisent 40%. Le reste des centrales sont hydro-électriques, nucléaires ou renouvelables (solaire, éolien et géothermique).

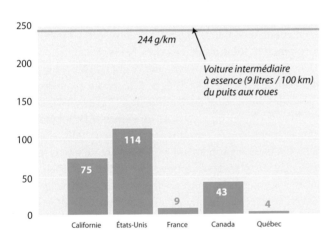

Figure 2.84 – Émissions de CO_2 d'une voiture électrique intermédiaire (15 kWh/100 km), de la centrale aux roues pour différents endroits (g/km) – Émissions calculées à partir des intensités d'émission du tableau 2.5.

Reprenons nos calculs! Nous avons vu qu'une voiture intermédiaire à motorisation électrique, construite en 2008 avec les meilleures technologies traditionnelles disponibles commercialement, consomme 17 kWh/100 km d'électricité stockée dans sa batterie. Par ailleurs, avec des moteurs-roues, un allégement de la voiture et une meilleure aérodynamique, la consommation devrait être réduite à 12 kWh/100 km d'électricité stockée dans la batterie, disons, vers 2020. Mais, pour évaluer les émissions de CO_2, nous supposerons une consommation de 15 kWh/100 km à partir de l'électricité stockée dans la batterie. Nous y ajoutons 6% pour les pertes de la prise de courant (courant alternatif) à l'électricité stockée dans la batterie (courant continu), ce qui porte la consommation effective à 16 kWh/100 km. Pour obtenir les émissions de CO_2 de la figure 2.84, nous avons simplement multiplié cette consommation effective par les émissions des réseaux (tableau 2.5).

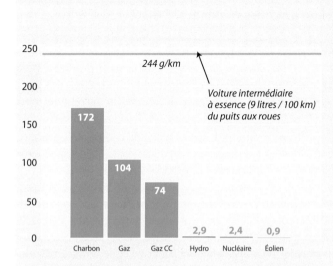

Types de centrales	Intensités d'émissions (g CO_2 / kWh)
Charbon (efficacité de 34 %)	1075
Gaz naturel (bouilloire : eff. = 36 %)	653
Gaz naturel (cycles comb. : eff. = 51 %)	461
Hydroélectrique	18
Nucléaire	15
Éolien	5,5

Figure 2.85 – Émissions de CO_2 d'une voiture électrique intermédiaire (15 kWh/100 km), de la centrale aux roues pour différentes centrales (g/km) – Émissions calculées à partir des intensités d'émission du tableau 2.6, en ajoutant 6 % pour la recharge de la prise de la batterie.

Tableau 2.6 – Intensités d'émissions des gaz à effet de serre par divers types de centrales électriques, de la terre à la prise, exprimés en équivalent CO_2 (selon le calculateur GHGenius de Ressources naturelles Canada).

Pour les émissions de CO_2 d'une voiture traditionnelle à essence moyenne (1500 à 1600 kg), nous avons considéré une consommation de 9 litres/100 km, à partir du réservoir. Nous supposons que l'essence est entièrement brûlée, ce qui dégage 2,36 kg de CO_2 par litre[64]. Pour tenir compte du CO_2 dégagé du puits de pétrole au réservoir de la voiture, nous ajoutons 15 %[65]. On obtient ainsi pour une voiture intermédiaire traditionnelle à essence, une émission de 244 g CO_2/km, qui sert de référence. Une voiture neuve plus petite (1300 kg) avec un groupe de traction plus efficace peut, bien entendu, émettre moins de CO_2, mais nous considérons la moyenne des voitures en circulation en Amérique et en Europe en 2007, et non la moyenne des voitures neuves européennes.

Il est particulièrement intéressant de constater qu'aux États-Unis, avec un parc de centrales qui brûlent des carburants fossiles pour produire 70 % de l'électricité, les émissions de CO_2 d'une voiture électrique sont malgré tout moins de la moitié de celles des voitures traditionnelles. **Même dans un pays comme la Chine, dont 80 %**

---

64. R. Edwards *et al.*, *Well-To-Wheels Analysis of Future Automotive Fuels and Powertrains in the European Context*, Well-to-Tank Report, version 2c, European Commission, EUCAR et CONCAWE, mars 2007. Voir l'annexe 1 pour les émissions de CO_2. Téléchargement à http://ies.jrc.ec.europa.eu/wtw.html.

65. R. Edwards *et al.*, *Well-to-Wheels analysis of future automotive fuels and powertrains in the European context*, WELL-to-WHEELS Report, version2c, European Commission, EUCAR et CONCAWE, mars 2007. Téléchargement à http://ies.jrc.ec.europa.eu/wtw.html.

de l'électricité est produite à partir de centrales au charbon, il y aurait moins d'émissions de CO_2 si on passait aux voitures électriques. Pour la France et le Québec, des voitures électriques y émettraient respectivement 27 fois et 61 fois moins de gaz à effet de serre (CO_2) que la moyenne des voitures à essence!

Le Québec apparaît, en fait, comme un endroit doublement privilégié pour implanter la mobilité électrique, en raison de l'importante diminution des gaz à effet de serre qui en résulterait et de l'abondance de l'électricité qu'on y retrouve (figures 2.84 et 2.76).

Pour mieux voir la différence entre les divers types de centrales électriques, nous avons porté en graphique les émissions de CO_2 d'une voiture électrique intermédiaire dont on rechargerait la batterie avec l'électricité issue des différentes centrales (figure 2.85). La méthode de calcul utilisée est identique à celle de la figure 2.84, à l'exception de l'intensité des émissions qui ne sont plus celles des réseaux dans leur ensemble, à différents endroits, mais plutôt les intensités des émissions de GES des divers types de centrales, de la terre à la prise. Nous présentons dans le tableau 2.6 les résultats obtenus en utilisant le calculateur de cycle de vie GHGenius développé pour Ressources naturelles Canada (www.ghgenius.ca)[66].

Comme on peut le constater, **les émissions de CO_2 des véhicules à motorisation électrique sont toujours considérablement inférieures à celles des véhicules traditionnels utilisant des carburants pétroliers.**

Les émissions polluantes

Parce qu'il n'est pas toxique ou néfaste pour la santé, le CO_2 ne fait pas partie des émissions polluantes. C'est toutefois un puissant gaz à effet de serre dont l'impact sur le réchauffement climatique peut avoir des conséquences très dommageables.

Concernant les émissions polluantes, une question se pose : si on ne brûle plus de pétrole dans les véhicules routiers mais qu'on utilise davantage de charbon et de gaz naturel dans les centrales électriques thermiques, est-ce qu'on augmente ou diminue ces émissions?

Une étude détaillée, menée conjointement par le Electric Power Research Institute (EPRI) et le Natural Resource Defense Council (NRDC), publiée en juillet 2007[67], démontre que ce n'est pas le cas pour la majorité des polluants. Les simulations effectuées dans cette étude évaluent ce qu'il en sera en 2030, en considérant, de façon très conservatrice, qu'à cette date on aura une pénétration de 40% des véhicules hybrides branchables, parcourant 20% des kilomètres en mode électrique. À notre avis, la montée en flèche du prix du pétrole va accélérer beaucoup plus la transition vers les véhicules à motorisation électrique. Par ailleurs, diminuer notre consommation de carburants fossiles est également une nécessité urgente pour réduire les gaz à effet de serre et éviter l'emballement du réchauffement climatique. C'est pourquoi nous préconisons d'atteindre 70% du

---

66. (S&T)2 Consultants,, *op. cit.*
67. E. Knipping et M. Duvall, *op. cit.*

kilométrage à l'électricité, en moyenne, sur les parcs de véhicules routiers, d'ici à 2035. C'est possible, il n'en tient qu'à nous.

Revenons aux émissions polluantes évaluées dans l'étude EPRI-NRDC (oxydes d'azote, dioxyde de soufre, composés organiques volatils, particules fines, mercure). Selon les simulations effectuées dans cette étude, les émissions polluantes diminuent toutes globalement de façon modeste (fractions de 1% à 2%), sauf pour les particules fines de matière qui augmentent de 10% et le mercure qui augmente de 2,4%, à cause de l'augmentation importante des centrales au charbon. Les auteurs de l'étude précisent que ce n'est que 1% environ de la population étatsunienne qui serait exposée aux augmentations.

Remarquons qu'il est toujours possible d'améliorer la filtration aux centrales au charbon. Toutefois, le scénario selon lequel on augmente de façon importante les centrales électriques au charbon d'ici à 2030 n'est sûrement pas celui qu'il faut privilégier. Nous avons vu plusieurs alternatives écologiques à la section 2.17. L'efficacité énergétique, les panneaux solaires photovoltaïques, le chauffage des bâtiments à l'aide de thermopompes géothermiques, l'énergie solaire thermique avec stockage de chaleur et l'énergie éolienne avec stockage d'électricité dans un réseau V2G ou une centrale hydroélectrique pompée souterraine constituent toutes des solutions non polluantes. Sans compter qu'il va falloir changer nos habitudes de déplacement pour y intégrer davantage de transports en commun et diminuer l'étalement urbain. Les consommateurs devront également choisir des véhicules plus petits et mieux adaptés à leurs besoins réels. Les incitations appropriées devraient être mises en place par les gouvernements pour favoriser toutes ces avenues au détriment de celles qui sont plus dommageables et moins durables.

Cet heureux mariage de technologies propres et de comportements responsables nous permettra de rouler sans pétrole tout en améliorant notre environnement.

2.19 – Les aspects économiques des véhicules à motorisation électrique branchables

Nous avons vu tout au long de ce chapitre que les technologies sont prêtes pour que les véhicules à motorisation électrique prennent leur envol. Mais qu'en est-il de l'aspect économique?

Présentement, ce n'est un secret pour personne, les compagnies pétrolières cumulent les records de profits chaque année. C'est très compréhensible puisque la demande dépasse désormais les capacités de production de la planète. Le jeu de l'offre et de la demande fait grimper le prix du baril de pétrole, sans que les pétrolières aient à investir proportionnellement aux profits réalisés.

Mais, il n'y a pas que les pétrolières qui profitent de la manne. Nos gouvernements «s'enrichissent» également au moyen des taxes sur les carburants. Il faut aborder cette question sans détours, car elle est susceptible de freiner l'ardeur de nos élus à effectuer les changements qui s'imposent.

Transfert de la taxation sur les carburants

Les taxes sur les carburants sont toujours composées de deux contributions : une partie fixe attribuable au nombre de litres consommés et donc indépendante du prix du pétrole, et une partie variable, les taxes de vente qui, elles, dépendent du prix du litre de carburant. Ces diverses taxes varient en fonction du type de carburant et fluctuent souvent d'un État à un autre, d'un département à un autre, d'une province à une autre, et même d'une ville à une autre. Si on additionne toutes les taxes sur un litre de carburant et qu'on divise ce montant par le prix d'un litre de carburant, on obtient le taux global de taxation qu'on exprime en pourcentage, en multipliant par 100. Ce taux diminue lorsque le prix du baril de pétrole augmente, en raison de la partie fixe de la taxation. Nous avons effectué cette opération pour juin 2008 et le résultat est un taux global moyen de 59 % en France, 30 % au Canada et 10 % aux États-Unis[68].

Nous avons regroupé dans le **tableau 2.7** ces taux globaux de taxation, les prix du litre de carburant à la pompe et le nombre de litres consommés pour divers territoires, ce qui nous permet d'évaluer le montant total annuel perçu en taxes sur ces territoires. Compte tenu du changement rapide du prix du pétrole en 2008 et du délai encouru avant d'obtenir les statistiques de consommation de carburant, nous avons utilisé les consommations de carburant de 2006 et les taux globaux de taxation de juin 2008. En postulant que la consommation n'a pas changé beaucoup en deux ans et en supposant que les taux de taxation globaux évalués en juin 2008 représentent les taux moyens pour l'année 2008, les deux dernières colonnes du tableau 2.7 constituent une bonne approximation des montants perçus en taxes en 2008 pour les divers territoires.

	Prix (juin 2008) ($/L)	Prix (juin 2008) (€/L)	Taux de taxation (juin 2008)	Litres consommés (milliards)	Taxes perçues (milliards $)	Taxes perçues (milliards €)
Californie	1,10	0,70	10 %	71,3	7,8	4,96
États-Unis	1,10	0,70	10 %	643	70,7	45,0
France	2,27	1,45	59 %	51,4	68,9	43,85
Canada	1,45	0,92	30 %	41,2	17,7	11,26
Québec	1,45	0,92	30 %	10,0	4,3	2,74

Tableau 2.7 – Revenus sur la taxation des carburants. Estimation des taxes perçues en 2008 sur différents territoires, à partir de la consommation de carburant de 2006 et du prix du baril de pétrole de juin 2008.

---

68. Pour les taxes sur les carburants pétroliers aux États-Unis, voir la page suivante du site Internet de l'Energy Information Administration : http://tonto.eia.doe.gov/oog/info/gdu/gasdiesel.asp. Pour les taxes sur les carburants pétroliers en France, voir le site Internet de La Direction Générale de l'Énergie et du Climat (DGEC) www.industrie.gouv.fr/energie/sommaire.htm. Pour les taxes sur les carburants pétroliers au Canada, voir le site Internet du CAA-Québec (Canadian Automobile Association) à www.caaquebec.com/infoessence/fr/composition.asp.

Ces montants nous permettent de réaliser qu'**en France, par exemple, une diminution de la consommation de carburant de 2,3% entraîne une perte de 1 milliard d'euros pour le gouvernement français!** On fait donc face à une **situation de conflit d'intérêt qu'il faut corriger en planifiant dès maintenant une nouvelle taxation sur l'électricité utilisée par les véhicules. Toutefois, des mesures transitoires incitatives devront être mises en place pour favoriser les véhicules électriques. Entre autres, lorsque les véhicules électriques ou hybrides branchables seront disponibles sur le marché, les taxes spécifiques aux carburants ne devraient pas être transférées à l'électricité avant que le pourcentage de ces véhicules atteigne 4 à 5%.** Ces taxes devraient être introduites graduellement par la suite. Cette mesure donnerait le temps au prix des batteries Li-ion performantes de baisser de moitié, dû à la production de masse, ce qui rendra les véhicules à motorisation électrique compétitifs.

L'indépendance pétrolière favorise l'économie locale

En ce qui concerne le transfert des taxes sur les carburants pétroliers, il ne faut pas oublier qu'à terme, **lorsque les véhicules routiers seront libérés du pétrole, des milliards de dollars resteront dans les économies nationales, au lieu d'être envoyés à l'extérieur pour acheter du pétrole. Le produit intérieur brut (PIB) des pays importateurs de pétrole (la majorité) augmentera donc, ce qui va faire croître les entrées fiscales pour les gouvernements de ces pays, sans compter les emplois générés pour produire plus d'électricité et de biocarburants.** Comme nous le verrons dans le chapitre 4, nous parlons bien entendu de biocarburants de deuxième génération qui n'utilisent pas de plantes alimentaires et en bonne partie des déchets municipaux, des huiles recyclées et des résidus.

Afin de prendre conscience des sommes d'argent impliquées dans l'importation du pétrole, nous avons colligé les informations pertinentes[69] qui sont résumées dans le tableau 2.8.

---

69. Pour les importations de pétrole des États-Unis, voir le site de Energy Information Administration (EIA) à www.eia.doe.gov. Pour les importations de pétrole de la Californie, voir le site The California Energy Almanac à www.energyalmanac.ca.gov. Pour les importations de pétrole de la France, voir le site de La Direction Générale de l'Énergie et du Climat à www.industrie.gouv.fr/energie/sommaire.htm. Pour les importations de pétrole au Canada, voir le site de Statistique Canada à www.statcan.ca. Pour les importations de pétrole au Québec, voir le site du ministère des Ressources naturelles et de la Faune du Québec à www.mrnf.gouv.qc.ca.

	Prix du baril de pétrole (juin 2008)	Consommation en 2006 pour transport routier (millions de barils)	Pourcentage des importations nettes en 2006	Valeurs des importations annuelles à 143 $ le baril (milliards de $ US)	Valeurs des importations annuelles par habitant ($ US)
Californie	143 $	448,4	63,0 %	40,4	1 092
États-Unis	143 $	4 044,0	60,7 %	351,0	1 170
France	143 $	323,3	96,3 %	44,5	736
Canada	143 $	259,1	0 %	0	0
Québec	143 $	58,7	100,0 %	8,4	1 105

Tableau 2.8 – Valeurs des importations nettes de pétrole pour les transports routiers. Estimation des importations de pétrole en 2008 pour différents territoires, à partir de la consommation de carburant de 2006 et du prix du baril de pétrole de juin 2008.

Compte tenu de l'augmentation très rapide du prix du pétrole et des délais dans l'établissement des statistiques de consommation, nous avons utilisé le prix du baril de pétrole de juin 2008 avec les statistiques de consommation de 2006. En supposant que la consommation n'a pas changé beaucoup en deux ans, et en supposant que le prix du baril de pétrole de juin 2008 représente une moyenne pour l'année 2008, alors les deux dernières colonnes du tableau 2.8 constituent une bonne approximation des montants déboursés en 2008 en importation de pétrole, pour les divers territoires. Pour la Californie et le Québec qui ne sont pas des pays, l'importation de pétrole signifie l'achat en dehors des frontières de la Californie ou du Québec, même si ce pétrole vient du pays où sont situés cet État et cette province.

Les administrateurs et les fiscalistes pourront affiner ces données et en déduire, entre autres, les rentrées supplémentaires en impôts occasionnées par l'augmentation du PIB résultant d'une baisse des importations de pétrole. Pour le commun des mortels, il faut retenir que des sommes considérables vont demeurer dans les économies nationales et que plus d'emplois devraient s'ensuivre, principalement dans les secteurs de l'énergie électrique et des biocarburants, mais également ailleurs.

À terme, l'industrie pétrolière pourrait se concentrer sur l'utilisation du pétrole dans la fabrication de matières synthétiques, comme les plastiques et bien d'autres substances. Une telle utilisation du pétrole serait beaucoup plus judicieuse que de l'envoyer simplement en fumée dans l'atmosphère, alors que cette ressource unique va se raréfier rapidement au 21e siècle.

Les coûts d'achat et d'opération des véhicules à motorisation électrique

Venons-en maintenant aux coûts d'achat et d'utilisation des véhicules à motorisation électrique. Considérons tout d'abord le cas d'une petite voiture (<1200 kg à vide) utilisée simplement pour aller travailler, faire les emplettes et pour les activités familiales et les loisirs, en ne roulant pas plus de 150 km par jour. Une telle voiture devrait quand même être capable d'atteindre une vitesse de 120 km/h. La batterie qu'il lui faudrait devrait avoir une capacité de 20 kWh environ. La iMiev de Mitshubishi, illustrée sur la figure 2.54, correspond exactement à ce profil. Elle devrait se vendre au Japon en 2009 à un prix de 37 500 $, incluant une batterie Li-ion de 20 kWh, qui vaut à elle seule près de 20 000 $. La version traditionnelle à essence de cette petite voiture consomme environ 5 litres/100 km.

Si on ne tient pas compte du coût de la batterie, une petite voiture électrique va nécessairement coûter moins cher qu'une voiture traditionnelle à essence, du fait qu'il y a beaucoup moins de pièces, qu'il n'y a pas de système d'échappement des gaz ni de catalyseur et que le système de refroidissement de même que la transmission sont moins élaborés. Sans compter que les frais d'entretien d'une voiture électrique sont minimes en comparaison d'une voiture à essence. En effet, un moteur électrique est beaucoup plus durable, et on n'a pas à faire de vidanges d'huile, ni de changements de filtres, pas non plus de changement de courroies, ni de réparation du tuyau d'échappement et moins d'usure des freins, en raison du freinage électromagnétique. Le seul obstacle initial sera le coût de fabrication comparativement plus élevé tant qu'on n'aura pas atteint une production en grande série. Les gouvernements pourraient aider à traverser cette phase initiale par des crédits d'impôts et des réductions de taxes sur les véhicules électriques, afin de favoriser leur envol, en prélevant davantage de taxes sur les véhicules traditionnels personnels à forte consommation de carburant.

Par ailleurs, lorsque les moteurs-roues seront disponibles commercialement, les voitures électriques n'auront plus besoin de différentiel, ni de transmission ni de système ABS pour le freinage. Toutes ces fonctions seront réalisées en contrôlant les moteurs-roues par logiciel, sans pièces mécaniques supplémentaires. De plus, les freins mécaniques ne s'useront plus puisqu'ils ne seront jamais utilisés, sauf en cas de défaillance des moteurs-roues. Enfin, l'atteinte d'une production en grande série sera facilitée dans le cas des moteurs-roues, car en fabriquant 25 000 voitures, on fabrique, en fait, 100 000 moteurs-roues.

Donc une voiture électrique, sans sa batterie, reviendra moins cher à fabriquer et moins cher à entretenir qu'une voiture traditionnelle. Il reste à examiner les coûts reliés à la batterie.

Comme nous l'avons vu à la section 2.2, le coût des batteries Li-ion pour les véhicules est d'environ 1000 $ par kWh de capacité de stockage. Une batterie de 20 kWh coûte donc 20 000 $ (12 800 €) en 2008, et son prix devrait descendre à 10 000 $ (6 400 €) environ vers 2012-2014. Par contre, une telle batterie permet à une petite voiture électrique de faire 150 km sans essence. En comptant un kilométrage annuel de 18 000 km, il faudrait donc remplir la batterie 120 fois par année, ce qui correspond à 1800 recharges en 15 ans. Toutes les bonnes batteries Li-ion d'aujourd'hui ont une durée de vie de 2000 recharges et plus. C'est donc dire que la batterie va durer 15 ans, la vie utile de la voiture, laquelle pendant ce temps pourra parcourir 270 000 km.

Or, 270 000 km correspondent à 2700 fois 100 km, ce qui demanderait, à raison de 5 litres/100 km, 13 500 litres d'essence en 15 ans. La grande question est de savoir quel sera le prix moyen de l'essence au cours des 15 prochaines années! Soyons beaux joueurs et limitons-nous à 2,75 $ le litre (1,75 €/litre). À ce prix, il faudrait donc payer 37 125 $ (23 585 €) en carburant sur la durée de vie d'une petite voiture à essence de la même grosseur que notre voiture électrique. En électricité, il faudrait 1800 fois 20 kWh, soit 36 000 kWh. En comptant, pour le tarif de nuit, 0,15 $ (0,095 €) le kWh, il faudrait donc payer en 15 ans 5400 $ (3430 €) d'électricité pour parcourir 270 000 km. **La petite voiture électrique économiserait donc en coût d'énergie environ 31 700 $ (20 140 €) en 15 ans.** Vous conviendrez avec moi que c'est une estimation très conservatrice, car le prix de l'essence a de fortes chances de grimper à 4,00 $ ou 5,00 $ (2,5 ou 3,1 €) le litre d'ici 10 ans. Par ailleurs, nous avons considéré que le tarif de l'électricité de nuit sera, en moyenne, le double de ce qu'il est aujourd'hui.

Nous avons vu que le prix de la batterie est de 20 000 $ (12 800 €) en 2008, et qu'il sera de 10 000 $ (6400 €) environ vers 2012-2014. **Force est donc de constater que les voitures électriques seront moins chères à acheter, à conduire et à entretenir, même en incluant le prix de la batterie. Lorsque le prix des batteries Li-ion aura diminué à 500 $/kWh, d'ici 2012-2014, même en transférant les taxes sur les produits pétroliers à l'électricité, le coût combiné de la batterie, de l'électricité et des taxes sera encore inférieur au coût des carburants pétroliers.**

En fait, il n'est pas nécessaire d'acheter la batterie; on pourrait très bien la louer avec un forfait mensuel et une garantie, ce qui réduirait d'autant le prix d'achat d'un véhicule électrique, tout en coûtant mensuellement moins cher que le carburant qui aurait normalement été consommé. C'est d'ailleurs l'approche choisie par la compagnie norvégienne Think pour sa voiture électrique Think City (voir la section 2.12).

Pour optimiser le rapport coût/bénéfice d'une voiture électrique, il faudrait pouvoir louer la batterie dont la capacité est la plus appropriée à nos besoins. Quelqu'un qui ne parcourrait que 50 km par jour, la grande majorité du temps, pourrait se contenter d'une batterie lui donnant une autonomie de 75 km environ. Il n'aurait aucun intérêt à louer une batterie lui donnant une autonomie de 150 km, alors qu'il peut la recharger tous les soirs chez lui, voire à son lieu de travail dans la journée. Par contre, si cette personne déménage et qu'il lui faut désormais parcourir 100 km par jour, alors elle peut simplement échanger sa batterie de 75 km d'autonomie pour une de 150 km, et payer une location mensuelle deux fois plus élevée. En fait, comme pour un téléphone portable, il suffira de prendre le forfait mensuel qui nous convient.

De plus, le fait de pouvoir aussi recharger ces batteries en 5 à 10 minutes à des stations dédiées est une autre raison pour ne prendre que la grosseur de batterie dont on a réellement besoin. Sans compter que des services de dépannage seront offerts pour pallier la distraction éventuelle d'un conducteur qui se retrouverait sur la route avec une batterie à plat. Il suffira d'appuyer sur un bouton dans la voiture pour que le véhicule de recharge le plus près vous rejoigne en quelques minutes. Mais, avant que cela se produise, l'ordinateur de bord vous aura averti qu'il ne reste plus d'électricité que pour 15 km et il indiquera sur le système de navigation GPS la position des stations de recharge rapide les plus proches.

Revenons à notre exemple d'une petite voiture électrique, comme la iMiev, mais qu'on l'équipe avec une batterie de 10 kWh plutôt que de 20 kWh. En 2012-2014, cette batterie de 10 kWh coûtera environ 5000 $ (3200 €) et permettra d'économiser environ 31 700 $ (20 140 €) en coût d'énergie sur 15 ans! Cette économie sous-entend un kilométrage de 270 000 km en 15 ans. Puisque la batterie de 10 kWh est deux fois plus petite, il faudra donc qu'elle puisse être rechargée 3600 fois au lieu de 1800. Déjà, plusieurs compagnies vendent des batteries dont la durée de vie dépasse 4000 cycles de recharge. **Tout ça pour dire qu'en ne prenant qu'une batterie de 10 kWh, on pourrait économiser 26 700 $ (16 760 €) en coûts d'énergie, sur 15 ans, même en incluant le coût de la batterie.**

Nous avons vu que pour parcourir 270 000 km, il faudrait normalement acheter pour 37 125 $ (23 585 €) de carburant sur la durée de vie d'une petite voiture à essence de la même grosseur que notre voiture électrique. En comptant que les taxes correspondent à 25 % de ce montant au Canada et à 50 % en France (en moyenne, de 2010 à 2025), le montant des taxes payées serait de 9280 $ au Canada et de 11 790 € en France. **Ainsi, si on ajoutait les taxes sur l'essence au prix de l'électricité, on économiserait quand même, avec une batterie qui donne une autonomie de 75 km (10 kWh), 17 420 $ au Canada et 4970 € en France, sur la durée de vie du véhicule pour les dépenses reliées au plein d'énergie. Et rappelons que c'est là un estimé conservateur. Il y a de fortes chances pour que les économies réelles soient supérieures à ces montants. Par ailleurs, il faudrait ajouter à ces économies celles des coûts d'entretien qui seront beaucoup moindres qu'une voiture traditionnelle, et l'économie à l'achat des voitures électriques lorsqu'elles seront produites en grande série.**

Certains pourront dire que malgré des coûts inférieurs, une voiture entièrement électrique n'offre pas les mêmes avantages qu'une voiture traditionnelle, dont l'autonomie est illimitée, en autant qu'on fasse le plein de carburant à tous les 700 km environ. Mais, il y a fort à parier qu'on verra s'implanter des stations de location de groupes électrogènes montés sur des petites remorques et utilisant un moteur thermique pour actionner le générateur électrique. La figure 2.86 montre un tel système qui permet à une voiture électrique d'avoir la même autonomie qu'une voiture traditionnelle. L'avantage de cette solution est d'éviter l'achat d'un groupe électrogène qui ne servirait qu'occasionnellement.

Figure 2.86 – La TZero de AC Propulsion (www.acpropulsion.com), développée depuis 1997, est la voiture électrique dont la technologie du groupe de propulsion se retrouve dans la Roadster de Tesla Motors (figure 2.3). Pour parcourir de longues distances, on peut y attacher un groupe électrogène monté sur une petite remorque. (Photo : AC Propulsion)

Mais, pour une voiture principale et pour la majorité des gens, le nec plus ultra est la voiture hybride branchable qui permet de rouler en mode sur une distance qui variera typiquement de 30 km à 120 km selon le besoin des conducteurs. L'autonomie de ces voitures est la même qu'une voiture traditionnelle puisqu'elles ont un groupe électrogène intégré qui recharge la batterie en cours de route lors de longs trajets. Un groupe électrogène de 25 kW serait suffisant pour une voiture intermédiaire munie de moteurs-roues. Pour un moteur électrique central, il faudrait plutôt 32 kW. De tels groupes électrogènes devraient coûter entre 1500 $ et 2500 $ (1100 € et 1800 €) s'ils étaient produits en grande série, soit beaucoup moins cher qu'une grosse batterie.

La batterie d'une voiture hybride branchable pourrait être louée également. Encore là, le propriétaire de la voiture devrait pouvoir choisir la capacité de batterie qui convient le mieux à ses besoins et pouvoir changer si ses besoins évoluent. La grosseur de la batterie devrait être choisie pour couvrir 80 % environ du kilométrage de la voiture en mode électrique, de manière à consommer le moins de biocarburant possible.

En ne prenant pas en compte le coût des batteries dans le prix d'achat des voitures, une voiture hybride branchable devrait donc se vendre, à terme, environ 2500 $ de plus qu'une voiture électrique (10 % à 15 % de plus). Par ailleurs, lorsque les voitures hybrides branchables seront produites en grande série, il en coûtera moins cher pour en être propriétaire que pour des voitures traditionnelles, lorsqu'on compte les coûts d'achat, de location de la batterie, de l'électricité et des carburants, de même que les coûts d'entretien.

2.20 – Combien de biocarburants ?

Dans ce chapitre, nous avons décrit et analysé les différents aspects de la mobilité électrique. Mais, comme nous l'avons dit depuis le début de ce livre, les biocarburants de deuxième génération seront également une composante importante pour éliminer le pétrole des transports routiers. Ils serviront aux véhicules hybrides branchables pour les longs trajets.

La troisième colonne du tableau 2.4 résume la proportion des kilomètres qui seront parcourus avec de l'électricité, selon notre scénario, pour les différentes catégories de véhicules. On en déduit donc que les véhicules légers et les véhicules moyens vont utiliser les biocarburants pour 20 % de leur kilométrage, alors que les véhicules lourds vont parcourir 60 % de leurs trajets à l'aide des biocarburants.

Par ailleurs, nous avons vu dans les sections 2.4, 2.15 et 2.16 que les véhicules hybrides avancés légers et moyens vont consommer quatre fois moins de carburant que les véhicules traditionnels d'aujourd'hui lorsqu'ils vont fonctionner en mode carburant. Pour ce qui est des véhicules hybrides avancés lourds, la section 2.16 nous apprend qu'ils vont consommer trois fois moins de carburants que les véhicules traditionnels d'aujourd'hui.

Ajoutons à cela qu'en 2006 les véhicules légers ont consommé 78 % des carburants, les véhicules moyens 6 %, et les véhicules lourds 16 % (voir le tableau 2.4). Nous avons alors toute l'information voulue pour évaluer les quantités de biocarburants qui seraient requises pour faire fonctionner les parcs de véhicules d'aujourd'hui avec les technologies des véhicules hybrides branchables avancés. L'information des derniers paragraphes est résumée dans le tableau 2.9, de même que les pourcentages

	Pourcentage du pétrole utilisé pour les transports routiers en 2006	Fraction des carburants requise par des véhicules hybrides avancés fonctionnant en mode carburant	Proportion des kilomètres parcourus avec des biocarburants selon notre scénario	Biocarburants requis exprimés en pourcentage des carburants pétroliers consommés par tous les véhicules	Biocarburants requis exprimés en pourcentage des carburants pétroliers consommés par chaque catégorie de véhicules
Véhicules légers	78 %	1/4	1/5	3,9 %	5 %
Véhicules moyens	6 %	1/4	1/5	0,3 %	5 %
Véhicules lourds	16 %	1/3	3/5	3,2 %	20 %
Total	100 %			7,4 %	

Tableau 2.9 – Besoins en biocarburants des véhicules hybrides avancés. Évaluation de la quantité de biocarburants requise dans notre scénario, exprimée en pourcentage du pétrole utilisé en 2006, pour des véhicules hybrides avancés (technologies de 2025 environ).

des carburants pétroliers consommés actuellement qu'il faudra remplacer par des biocarburants pour éliminer le pétrole des transports routiers.

Pour obtenir les biocarburants requis par chaque catégorie de véhicules (quatrième colonne), exprimés en pourcentage des carburants pétroliers consommés par tous les véhicules, il suffit de multiplier ensemble les valeurs des trois premières colonnes, ligne par ligne. En additionnant les pourcentages de la quatrième colonne on obtient le besoin total en biocarburants exprimé en pourcentage des carburants pétroliers consommés par tous les véhicules d'aujourd'hui, soit 7,4 %. Pour obtenir les biocarburants requis par chaque catégorie de véhicules, exprimés en pourcentage des carburants pétroliers consommés par ces catégories (cinquième colonne), on divise les pourcentages de la quatrième colonne par ceux de la première et on multiplie par cent.

Il est particulièrement intéressant de constater que le besoin total en biocarburants n'est que de 7,4 % des carburants pétroliers consommés actuellement. Par ailleurs, les véhicules hybrides avancés légers (plus petits que 4,5 tonnes ou 10 000 livres) vont consommer 20 fois moins de carburant qu'aujourd'hui, en moyenne. Si on regroupe les véhicules moyens (les véhicules autres que les véhicules légers et les camions semi-remorque) et les véhicules lourds (camions semi-remorque), les besoins moyens en biocarburants de ces véhicules correspondent à 16 % des carburants pétroliers consommés par les véhicules traditionnels de ces deux catégories.

En fait, il faut considérer les chiffres du tableau 2.9 comme des valeurs moyennes. Par exemple, on sait qu'un certain pourcentage des véhicules seront entièrement électriques; ils ne consommeront donc pas de biocarburants. Ainsi, la troisième colonne montre la portion moyenne des kilomètres parcourus à l'aide de biocarburants pour l'ensemble des véhicules de chaque catégorie. Par ailleurs, les deux dernières colonnes donnent les pourcentages de biocarburants requis par un parc de véhicules similaire à celui d'aujourd'hui quant au nombre de véhicules, mais en considérant qu'ils utilisent les technologies de véhicules électriques ou hybrides branchables avancés dont nous avons parlé dans ce chapitre et qu'on devrait avoir vers 2025.

Nous verrons dans le chapitre 4 comment produire ces biocarburants de deuxième génération de façon durable, sans utiliser de plantes alimentaires.

2.21 Les voitures à air comprimé

Depuis les années 1990, la société MDI (www.mdi.lu), fondée par l'ingénieur motoriste français Guy Nègre, s'active à la promotion des voitures à air comprimé. Depuis 1998, elle a présenté plusieurs prototypes. Une entente conclue en 2007 entre MDI et Tata Motors, le gros fabricant d'automobiles indien, a mis cette technologie plus en évidence dans les médias. Selon cette entente, Tata Motors contribue financièrement au développement des voitures à air comprimé et obtient d'une licence pour leur commercialisation en Inde. De même, la présentation d'une voiture de MDI au salon de l'auto de New York, en mars 2008, a suscité beaucoup de commentaires (**figure 2.87**).

Figure 2.87 – Voiture à air comprimé de MDI. (Source : Wikimedia Commons, http://commons. wikimedia.org, auteur : Deepak, septembre 2000)

Le principe de fonctionnement de ces voitures est relativement simple. De l'air fortement comprimé dans des bouteilles (à 300 bars) exerce une pression importante sur les pistons d'un moteur mécanique. Ces pistons actionnent la rotation d'un arbre qui transmet l'énergie aux roues. La puissance modérée de tels moteurs, en mode air comprimé pur (typiquement inférieure à 20 kW), fait en sorte qu'il faut réduire de façon importante la masse des véhicules pour obtenir de bonnes performances. Ainsi, les voitures proposées par MDI ont une masse qui varie de 320 kg à 870 kg, grâce à un châssis en aluminium et une carrosserie en fibre de verre. Bien sûr, on peut augmenter la puissance de ces moteurs, mais il faut alors augmenter d'autant la grosseur des réservoirs d'air comprimé, qui occupent déjà un volume d'environ 300 litres pour une autonomie de l'ordre de 110 km en conduite mixte.

L'approche retenue par MDI pour augmenter la puissance et l'autonomie des véhicules consiste à intégrer un brûleur pour réchauffer l'air avant son entrée dans le moteur, ce qui augmente la pression sur les pistons[70]. Le carburant consommé peut être gazeux ou liquide. **Les moteurs hybrides (air comprimé-carburant) peuvent atteindre une autonomie de 1500 km sur la route, tout en consommant moins de 2 litres/100 km, avec une vitesse maximale de 130 km/h, selon**

---

70. G. Nègre et C. Nègre, Moteur à chambre active mono et/ou bi-énergie à air comprimé et/ou énergie additionnelle et son cycle thermodynamique, demande de brevet international (PCT) No. WO 2005/049968 A1, publiée le 2 juin 2005. Téléchargement sur le site de l'Organisation mondiale de la propriété intellectuelle à www.wipo.int/pctdb/fr/.

MDI. **En ville, le moteur peut fonctionner en mode zéro pollution, seulement à l'air comprimé, avec une autonomie de 50 à 60 km, lorsque les réservoirs d'air comprimé sont pleins.** On peut remplir ces derniers à la maison, en moins de 6 heures, grâce à un compresseur embarqué, en se branchant sur une prise de 230 volts. Sinon, des stations-service équipées de réservoirs pressurisés et de compresseurs permettraient de faire le plein en quelques minutes.

Un gros avantage de ces voitures ultralégères à air est leur très bas prix, qui devrait osciller entre 4000 et 6000 € (5800 à 8700 $), selon les modèles. Des voitures hybrides à un tel prix, c'est presque impensable *a priori*. Mais, il ne faut pas oublier qu'elles ont un seul moteur et non deux, comme les voitures électriques hybrides (moteur thermique et moteur électrique) et qu'elles n'ont pas besoin de batterie pour stocker l'énergie. Par ailleurs, ces voitures à air bon marché ne peuvent offrir le même confort et la même sécurité qu'une voiture traditionnelle plus massive.

En ce qui concerne l'aspect environnemental, **le fait que la combustion du carburant se fasse dans un brûleur, en continu, au lieu d'une explosion, diminue de beaucoup les oxydes d'azote (NO_x) et les hydrocarbures (HC) imbrûlés.** Par ailleurs, les matériaux utilisés pour la fabrication des voitures à air sont abondants et ne présentent pas de toxicité, comme c'est le cas pour certaines batteries, dont le recyclage est plus élaboré.

Par contre, une voiture à air comprimé utilise environ trois fois plus d'électricité qu'une voiture électrique de même poids pour parcourir la même distance. Cela s'explique par la perte d'environ 50 % de l'énergie en chaleur lorsqu'on comprime l'air dans les réservoirs, et à une autre perte d'une quantité importante à la sortie de l'air comprimé des réservoirs, à cause de son refroidissement lors de la détente[71]. Cette grosse consommation d'électricité représente un handicap sérieux dans les pays qui produisent leur électricité en bonne partie à l'aide de centrales thermiques qui brûlent des carburants fossiles et sont peu efficaces. Par exemple, l'efficacité des centrales au charbon n'est que de 35 %. Dans ce cas, alimenter les compresseurs à air avec cette électricité et qu'on ne peut en utiliser que 30 % pour faire tourner les roues d'une voiture à air comprimé, revient en fait à n'utiliser que 10,5 % de l'énergie chimique. Pour une centrale au gaz naturel efficace à 55 %, la voiture n'utiliserait, en bout de ligne, que 16,5 % de l'énergie chimique pour avancer, ce qui est moins performant qu'une voiture à essence traditionnelle.

Ainsi, **pour généraliser les groupes de traction à air comprimé sur des véhicules semblables à ceux qui sont produits aujourd'hui dans les pays développés, il faudrait multiplier par trois l'électricité supplémentaire requise pour réaliser notre scénario (70 % des kilomètres utilisant l'électricité des réseaux). Pour la Californie, il faudrait doubler la production d'électricité!**

---

71. U. Bossel, *Thermodynamic Analysis of Compressed Air Vehicle Propulsion*, rapport du European Fuel Cell Forum, 30 juin 2005. Téléchargement à www.efcf.com/reports/. P. Mazza et R. Hammerschlag, *Wind-to-Wheel Energy Assessment*, présenté au European Fuel Cell Forum de Lucerne, 4-8 juillet 2005. Téléchargement à www.efcf.com/reports/.

Une bonne partie de la faible consommation de carburant des voitures à air comprimé s'explique par leur extrême légèreté. Si on équipait des voitures de 1300 kg avec le groupe de traction hybride à air comprimé, on obtiendrait vraisemblablement une consommation qui avoisinerait celle de la Peugeot 308 diesel HDI hybride, présentée en 2007, soit 3,4 litres/100 km.

Une avenue intéressante pour diminuer le gaspillage d'électricité serait de récupérer la chaleur produite lors de la compression de l'air dans les réservoirs, afin de chauffer l'eau des résidences et des édifices par temps froid.

Dans la mesure où les groupes de traction hybrides à air comprimé, comme ceux de MDI, se limitent à des voitures ultralégères, on ne peut que se réjouir de voir sur le marché des voitures qui ne consomment que 2 litres/100 km, à un prix de 4000 à 6000 € (5800 à 8700 $).

Par contre, si de telles voitures parcourent, disons, 80 % des kilomètres en se branchant sur le réseau électrique pour comprimer l'air dans leurs réservoirs, on devra faire face à une utilisation inefficace de l'électricité. Or, des pays comme la Chine, les États-Unis et l'Inde produisent respectivement 80 %, 70 % et 64 % de leur électricité (en 2007) en brûlant des carburants fossiles (principalement du charbon), dans des centrales thermiques dont l'efficacité moyenne est inférieure à 40 %. Pour ces pays, si on construit des voitures aussi massives que celles d'aujourd'hui, les voitures à air comprimé ne feront pas diminuer les émissions de CO_2, comme le font les voitures électriques ou hybrides branchables. Pour que les voitures à air comprimé soient viables, il faut qu'elles soient ultralégères.

Toutefois, du point de vue indépendance énergétique des pays qui doivent importer beaucoup de pétrole, on doit convenir que les voitures à air comprimé améliorent la situation à un coût d'achat imbattable pour le moment. C'est aussi le cas des voitures électriques branchables (hybrides ou non), mais en consommant trois fois moins d'énergie en mode zéro pollution. Comme le prix des batteries performantes diminuera sans doute d'un facteur 2 à 3 d'ici à 2015 en raison de leur production de masse, le prix des voitures électriques deviendra plus compétitif, particulièrement si on en fabrique des ultralégères, comme les voitures à air.

En fait, on peut dire que les voitures à air comprimé s'adressent aux utilisateurs moins exigeants sur les performances, le confort et la sécurité, qui veulent se mettre à l'abri de la flambée des prix du pétrole, à un prix très compétitif. Ce segment de marché correspond particulièrement bien aux pays en voie de développement et intéressera certainement une partie des consommateurs dans les pays développés.

Mais, rappelons-le, il serait irresponsable de vouloir étendre à grande échelle le groupe de traction à air comprimé sachant qu'il requiert trois fois plus d'électricité du réseau qu'une voiture électrique. **Pour que les voitures à air comprimé s'inscrivent dans un développement durable, elles doivent être ultralégères et limiter leur autonomie en mode air comprimé pur à 20 ou 30 km, à moins de trouver**

un moyen de récupérer à des fins utiles la chaleur perdue par les compresseurs électriques. Par la suite, ces voitures pourraient passer en mode biocarburant, avec le compresseur embarqué et le brûleur, à raison de 2 litres/100 km.

Il serait intéressant qu'une étude de cycle de vie nous permette d'intégrer dans les calculs les dépenses d'énergie liées à la fabrication et au recyclage des voitures à air comprimé. Ces dépenses seraient sans doute inférieures à celles des voitures électriques de même poids. Somme toute, on peut dire que les **voitures à air comprimé peuvent représenter une partie de la solution pour rouler sans pétrole, à l'intérieur des limitations que nous avons mentionnées.**

2.22 En résumé

Remplacer le pétrole pour les transports routiers n'est pas une mince affaire. Deux options sont disponibles : la motorisation électrique des véhicules et les moteurs à combustion interne alimentés par des carburants alternatifs.

Les carburants alternatifs liquides fabriqués à partir du charbon et du gaz naturel entraînent des émissions de gaz à effet de serre (GES) et des émissions polluantes supérieures à celles du pétrole et ne constituent pas, de ce fait, une alternative durable au pétrole, compte tenu du réchauffement climatique et de l'insalubrité de l'air dans nos villes. Les seuls carburants alternatifs viables sont les biocarburants. Toutefois, pour que le développement des biocarburants soit durable, il faut n'en produire que de petites quantités, avec des déchets et résidus, de même qu'avec des plantes non alimentaires appropriées, en utilisant les technologies de deuxième génération. Sinon, on fait grimper le prix des aliments, on affecte la sécurité alimentaire des plus démunis et on dégrade nos terres agricoles.

Pour ce qui est de l'hydrogène (brûlé par des moteurs thermiques ou consommé par des piles à combustible), nous démontrons dans le chapitre 3 que cette avenue n'est pas viable sur les plans technologique, environnemental et économique. La filière hydrogène ne constitue donc pas du développement durable, mais plutôt un gaspillage d'énergie, de matières premières et d'argent. Seuls les producteurs et vendeurs d'hydrogène en tireraient profit.

Il faut donc se rabattre sur la motorisation électrique des véhicules, en majeure partie, pour remplacer le pétrole. D'ailleurs, peu de gens savent que les voitures électriques dominaient le marché de l'automobile vers 1900. Les voitures à essence de l'époque étaient bruyantes, vibraient et dégageaient une fumée nauséabonde. Par ailleurs, il fallait les démarrer à la main, avec une manivelle, au prix d'efforts conséquents. Mais l'avènement de la Ford modèle T en 1908 allait faire pencher la balance en faveur des voitures à essence, qui désormais coûtaient trois fois moins cher qu'une voiture électrique, en raison de l'implantation des chaînes de montages en série par Henry Ford. L'invention du démarreur électrique en 1912 a également contribué à propulser les voitures à essence à l'avant-scène. Par ailleurs, ces dernières ont rapidement offert des performances supérieures aux voitures électriques en permettant une vitesse de 70 km/h au lieu du 40 km/h typique des voitures électriques commerciales de l'époque. Enfin, on pouvait faire le plein d'essence en cinq minutes alors qu'il fallait une dizaine d'heures pour recharger les batteries plomb-acide des voitures électriques. L'abondance et le faible coût du pétrole ont consacré l'hégémonie des voitures à essence jusqu'à aujourd'hui.

Le talon d'Achille des voitures électriques a longtemps été les batteries, jusqu'à très récemment. Les batteries plomb-acide, inventées en 1860 par Gaston Planté, ont traversé tout le vingtième siècle. Leurs handicaps majeurs sont leur poids trop lourd, la faible quantité d'électricité stockée, la faible puissance, et leur nombre de recharge limité (500 à 600 décharges profondes). Les voitures de golf s'en accommodent très bien, mais c'est une autre affaire de produire une voiture électrique avec à la fois une bonne autonomie (200 km et plus) et des performances similaires aux voitures traditionnelles à essence (vitesse maximale de 140 km/h et accélération de 0 à 100 km/h en 10 secondes).

La première voiture électrique commerciale à y arriver presque a été la voiture sport 2 places EV1 de General Motors, en 1996. Malgré les batteries plomb-acide des premières versions, la EV1 avait une autonomie de 125 km, une vitesse maximale de 130 km/h et accélérait de 0 à 100 km/h en 9 secondes! Pour y arriver, GM a dû utiliser des matériaux composites pour la carrosserie et de l'aluminium pour le châssis afin d'alléger le plus possible la voiture. Pour diminuer davantage la consommation d'énergie, les ingénieurs lui ont donné un profil extrêmement aérodynamique et l'ont équipée de pneus à faible résistance au roulement. En 1999, GM a utilisé dans ses EV1 la nouvelle batterie au nickel et hydrures métalliques (Ni-MH) inventée par Stanford Ovshinski. Avec cette batterie, l'autonomie de la EV1 est passée à 200 km!

Toyota a également utilisé les nouvelles batteries Ni-MH dans leur véhicule utilitaire sport RAV4 électrique, introduit en Californie en 1998. Plusieurs de ces véhicules sont encore en circulation en 2008, avec leur batterie d'origine dont certaines ont dépassé les 200 000 km d'utilisation. Ce sont d'ailleurs des batteries Ni-MH qui se retrouvent dans la voiture hybride Prius de Toyota, depuis 1997. Leur fiabilité et leurs performances sont donc bien démontrées.

Rappelons que la EV1 et le RAV4 électriques ont été introduits de force en Californie, alors que cet État avait réglementé l'obligation pour les fabricants d'automobiles de mettre sur le marché californien un certain pourcentage de véhicules sans émissions polluantes. Ce sont les graves problèmes de pollution atmosphérique, en particulier à Los Angeles, qui ont incité le gouvernement californien à imposer cette réglementation. Mais, les constructeurs d'automobiles ont intenté une poursuite en justice contre l'État de Californie, aidés par les hommes de loi du gouvernement fédéral (administration Bush), attestant que les gens ne voulaient pas de véhicules électriques et que les réglementations sur la consommation de carburant des véhicules étaient de juridiction fédérale. Quand les fabricants d'automobiles ont vu qu'ils allaient gagner, les EV1, qui étaient louées, ont été récupérées à la fin de leurs contrats de location et détruites, ainsi que les véhicules électriques d'autres compagnies, en 2004 et 2005. De plus les brevets pour la batterie Ni-MH sont passés sous le contrôle de la pétrolière Chevron-Texaco (via sa filiale Cobasys), et les grosses batteries Ni-MH ne sont plus utilisées dans les voitures électriques ; seules de petites batteries Ni-MH continuent de l'être dans les voitures hybrides comme la Prius.

On peut se demander pourquoi les fabricants d'automobiles étaient si empressés de détruire leurs petites merveilles électriques, car ceux qui ont vu le film *Who killed the electric car?* de Chris Paine, présenté en 2006, savent qu'il y avait une longue liste d'attente de gens qui voulaient une EV1. Bien sûr, une voiture comme la EV1 coûtait plus cher à fabriquer, du fait des matériaux exotiques et des plus petites quantités. Mais c'est toujours la même chose avec les nouvelles technologies, ce sont les gens plus fortunés qui en achètent au début jusqu'à ce que les quantités augmentent et que le prix baisse. En fait, les véhicules électriques ne sont pas très intéressants pour les gros fabricants d'automobiles déjà en place, car ces véhicules ont beaucoup moins de pièces qui s'usent et leur coût d'entretien est très réduit (pas de changements d'huile, pas de filtre à l'huile, pas de filtre à air, pas de silencieux, pas de catalyseur, pas de réservoir d'essence, pas de bougies, moins d'usure des freins [freinage électromagnétique]…). Sans compter qu'un moteur électrique peut durer un million de kilomètres! On comprend dès lors qu'il y a des pertes de revenus en vue pour les fabricants d'automobiles dont une partie importante du chiffre d'affaires est reliée aux pièces de rechange.

Mais, cette situation est différente pour les nouveaux joueurs qui veulent commercialiser des voitures électriques. Eux n'ont rien à perdre et tout à gagner. En fait, les voitures électriques ayant moins de composants qu'une voiture traditionnelle, cela facilite la tâche aux nouveaux entrepreneurs de l'automobile verte, qui ont dès lors moins de pièces à gérer dans leurs inventaires, ce qui signifie moins d'investissement initial. C'est ainsi qu'on a vu naître Tesla Motors, une nouvelle compagnie d'automobiles électriques, qui a présenté sa stupéfiante Roadster en 2006. Cette voiture sport deux places, qui se vend 100 000 $, accélère de 0 à 100 km/h en 4 secondes, peut rouler à 200 km/h et possède une autonomie de 300 km sur une pleine charge de sa batterie. Tout ça grâce aux nouvelles batteries Li-ion encore plus performantes que les batteries Ni-MH. C'est le marché des ordinateurs portatifs et des téléphones portables qui a stimulé la recherche dans le domaine des batteries à la fin des années 1980, et on en récolte les fruits aujourd'hui.

Ce qui est particulièrement excitant, c'est l'arrivée sur le marché de nouvelles super-batteries Li-ion utilisant du titanate de lithium structuré à l'échelle des nanomètres (1 nanomètre = 1 millionième de millimètre). Ces batteries offrent la possibilité d'une recharge TRÈS rapide, en moins de 10 minutes! Elles peuvent être utilisées sans problème à 30 °C sous zéro et le nombre de cycles de recharge dépasse 5500 (une recharge par jour pendant 15 ans). Déjà, au moins trois compagnies de batteries utilisent cette technologie (Altairnano, Toshiba, et Enerdel). La technologie des batteries ne constitue plus un problème pour les véhicules électriques; ce qu'il faut maintenant, c'est de les produire en quantités suffisantes pour diminuer les coûts de production. Car une batterie performante suffisamment grosse pour faire parcourir 100 km à une voiture intermédiaire coûte environ 20 000 $ en 2008. Toutefois, des études ont démontré qu'en atteignant des volumes de production de 100 000 unités par année, on pourrait diminuer le prix des batteries d'un facteur 2 à 3.

Par ailleurs, il faut également prendre en compte l'argent économisé en achat d'essence. Sur la durée de vie d'une voiture (12 ans) on pourra recharger la batterie environ 4000 fois et parcourir autant de fois 100 kilomètres. À raison de 8 litres/100 km, il faudrait donc acheter 32 000 litres d'essence, et en comptant 1,80 $ du litre, en moyenne pour les 12 prochaines années (ce qui est très conservateur); cela représente 58 000 $ d'achat d'essence. Pour ce qui est des coûts d'électricité pour recharger la batterie 4 000 fois (à raison de 18 kWh par recharge approximativement, pour 100 km), on débourserait 8 700 $ pour faire le plein d'électrons sur la durée de vie de la voiture, en comptant 0,12 $ le kWh. On aurait donc une dépense inférieure à 30 000 $ pour l'achat de la batterie et de l'électricité, comparativement à 58 000 $ pour l'essence. En diminuant le coût d'achat de la batterie d'un facteur 2, la dépense batterie-électricité serait inférieure à 20 000 $. Maintenant, sur le 58 000 $ d'essence, il y a 30 % de taxes diverses au Canada, ce qui fait 17 400 $ de taxes qu'il faudrait transférer à l'électricité. On aboutirait alors à des coûts d'énergie de 37 000 $ environ pour la voiture électrique comparativement à 58 000 $ pour la voiture à essence, sur la durée de vie des voitures. Une économie de 21 000 $ pour la voiture électrique.

En fait, malgré ces économies, ce qui risque de constituer un frein à l'achat de voitures électriques, c'est le fait qu'il faille inclure l'achat de la batterie avec l'achat de la voiture. Si on louait les batteries avec un forfait mensuel, le coût mensuel serait inférieur à celui de l'achat de carburants pétroliers. Par ailleurs, il serait souhaitable de pouvoir changer de batterie lorsque nos besoins en kilométrage quotidien changent, à la suite d'un déménagement, par exemple. Ainsi, on ne paierait pas pour rien et on économiserait les ressources de la planète.

Jusqu'ici nous n'avons parlé que de voitures électriques mais, en fait, malgré qu'on puisse recharger les batteries en 10 minutes il est impensable d'équiper des voitures électriques avec des batteries qui donneraient une autonomie de 500 km. La batterie coûterait beaucoup trop cher, serait trop lourde (réduisant les performances de la voiture) et épuiserait les ressources minières de la planète inutilement, puisque 80 % de notre kilométrage est constitué de parcours quotidiens inférieurs à 100 km. Mieux vaut avoir un petit générateur à carburant à bord de la voiture pour recharger la batterie pendant les trajets, lors de longs parcours. Ainsi, on utiliserait des biocarburants pour 20 % seulement des kilomètres. C'est le principe des voitures hybrides branchables qui constitue la solution principale pour rouler sans pétrole. Il suffira de les brancher chaque soir à la maison, à des bornes municipales dans les rues, ou au travail, pour les recharger.

Mais, en fait, les voitures hybrides avancées de 2025 consommeront 4 fois moins de carburant que les voitures traditionnelles d'aujourd'hui, lorsqu'elles fonctionneront en mode carburant, après avoir consommé l'électricité de leur batterie. Ainsi, le 20% du kilométrage qui sera parcouru avec des biocarburants, ne nécessitera que l'équivalent de 5% des carburants pétroliers consommés aujourd'hui!

Cette diminution d'un facteur 4 de la consommation de carburant provient de l'application de diverses technologies. Tout d'abord, une bonne hybridation électrique-thermique du groupe de traction d'une voiture, avec des batteries Li-ion efficaces à 98%, permet de diminuer la consommation de 33%. Ensuite, on peut augmenter l'efficacité du moteur-générateur thermique de plusieurs façons, qui visent à améliorer la combustion des carburants et à diminuer l'énergie perdue dans les moteurs thermiques (injecteurs à haute pression et soupapes électromécaniques à contrôle numérique, turbocompression et réduction de la grosseur des moteurs, vaporisation du carburant, conditionnement électrique du carburant, dopage à l'hydrogène et à l'eau des moteurs, récupération de la chaleur perdue dans le système d'échappement...). Les experts s'entendent pour dire qu'on pourra ainsi réduire la consommation des moteurs thermiques de 33% environ, par rapport à la moyenne des voitures en circulation en 2008. On peut aller chercher un 25% supplémentaire en réduisant le poids des voitures de 30%, conjointement avec une aérodynamique améliorée et des pneus à faible résistance au roulement. Enfin, on peut encore réduire de 25% la consommation d'énergie des véhicules hybrides en utilisant un groupe de traction électrique à quatre moteurs-roues, au lieu d'un moteur électrique central. Les moteurs-roues permettent, en effet, de récupérer 85% de l'énergie cinétique du véhicule lors du freinage électromagnétique. Par comparaison, un moteur électrique central n'est connecté qu'à deux roues, et derrière un différentiel par surcroît. Un tel moteur peut difficilement récupérer plus de 20 à 25% de l'énergie au freinage. Par ailleurs, un véhicule avec quatre moteurs-roues n'a pas de transmission ni de différentiel, ce qui diminue encore les pertes d'énergie. Ajoutons à cela qu'un véhicule à moteurs-roues est nécessairement plus léger et qu'on peut lui donner une forme plus aérodynamique, puisqu'il n'y a pas de moteur sous le capot et qu'on peut fermer le dessous du véhicule, deux facteurs qui diminuent la consommation. Il suffit de placer le petit moteur-générateur thermique sous le coffre arrière.

Ajoutons que les moteurs-roues, comme ceux mis au point par Pierre Couture et son équipe à Hydro-Québec, et présentés au public en 1994, sont beaucoup plus puissants qu'un moteur électrique central, en plus d'être les moins énergivores! James Bond et Al Gore pourraient faire du covoiturage sans problème dans une voiture à moteurs-roues.

En combinant toutes ces technologies, on arrive à une consommation de carburant 4 fois moindre, lorsque la batterie a été vidée de sa charge et a atteint son niveau de maintien. En résumé, nos voitures hybrides avancées branchables de demain (2025) parcourront 80% de leur kilométrage à l'électricité et elles consommeront, dans une année, 20 fois moins de carburant (sous forme de biocarburants) que la moyenne des voitures traditionnelles de 2008.

Pour l'ensemble d'un parc de véhicules routiers, c'est en moyenne 70 % du kilométrage qui sera parcouru à l'électricité. Ce parc de demain nécessitera l'utilisation de biocarburants à la hauteur de 7,5 % des carburants pétroliers utilisés en 2008, en supposant que le nombre de véhicules soit sensiblement le même.

Depuis 2007, plusieurs compagnies d'automobiles ont annoncé la commercialisation de voitures hybrides branchables à l'horizon 2010. GM a présenté sa Chevy Volt qui devrait pouvoir rouler sans pétrole, à l'électricité, pendant 64 km (40 milles), avant que son moteur-générateur flexifuel démarre pour recharger la batterie. Toyota a annoncé une version branchable de sa célèbre Prius, pour 2010, mais on ne sait pas encore quelle sera son autonomie en mode électrique. Fisker Automotive, un nouveau joueur dans le monde de l'automobile, va également commercialiser une voiture sport hybride branchable en 2010, capable de parcourir 80 km en mode tout électrique. BYD, le fabricant d'automobiles chinois, a déjà dévoilé les voitures hybrides branchables que la compagnie compte mettre en marché en Chine en 2010. Volvo a présenté une voiture concept hybride branchable à quatre moteurs-roues en 2007, avec une autonomie tout électrique de 100 km. Volkswagen a mis à l'essai en 2008 une petite flotte de Golf hybrides branchables, et Ford a fait de même avec son véhicule utilitaire sport hybride Escape que la compagnie a transformé en hybride branchable pouvant franchir une distance de 50 km en mode tout électrique.

Malgré le fait que la majorité des voitures vont être hybrides branchables, il y a quand même un marché pour les voitures électriques pures, en particulier comme deuxième voiture familiale pour aller travailler ou étudier, et faire les emplettes. Les voitures d'entreprises, qui ne parcourent pas plus de 150 km par jour constituent un autre marché potentiel. Encore là, plusieurs fabricants ont annoncé des modèles commerciaux de voitures électriques, devant être commercialisés à l'horizon 2010 également. La Think City du nouveau constructeur norvégien est déjà disponible, en 2008, avec une autonomie de 180 km. Phoenix Motorcars, un autre nouveau fabricant, commercialisera à la fin 2008 son véhicule utilitaire sport tout électrique offrant une autonomie de 160 km et rechargeable en 10 minutes grâce à un chargeur industriel de 500 ampères. Aptera Motors, un troisième nouveau joueur, a conçu un petit véhicule électrique très futuriste à trois roues et deux passagers qui parcourra les routes californiennes en 2009, avec une autonomie de 200 km et une consommation électrique quatre fois plus faible que celle d'une voiture électrique intermédiaire typique. Mitsubishi va commercialiser sa iMiev électrique en 2010, avec une autonomie de 160 km, et Subaru sa R1e avec 80 km d'autonomie la même année. En Chine, BYD mettra sur le marché, en 2009, sa F3e électrique, avec une autonomie de 225 km environ et la possibilité de recharger sa batterie à 70 % de sa capacité en dix minutes. Tous ces véhicules sont capables d'atteindre 130 km/h et plus, sauf la Think City qui est limitée à 100 km/h. Par ailleurs, Zenn Motor a mis sur le marché en 2007 une petite voiture électrique de voisinage avec une vitesse maximale de 40 km/h et une autonomie de 50 km à 80 km.

Renault-Nissan est dans une classe à part car c'est probablement la compagnie qui s'est engagée le plus fermement à commercialiser un grand nombre de voitures électriques à compter de 2011. Elle a signé une entente avec Project Better Place et le gouvernement d'Israël pour fournir 100 000 voitures électriques par année à ce pays, où elle ouvrira une usine en 2011.

En ce qui concerne le transport des marchandises, de plus en plus d'entreprises s'intéressent aux camions et aux camionnettes électriques. L'entreprise de courrier rapide TNT, en Angleterre, en est un bel exemple. Elle a acheté 150 camions électriques Newton de 7,5 tonnes en 2007 et 2008, du fabricant anglais Smith Electric Vehicles. Ces camions ont une autonomie de 160 km et peuvent rouler à 80 km/h, ce qui est amplement suffisant pour effectuer des livraisons dans un contexte urbain. TNT a calculé qu'elle économise ainsi 40 % des coûts liés à la possession d'un camion (incluant l'achat et l'utilisation sur la durée de vie du camion), dû au prix élevé des carburants (2 $ le litre en Angleterre) et des taxes de circulation à Londres (3 500 $/an) qu'elle n'a pas à débourser !

Pour les véhicules plus lourds, comme les camions semi-remorque, on peut envisager, à terme, qu'ils puissent faire 30 % de leur kilométrage en mode électrique sur la route. De plus, en embarquant les remorques sur des trains électriques (ferroutage), on pourrait faire en sorte qu'environ 40 % des kilomètres parcourus par la marchandise dans ces remorques se fasse à l'électricité.

Les transports en commun vont également bénéficier de l'électrification des véhicules. Déjà les métros le font ainsi que les tramways électriques qui reviennent de plus en plus dans nos villes congestionnées et polluées. Mais l'arrivée des batteries Li-ion performantes à recharge très rapide va permettre de biberonner des autobus à l'électricité pendant 1 minute environ à tous les quatre à cinq kilomètres, à l'aide de stations automatisées de recharge rapide de leur batterie. On n'aura donc pas besoin d'équiper les autobus électriques de grosses batteries, ce qui diminuera leur coût d'achat et évitera d'épuiser les ressources planétaires inutilement. En faisant circuler des autobus électriques biberonnés articulés (plus longs) dans des voies dédiées, on s'approche de la capacité de transit des tramways à un coût bien inférieur, tout en jouissant d'une plus grande flexibilité sur les parcours, qui n'ont plus besoin de suivre les rails.

Pour ce qui est des transports en commun interurbains, les moteurs-roues puissants pourront propulser des monorails suspendus à 250 km/h, entre les voies des autoroutes. Les roues de ces monorails étant équipées de pneus en caoutchouc, pourront gravir les pentes de ces autoroutes et enjamber les viaducs. Le coût de tels monorails sera passablement moins cher que celui des trains électriques à grande vitesse, particulièrement dans les pays nordiques qui demandent de mettre en place des assises profondes pour les voies ferrées afin d'éviter les aléas du gel et du dégel. Pour les monorails, les structures seront construites en usine à l'aide d'équipements robotisés, et le travail du sol sera limité à une assise de quelques mètres carrés tous les 60 mètres environ. Par ailleurs, utiliser les espaces entre les chaussées des autoroutes, évite l'expropriation de terrains pour la construction des voies. Tout ça devrait réduire d'un facteur 3 environ, et peut-être davantage, le coût d'un monorail à grande vitesse par rapport à celui d'un train à grande vitesse. Ces moyens de transport interurbains à grande vitesse vont prendre la relève des avions pour les trajets continentaux inférieurs à environ 1 200 km.

Comme on peut le constater, la mobilité électrique est déjà en route. C'est devenu une question de sécurité nationale, car le déclin pétrolier est à nos portes et l'approvisionnement en pétrole va coûter de plus en plus cher aux États qui ne voudront pas emboîter le pas rapidement, mettant alors leur économie en péril.

Toutefois, même si la plupart des fabricants ont annoncé des modèles de véhicules électriques ou hybrides branchables, la question cruciale demeure à quelle vitesse ils vont les introduire sur le marché? Car n'oublions pas qu'il se fabrique à la grandeur de la planète plus de 70 millions de véhicules routiers neufs chaque année, en 2008, et ce ne sont pas quelques centaines de milliers de véhicules électriques qui vont solutionner les problèmes liés au pétrole. Nous avons vu que des pertes de chiffre d'affaires sont en vue pour les gros fabricants d'automobiles, en raison de la plus grande durabilité et la moindre complexité des groupes de traction électrique. Il va falloir que nos gouvernements soient vigilants et imposent cette transition inévitable par toutes sortes de mesures incitatives. Mais, si certains fabricants veulent trop traîner de la patte, les nouveaux joueurs vont se faire un plaisir de prendre de plus en plus de parts de marché, en particulier les compagnies chinoises.

De façon réaliste, on ne peut s'attendre à ce que les voitures à motorisation électrique sortent en grand nombre des usines avant 2020. Or si le déclin de la production pétrolière mondiale s'enclenche dans les prochaines années, les prix des carburants vont s'emballer et il va falloir faire quelque chose. À cet égard, déjà de plus en plus d'entreprises commercialisent des voitures électriques à partir de voitures traditionnelles dont on enlève les composants inutiles, comme le moteur à combustion, le système d'échappement des gaz et le système de refroidissement du moteur, ainsi que le réservoir de carburant. Ce genre d'entreprise et leurs clients devraient également pouvoir profiter de mesures incitatives pour faciliter leur implantation.

C'est bien beau la mobilité électrique, mais qu'est-ce que cela signifie pour les besoins supplémentaires en électricité d'un pays, et comment se comparent les émissions des centrales électriques *versus* celles des véhicules traditionnels. Ne change-t-on pas quatre 25 cents pour un dollar? Voilà les questions qu'il nous reste à répondre.

Nos calculs démontrent que si 70 % du kilométrage des véhicules routiers, en moyenne, sont parcourus à l'électricité, alors, on aura besoin à terme (avec les technologies disponibles en 2020-2025) de 6 % de plus d'électricité au Québec, 8 % de plus au Canada, 12 % de plus en France, 19 % de plus aux États-Unis et 29 %

de plus en Californie. Mais n'oublions pas que cette transition va s'effectuer sur 25 ans environ, et qu'on ne tient pas compte des changements d'habitudes, comme l'utilisation de véhicules plus adaptés à nos besoins réels (plus petits), l'utilisation accrue des transports en commun, le covoiturage, le vélo, les motos électriques et la marche. Les gens vont également chercher à se rapprocher de leur travail, faire des semaines de 4 jours et du télétravail. Par conséquent, les pourcentages que nous venons de présenter seront plus faibles en réalité.

De leur côté, les émissions de gaz à effet de serre des véhicules en mode électrique (via les centrales) seraient 61 fois moindres au Québec (électricité produite à 95 % à partir de centrales hydroélectriques), 27 fois moindres en France (électricité produite à 88 % à partir de centrales nucléaires), 6 fois moindres au Canada (beaucoup de centrales hydroélectriques et des centrales nucléaires) et 2 fois moindres aux États-Unis, où 50 % de l'électricité est produite avec des centrales au charbon et 20 % avec du gaz naturel.

Les émissions polluantes ne seraient plus élevées que dans les endroits où se trouvent de fortes concentrations de centrales au charbon, en particulier à cause des particules fines de matières. On peut toujours filtrer davantage les cheminées de ces centrales, mais la véritable solution consiste à implanter plus d'énergie renouvelable dans ces endroits en particulier, et partout ailleurs. Déjà l'installation de panneaux solaires sur le toit des maisons et des édifices permet d'alimenter en électricité une voiture électrique à moindre coût plutôt que d'acheter des carburants pétroliers pour une voiture à essence!

En plus des voitures électriques et hybrides, nous nous devons de mentionner les voitures à air comprimé. Ces dernières utilisent un moteur mécanique à pistons actionnés par de l'air sous pression qu'on a comprimé dans des réservoirs, à l'aide d'un compresseur électrique. Nous avons démontré que ces voitures consomment en fait trois fois plus d'électricité. En conséquence, il faudra limiter leur kilométrage à l'air comprimé à 25 ou 30 km. Les voitures à air comprimé pourront toutefois parcourir plus de kilomètres en utilisant du biocarburant qu'elles ne consommeront qu'en petite quantité étant donné leur légèreté (500 à 800 kg).

En terminant, il ne faudrait pas oublier que l'implantation de la mobilité sans pétrole revigorerera les économies locales en évitant d'envoyer des milliards de dollars à l'étranger pour l'achat de pétrole. C'est aussi une très bonne façon d'éviter les conflits armés pour le contrôle du pétrole.

Nous pourrons rouler sans pétrole d'ici 2035. Il n'en tient qu'à nous!

CHAPITRE 3

Les piles à combustible et l'hydrogène

3.1 – Mise en situation

Une pile à combustible à hydrogène est un type de pile électrique qui fonctionne aussi longtemps qu'on l'alimente avec deux gaz, l'hydrogène et l'oxygène. L'oxygène est dans l'air ; l'hydrogène doit être extrait des hydrocarbures (charbon, gaz naturel, pétrole) ou de l'eau, car on ne le trouve pas à l'état naturel sur la Terre.

Les développements récents des véhicules à pile à combustible (PAC) démontrent bien que la technologie peut fonctionner et ne pas polluer au lieu d'utilisation, puisque tout ce qui sort des PAC, c'est de la vapeur d'eau. En utilisant des énergies renouvelables pour produire l'hydrogène par électrolyse de l'eau, on peut même faire en sorte de ne pas polluer ni émettre de gaz à effet de serre. De plus, il est possible de faire le plein d'hydrogène en 10 minutes, contrairement aux grosses batteries qui, avant 2007, prenaient des heures pour être rechargées.

À la lueur de ces faits, les voitures à PAC semblent donc, *a priori*, apporter une solution idéale au développement durable des transports routiers. Cette vision des transports du futur est à l'origine de ce qu'on a appelé l'« économie hydrogène[1] », dont les promoteurs font souvent miroiter un avenir idyllique où le pétrole est remplacé par l'hydrogène. Il est bien normal que beaucoup de gens aient été séduits par ces apparences et aient investi dans ces technologies. Malheureusement, les choses ne sont pas si simples[2].

---

1. J. Rifkin, *L'économie hydrogène*, Éditions La Découverte, Paris, 2002. S. Boucher, *La révolution de l'hydrogène*, vers une énergie propre et performante?, Éditions du Félin, Paris, 2006.
2. J. Romm, *The Hype about Hydrogen, Fact and Fiction in the Race to Save the Climate*, IslandPress, Washington, 2005.

Rouler sans pétrole

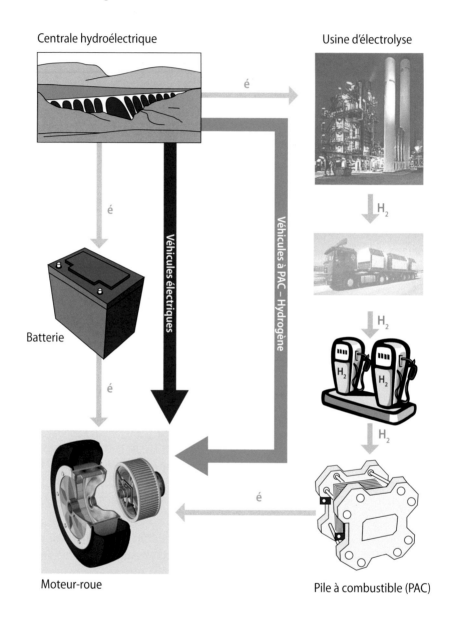

Centrale hydroélectrique

Usine d'électrolyse

Batterie

Véhicules électriques

Véhicules à PAC – Hydrogène

Moteur-roue

Pile à combustible (PAC)

Figure 3.1 – Comparaison entre la chaîne de transformation et de distribution de l'énergie pour les véhicules à PAC, à droite, et la chaîne pour les véhicules électriques, à gauche. L'énergie se retrouve sous forme d'électricité (é) ou d'hydrogène (H_2), aux différentes étapes (le 2 dans H_2 est utilisé en chimie pour préciser que les atomes d'hydrogène se regroupent toujours par deux, pour former une molécule d'hydrogène). La chaîne de gauche pour les véhicules électriques à batterie consomme trois fois moins d'électricité que la chaîne de droite pour les véhicules à PAC!

Comme nous le découvrirons dans ce chapitre, les véhicules à pile à combustible ne constituent pas une solution viable ni durable pour les transports routiers, à court et à moyen terme et, possiblement, à long terme non plus. Or, le temps presse, car la décroissance dans la production mondiale du pétrole est imminente, comme nous l'avons vu au chapitre 1, et le réchauffement climatique commande qu'on agisse rapidement.

Plusieurs personnalités importantes du monde politique et du monde de l'automobile ont d'ailleurs mis les pendules à l'heure en 2007, pour réorienter le développement sur les véhicules électriques et hybrides branchables. Le développement spectaculaire des batteries dans les dernières années a bien sûr contribué à ce changement de priorité. La raison en est simple: il est beaucoup plus efficace d'utiliser directement l'électricité du réseau en l'emmagasinant dans une batterie à bord d'un véhicule que de transformer l'électricité en hydrogène, de distribuer l'hydrogène (un gaz) et de retransformer l'hydrogène en électricité dans le véhicule (**figure 3.1**). Sans compter, qu'il faudrait implanter un réseau de distribution de l'hydrogène, ce qui coûterait des centaines de milliards de dollars.

De plus, avec les voitures électriques, il est possible de faire le plein chez soi, grâce à des panneaux solaires installés sur le toit de la maison ou même d'installer des cellules solaires sur le toit du véhicule comme tel (**figure 3.2**). On peut également faire le plein d'hydrogène à la maison avec une unité domestique d'électrolyse alimentée par des panneaux solaires. Toutefois, ça prend substantiellement plus de panneaux solaires pour fabriquer l'hydrogène et le comprimer dans un réservoir sous pression que pour recharger une batterie donnant la même autonomie à un véhicule!

L'autre alternative, produire de l'hydrogène avec du gaz naturel, émet une importante quantité de CO_2 et l'hydrogène revient beaucoup plus cher que l'électricité. D'autres obstacles importants restent à surmonter quant à l'utilisation des piles à combustible dans les transports routiers, comme nous le verrons dans ce chapitre.

Figure 3.2 – La compagnie Solar Electric Vehicle installe des toits solaires sur les véhicules hybrides, ce qui permet à une voiture comme la Prius de parcourir 8 km par jour environ avec l'électricité produite par le soleil. Il ne serait pas pratique ni efficace d'essayer de produire de l'hydrogène solaire embarqué.

3.2   Les premiers travaux sur les piles à combustible

En 1839, l'électrochimiste anglais William Grove fait une découverte surprenante alors qu'il travaille à la mise au point d'une nouvelle pile électrique. Pour vérifier l'efficacité de sa nouvelle pile, il l'utilise pour décomposer de l'eau en oxygène et en hydrogène par le procédé d'électrolyse, tout en mesurant le courant électrique avec un galvanomètre. Après l'expérience, il débranche sa pile électrique et connecte l'appareil d'électrolyse au galvanomètre. Quelle ne fut pas sa surprise de constater que l'instrument indiquait la présence d'un courant électrique persistant, alors que le volume des gaz (hydrogène et oxygène) qui s'étaient accumulés dans deux éprouvettes en verre, diminuait progressivement (voir la **figure 3.3**)! Grove en déduit que les deux gaz s'étaient recombinés en produisant de l'électricité, un phénomène inverse à celui de l'électrolyse!

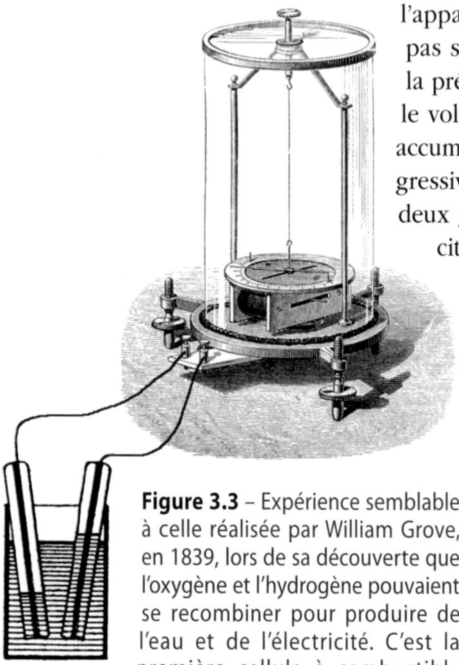

Mais le procédé était peu efficace et les électrodes en platine requises pour produire le phénomène étaient beaucoup trop chères pour penser à une application commerciale de ces «piles à gaz».

En 1889, Ludwig Mond et Charles Langer réussissent à obtenir 1,5 watt avec une pile à gaz améliorée et ils introduisent le terme «pile à combustible» (PAC). Mais le platine coûte toujours trop cher pour qu'ils puissent envisager une commercialisation.

Figure 3.3 – Expérience semblable à celle réalisée par William Grove, en 1839, lors de sa découverte que l'oxygène et l'hydrogène pouvaient se recombiner pour produire de l'eau et de l'électricité. C'est la première cellule à combustible connue. Lorsqu'elles sont regroupées à plusieurs, ces piles forment une pile à combustible. Au début, on les appelait des piles à gaz.

Lorsque les vols spatiaux habités ont commencé, dans les années 1960, il fallait une source d'électricité de plus longue durée que les piles traditionnelles. La pile à combustible est apparue comme la solution idéale, puisqu'elle pouvait produire de l'électricité aussi longtemps qu'on l'alimentait en oxygène et en hydrogène. En liquéfiant l'oxygène et l'hydrogène et en les maintenant à très basse température dans des réservoirs spéciaux, ceux-ci pouvaient contenir, pour un même volume et un même poids, beaucoup plus d'énergie que des batteries. De plus, le problème du coût du platine devenait secondaire, en comparaison avec les autres coûts du programme.

La première PAC à être utilisée dans l'espace fut celle mise au point par la compagnie General Electric (GE) pour les vols Gemini. Chacune des deux piles embarquées fournissait 1000 watts de puissance électrique, était contenue dans un cylindre de 60 cm de long par 30 cm de diamètre et pesait 32 kg[3]. De plus, les astronautes pouvaient «récolter» un demi-litre d'eau pour chaque kilowattheure d'électricité consommée, ce qui rendait la pile à combustible encore plus attrayante.

---

3. T. Koppel, *Powering the Future, The Ballard Fuel Cell and the Race to Change the World*, John Wiley & Sons, Toronto, 1999.

3.3 – Développement accéléré des PAC depuis 1987

En 1983, Ballard Research, une petite compagnie canadienne installée au nord de Vancouver et travaillant sur le développement de piles au lithium, reçoit un contrat de la Défense canadienne pour développer une pile à combustible.

Le Dr Geoffrey Ballard, un scientifique désormais célèbre, dirige la compagnie avec une culture d'entreprise souple et stimulante. L'atmosphère y est donc très propice à la créativité et les recherches effectuées vont avoir un impact planétaire qu'on ne soupçonne pas encore.

Déjà, en 1987, l'équipe avait obtenu des performances supérieures à la pile Gemini développée par GE. Dans les dix années qui suivent, Ballard Research devenu Ballard Power Systems (www.ballard.com), allait être le siège d'une véritable percée technologique. De 1987 à 1997, la puissance électrique de sa PAC pour une même grosseur est augmentée d'un facteur 50[4], tout en réduisant considérablement la quantité de platine requise, ce qui ramène le coût à un niveau moins exorbitant (voir la **figure 3.4**).

Cette percée technologique de premier plan a ouvert la voie à des voitures électriques non polluantes au lieu d'utilisation (les résidus de la pile à combustible sont de la vapeur d'eau), comme le sont les véhicules électriques à batterie. L'avantage des voitures à PAC par rapport aux voitures électriques à batteries est qu'on peut faire le plein d'hydrogène en 10 minutes, alors qu'on a besoin normalement de plusieurs heures pour recharger des batteries. Toutefois, nous avons vu dans le chapitre précédent que, depuis 2007, il est désormais possible de recharger des grosses batteries en 10 minutes, pour une autonomie de 200 km environ.

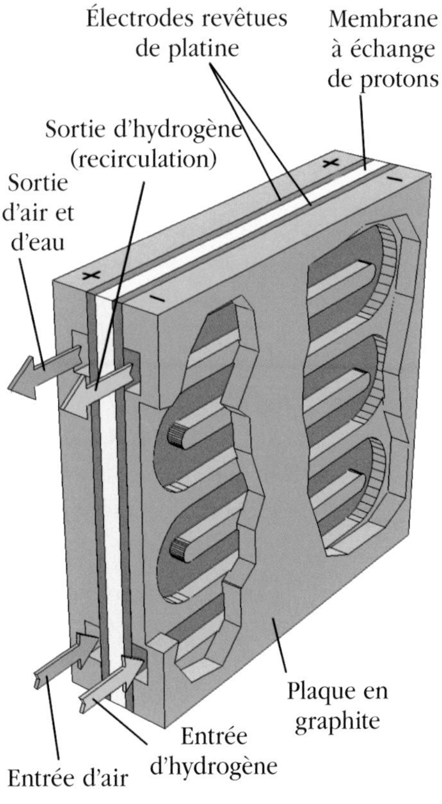

Dès 1993, l'équipe du Dr Ballard met au point le premier autobus électrique alimenté par une PAC fonctionnant à l'hydrogène et à l'air. La compagnie Ballard Power Systems n'a pas cessé depuis d'améliorer ses PAC et on les retrouve aujourd'hui dans beaucoup de véhicules dont, entre autres, les 33 autobus Citaro de Mercedes-Benz mis en circulation en 2003 (voir le site www.mercedes-benz.com).

Figure 3.4 – Schéma d'une cellule à combustible moderne. Plusieurs cellules semblables empilées forment une pile à combustible.

Électrodes revêtues de platine

Membrane à échange de protons

Sortie d'hydrogène (recirculation)

Sortie d'air et d'eau

Plaque en graphite

Entrée d'hydrogène

Entrée d'air

---

4. T. Koppel, *op. cit.*

À l'heure actuelle, la plupart des fabricants d'automobiles ont développé des voitures prototypes utilisant des piles à combustible. La Honda FCX, représente bien l'évolution de cette technologie dans les dernières années et semble la voiture à PAC la plus avancée à ce jour (voir le site http://world.honda.com/fcx/). La FCX 2008 introduite en 2007 est munie d'une pile à combustible Honda de 100 kW maximum. Un moteur électrique à aimants permanents de 95 kW lui permet d'accélérer de 0 à 100 km/h en 9 secondes et d'atteindre une vitesse maximale de 160 km/h. Son réservoir de 171 litres contient 5 kg d'hydrogène, à 350 fois la pression atmosphérique, et permet à la FCX de parcourir 570 km, selon Honda. Une telle autonomie a été rendue possible grâce également à une batterie Li-ion, qui augmente l'efficacité du groupe de traction en le rendant hybride et en évitant de trop solliciter la PAC à sa puissance maximale. Les ingénieurs de Honda ont également réussi à faire fonctionner leurs piles à combustible à basse température, soit jusqu'à -30°C.

C'est tout un exploit. Il semble que Honda ait surmonté deux problèmes techniques majeurs rencontrés avec les piles à combustible : l'impossibilité de démarrer à basse température et l'autonomie normalement limitée à 300 km environ. Des essais sur route à effectuer pendant plusieurs années devront toutefois confirmer dans des conditions réelles les performances affichées pour la FCX qui sera disponible en petites quantités d'ici la fin de 2008.

Par ailleurs, selon une revue récente de l'évolution des PAC à hydrogène pour les véhicules[5], **la durée de vie moyenne de ces PAC était d'environ 2 000 heures en 2006, ce qui, à raison d'une heure de conduite par jour, en moyenne, exigerait de les changer tous les 6 ans.** La durabilité des PAC demeure donc un point faible et il faudra voir comment la FCX se comporte à cet égard.

Selon l'évaluation faite en 2006 pour des systèmes à PAC de 80 kW (107 HP) produits en grande série (>500 000 unités par année)[6], le coût moyen de ces systèmes était, en 2006, d'environ 9 000 $, soit approximativement trois fois plus cher qu'un moteur à combustion interne de puissance équivalente. **Le Département de l'énergie des États-Unis prévoit que les coûts d'un véhicule à PAC pourraient être compétitifs avec ceux des véhicules traditionnels aux environs de 2015, s'ils sont produits en grande série.**

3.4 – Le problème du platine

Pour que les véhicules à PAC deviennent compétitifs, il y a un obstacle important qu'il sera difficile de surmonter. En effet, **la fabrication d'une voiture à PAC de 80 kW nécessite, en 2008, environ 75 grammes de platine, un métal précieux dont l'achat représente 80 % du coût d'une PAC[7] qui serait produite en grande**

---

5. N. Garland, *Fuel Cell Subprogram Overview*, 2007 DOE Hydrogen Program Merit Review and Peer Evaluation Meeting, 15 mai 2007. Voir www.hydrogen.energy.gov/annual_review07_plenary.html.
6. *Ibid.*
7. T. Koppel, *op. cit.*

série. Or, le prix de ce métal précieux ne cesse de monter, passant de 500 \$ l'once troy en 2001 à 2000 \$ l'once troy en juin 2008[8]. Il en coûte donc 4800 \$ de platine par voiture à PAC (75 grammes = 2,4 onces troy).

De plus, les ressources mondiales des métaux du groupe platine sont de l'ordre de 100 000 tonnes métriques[9]. La proportion de platine dans ce groupe variant de 40 % à 60 %, on peut estimer les ressources mondiales en platine approximativement à 50 000 tonnes. Par ailleurs, le parc mondial de véhicules routiers devrait dépasser le milliard en 2030. En supposant qu'on puisse fabriquer éventuellement des PAC avec seulement 25 grammes de platine par voiture, s'il fonctionnait avec une PAC, le milliard de véhicules du parc mondial de 2030, monopoliserait 25 000 tonnes de platine, soit 50 % de la ressource !

Il faut également considérer la production annuelle mondiale de ce métal précieux, qui était de 223 tonnes métriques en 2006[10]. En se donnant 20 ans pour changer le parc d'un milliard de véhicules, il faudrait produire 1250 tonnes de platine annuellement seulement pour les PAC et additionner environ 250 tonnes pour les autres utilisations, ce qui nous obligerait à produire 1500 tonnes de platine par année (plus de six fois la production annuelle de 2006) pendant 20 années consécutives.

Il y a donc de fortes chances pour que cette pression très importante sur le marché du platine fasse grimper son prix en flèche, ce qui rendrait les voitures à PAC non compétitives. Cette possibilité est d'autant plus plausible que le marché du platine relève d'un quasi-monopole. En effet, 88 % des réserves mondiales de platine sont concentrées dans un seul pays, l'Afrique du Sud[11]. Par ailleurs, cette situation rend également l'approvisionnement en platine très fragile et tributaire de conflits ou de perturbations qui pourraient survenir dans ce pays.

3.5 – L'hydrogène émet autant sinon plus de CO_2

Dans la mesure où les véhicules électriques à PAC n'émettent aucune pollution là où ils sont utilisés et qu'on peut faire le plein d'hydrogène rapidement, les PAC semblent, *a priori*, offrir l'alternative idéale aux moteurs à combustion interne actuels. Toutefois, comme plusieurs experts l'ont exposé, les choses ne sont pas si simples[12].

En effet, même si l'hydrogène est l'élément chimique le plus abondant dans l'univers (principal constituant des étoiles et des gaz interstellaires), il n'existe pas à l'état naturel sur la Terre. Il faut l'extraire des hydrocarbures (charbon, gaz naturel et pétrole) par reformage ou l'extraire de l'eau par électrolyse. Or, l'extraction de

---

8. Pour les prix du platine, voir le site Platinum Today, de Johnson Matthey : www.platinum.matthey.com/prices/price_charts.html.
9. U.S. Geological Survey, *Mineral Commodity Summaries 2007*. Voir http://minerals.usgs.gov/minerals/pubs/mcs/.
10. U.S. Geological Survey, *op. cit.*
11. *Ibid.*
12. Ulf Bossel, Baldur Eliasson et Gordon Taylor, *The Future of the Hydrogen Economy: Bright or Bleak?*, rapport du European Fuel Cell Forum, 2003 et mis à jour en 2005 : www.efcf.com/e/reports ; Ulf Bossel, «Does a Hydrogen Economy Make Sense?», *Proceedings of the IEEE*, vol. 94, n° 10, octobre 2006, p. 1826 à 1837 ; J.J. Romm et Andrew A. Frank, «Hybrid Vehicles Gain Traction», *Scientific American*, avril 2006, p. 72 à 79.

l'hydrogène produit une émission importante de gaz à effet de serre qui peut même dépasser celle des moteurs à combustion interne, selon la méthode d'extraction utilisée. De plus, les méthodes de stockage et de transport de l'hydrogène entraînent des pertes importantes.

En 2008, environ 96% de l'hydrogène est fabriqué à partir de carburants fossiles, principalement de gaz naturel et de pétrole, car l'hydrogène produit par électrolyse est plus cher. La méthode la plus utilisée est le reformage à la vapeur, lequel produit une quantité importante de CO_2. En se basant sur cette méthode de fabrication de l'hydrogène, nous avons évalué l'émission de CO_2 «du puits aux roues» pour une voiture à PAC-hydrogène, et l'avons comparée à huit autres voitures sur la **figure 3.5**. Les neuf voitures sont:

1. la Roadster de Tesla Motors (électrique 2007, 11 kWh/100 km),
2. la EV1 de GM (électrique, 1997, 11 kWh/100 km),
3. une berline électrique (16 kWh/100 km, voir le chap. 2),
4. la Honda FCX (PAC-hydrogène, 2007, 114 km/kg H_2),
5. la Prius de Toyota (essence, 2007, 4,1 litres/100 km),
6. la Peugeot 308 hybride HDi (diesel, 2007, 3,4 litres/100 km),
7. la Honda Civic GX (gaz naturel, 2007, 7,2 litres éq. ess./100 km),
8. la Jetta TDI de Volkswagen (diesel, 2006, 5,9 litres/100 km),
9. la Chevrolet Impala de GM (essence, 2007, 9,9 litres/100 km).

Pour les émissions du puits au réservoir, nous nous sommes servis d'une étude publiée en 2007 par le Centre de recherche conjoint (Joint Research Centre) de la Commission européenne[13]. Dans cette étude, on considère que la production d'hydrogène utilise du gaz naturel transporté sur 4000 km par gazoduc. On postule également que le gaz naturel utilisé directement dans le moteur thermique d'une voiture comme la Honda Civic GX a été transporté sur 4000 km par gazoduc. Par ailleurs, pour les voitures électriques, on tient pour acquis que l'électricité a été produite par une centrale au gaz naturel à cycle combiné, dont le gaz naturel est toujours acheminé par gazoduc sur 4000 km. Pour revenir à l'hydrogène, l'étude de la Commission Européenne considère qu'il a été produit dans une usine de reformage et transporté par camion sous forme comprimée (C) ou liquéfiée (L). En ce qui concerne l'électricité, des pertes moyennes sur les lignes de transmission électriques sont incluses. Pour les émissions du réservoir aux roues, nous avons utilisé les consommations mixtes de carburant (ville et grandes routes) affichées par les fabricants et, pour une berline électrique, la consommation typique. Les consommations des fabricants représentent des situations idéales. En réalité, il faudrait probablement compter de 10% à 20% de plus d'émissions de CO_2. **Nous avons considéré que les carburants pétroliers étaient brûlés complètement, ce qui**

---

13. Joint Research Centre – European Commission, *Well-to-Wheels analysis of future automotive fuels and powertrains in the European context, WELL-TO-TANK Report*, étude publiée en mars 2007, version 2c. Voir http://ies.jrc.ec.europa.eu.

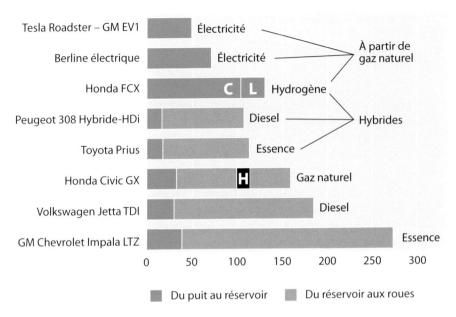

Figure 3.5 – Émissions de CO$_2$ du puits aux roues (g CO$_2$/km). L'évaluation des émissions de CO$_2$ du puits aux roues d'un véhicule implique de tenir compte du CO$_2$ émis du puits au réservoir du véhicule, pour produire les différents carburants : essence, diesel, gaz naturel, hydrogène et électricité. Pour les émissions du réservoir aux roues, nous avons considéré que les carburants fossiles étaient complètement brûlés. Les lettres C et L correspondent à l'état de l'hydrogène lorsqu'il est transporté aux stations-service (C= comprimé, L= liquéfié). La lettre H identifie la zone d'émission de CO$_2$ pour la Honda Civic GX si elle était hybride électrique-gaz naturel, sans être rechargeable sur le réseau, comme les autres hybrides de la figure.

libère 2,36 kg de CO$_2$ par litre pour l'essence, 2,64 kg de CO$_2$ par litre pour le carburant diesel, et 1,77 kg de CO$_2$ par litre équivalent essence pour le gaz naturel. (Un litre équivalent essence de gaz naturel contient la même énergie chimique qu'un litre d'essence, c'est-à-dire 32,1 MJ.)

La figure 3.5 fait ressortir de façon évidente le net avantage des voitures électriques, car la Honda FCX à PAC émet 50 % plus de CO$_2$ qu'une berline électrique typique ! Bien que ce ne soit pas idéal, il serait préférable de construire des centrales électriques au gaz naturel plutôt que des usines de reformage du gaz naturel pour produire de l'hydrogène. Par ailleurs, les voitures hybrides (non rechargeables) sont sensiblement sur le même pied que la voiture à PAC la plus évoluée. C'est également le résultat obtenu par des chercheurs du MIT travaillant au Laboratory for Energy and the Environment. Dans une étude publiée en 2003[14], on peut lire :

---

14. M.A. Weiss *et al.*, *Comparative Assessment of Fuel Cell Cars*, rapport du Laboratory for Energy and Environment (LFEE) du MIT, février 2003. Téléchargement : site du LFEE à http://lfee.mit.edu/metadot/index.pl.

On a life cycle basis, both energy consumption and GHG releases are similar for two hybrid vehicles: diesel ICE and Hydrogen FC.

Sur la base du cycle de vie, la consommation d'énergie et les émissions de gaz à effet de serre sont similaires pour deux véhicules hybrides: avec moteur diesel et avec pile à combustible à l'hydrogène. (traduction libre de l'auteur)

L'hybridation des voitures signifie que leur motorisation est au moins en partie électrique, qu'elles peuvent récupérer une partie de l'énergie de freinage pour recharger leur batterie, qu'elles ne consomment pas de carburant à l'arrêt et démarrent à l'électricité, et que de l'électricité emmagasinée dans la batterie permet de fournir une partie de l'énergie lors des accélérations.

Il est particulièrement éclairant de constater qu'une version hybride (H) de la Honda Civic GX au gaz naturel n'émettrait pas plus de CO_2 que la Honda FCX à PAC-hydrogène, qui est déjà une hybride à hydrogène. **Par conséquent, prendre du gaz naturel pour produire de l'hydrogène à utiliser dans une PAC n'offre aucun avantage par rapport à l'utilisation directe du gaz naturel dans un moteur thermique.** La plus grande efficacité de la pile à combustible par rapport à un moteur thermique est annulée par les pertes d'énergie à la production de l'hydrogène et à sa distribution dans les stations-service. Pour une même quantité d'énergie, on a besoin de trois fois moins de camions pour transporter du gaz naturel comprimé que de l'hydrogène comprimé. Par ailleurs, avec la même contenance de réservoir, une automobile pourra aller plus loin si son réservoir contient du gaz naturel comprimé alimentant une voiture hybride thermique-électrique que s'il contient de l'hydrogène comprimé alimentant une voiture à PAC.

Dans une perspective de développement durable, il faut cesser d'utiliser des carburants fossiles. On peut produire de l'hydrogène sans utiliser de carburants fossiles comme matière première. Il suffit de faire passer un courant électrique dans de l'eau, un procédé qu'on appelle électrolyse. Toutefois, il faut savoir que le parc de centrales électriques des États-Unis était composé, en 2005, à 71 % de centrales thermiques[15] brûlant du charbon, du pétrole ou du gaz naturel, pour produire de l'électricité. **Pour avoir de l'hydrogène propre, il faudrait électrolyser l'eau en utilisant des énergies renouvelables, comme l'énergie éolienne, hydro-électrique, solaire, géothermique ou marémotrice.** On pourrait ainsi produire de l'hydrogène et faire le plein d'une voiture à PAC sans émettre de gaz à effet de serre ni de pollution. Mais, il est bon de remarquer qu'on peut aussi recharger les batteries d'une voiture électrique avec des énergies renouvelables.

---

15. Voir le site de Energy Information Administration (EIA) du gouvernement étatsunien: www.eia.doe. gov/fuelelectric.html.

3.6 – Les voitures à PAC consomment trois fois plus d'électricité que les voitures électriques à batteries

La question à poser maintenant est : quel pourcentage de l'électricité utilisée pour produire l'hydrogène se rendra au moteur d'une voiture à PAC ? La réponse à cette question est : environ 26 %, comme nous le verrons plus loin.

Voyons d'abord ce qu'il en est pour une voiture électrique à batterie (hybride ou non). Nous avons vu dans le chapitre précédent qu'en branchant une voiture électrique sur le réseau pour recharger ses batteries, environ 85 % de l'énergie électrique sortant de la prise arrive au moteur pour faire avancer le véhicule. En tenant compte des pertes d'électricité dans sa distribution à partir des centrales (environ 10 %), l'efficacité d'utilisation de l'électricité diminue à 76,5 % approximativement.

Une voiture à PAC consomme donc en gros trois fois plus d'électricité qu'une voiture électrique à batterie pour faire la même chose (figure 3.6)! Il faudrait par conséquent installer trois fois plus d'éoliennes, de panneaux solaires ou de barrages hydroélectriques pour obtenir le même résultat. **De plus, l'hydrogène coûterait au moins cinq fois plus cher à produire et à distribuer que l'électricité.**

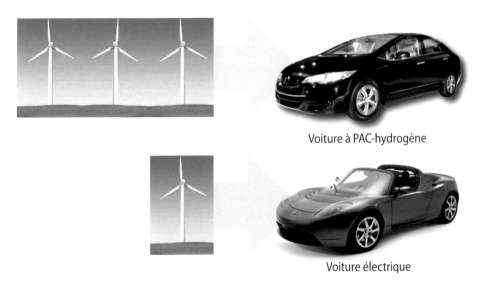

Voiture à PAC-hydrogène

Voiture électrique

Figure 3.6 – En tenant compte de toutes les pertes pour produire l'hydrogène par électrolyse à l'aide d'énergie renouvelable, le transporter et le retransformer en électricité dans une voiture à PAC, celle-ci consomme trois fois plus d'électricité que n'en consomme une voiture électrique à batterie ou une voiture hybride branchable. La voiture électrique est une Roadster de Tesla Motors et la voiture à PAC est une Honda FCX. (Source voiture à PAC : Wikimedia Commons, http://commons.wikimedia.org, auteur : Bbqjunkie, novembre 2007. Source voiture électrique : http://www.teslamotors.com/)

Le développement durable passe nécessairement par l'efficacité énergétique, et force est de constater que les voitures à PAC fonctionnant uniquement à l'hydrogène ne constituent pas du développement durable puisqu'elles entraînent un gaspillage d'énergie, de ressources et d'argent.

Vous allez dire : mais voyons, c'est impossible ! Pourquoi alors les gouvernements, l'industrie automobile et les compagnies pétrolières ont-ils investi des milliards de dollars pour développer ces technologies et nous faire miroiter un avenir idyllique ? Ils doivent savoir ce qu'ils font, non ?

L'auteur doit avouer qu'il se pose sérieusement la question. C'est tout de même remarquable que le programme Freedom Car aux États-Unis pour faire la promotion des véhicules à PAC ait vu le jour en 2002 avec un budget de 1,2 milliard de dollars, juste après qu'on ait tué l'automobile électrique EV1 de GM !

Pourquoi les pétrolières veulent-elles tellement faire la promotion de l'hydrogène, qui va coûter au bas mot cinq fois plus cher que l'électricité, s'il est produit par électrolyse avec de l'énergie renouvelable ? Pourquoi ne pas faire la promotion de l'électricité tout simplement ? **Avec une voiture électrique, on peut, par exemple, recharger ses batteries grâce à des panneaux solaires installés sur le toit de notre maison et s'affranchir du pétrole !** Pensez-vous que les compagnies pétrolières envisagent avec enthousiasme un tel scénario ? Par contre, l'hydrogène est aujourd'hui produit à 96 % à partir des carburants fossiles qui sont TRÈS rentables pour elles. Si vous étiez président d'une grande pétrolière et que votre mandat était d'augmenter la rentabilité de votre entreprise, choisiriez-vous de promouvoir l'hydrogène ou l'électricité ?

N'oublions pas aussi que **la mise en place d'une infrastructure de distribution de l'hydrogène coûterait des centaines de milliards de dollars, alors que le réseau de distribution de l'électricité est déjà en place, ainsi que celui des carburants liquides qui peut servir aux biocarburants.**

En ce qui a trait à l'efficacité énergétique des voitures à PAC, il faut également aborder le sujet des futures centrales nucléaires. En effet, les promoteurs de la technologie des PAC font valoir qu'avec les centrales nucléaires de quatrième génération fonctionnant à haute température (~900 °C), on pourra produire de l'hydrogène avec la chaleur normalement perdue dans le processus, sans émission de gaz à effet de serre[16]. À première vue, on peut penser qu'effectivement, on disposerait alors d'hydrogène « gratuit » énergétiquement parlant et qu'en faisant fonctionner des voitures à PAC avec cet hydrogène, on éviterait de « gaspiller » l'électricité pour recharger les batteries des véhicules électriques.

À y regarder de plus près, on constate que si on peut produire de l'hydrogène sur le site d'une centrale nucléaire, on peut tout aussi bien produire de l'électricité avec cet hydrogène, à l'emplacement même de la centrale, et la distribuer sur le

---

16. Voir le site du Département de l'Énergie des États-Unis (DOE) concernant le programme Nuclear Hydrogen Initiative, à l'adresse : http://nuclear.energy.gov/NHI/neNHI.html.

réseau électrique. En rechargeant les batteries de voitures électriques (hybrides ou non) avec cette électricité, on peut faire parcourir à ces voitures plus de kilomètres qu'à des voitures à PAC qui auraient fait le plein avec l'hydrogène produit à la centrale nucléaire! (Voir plus loin la section Production d'hydrogène par les centrales nucléaires.)

3.7 – Une situation délicate

Qu'on retourne le problème d'un côté comme de l'autre, on arrive toujours au même résultat: les voitures à PAC fonctionnant uniquement à l'hydrogène sont beaucoup trop énergivores en comparaison des voitures électriques à batterie ou des voitures hybrides branchables.

La situation est délicate, comme nous l'expose Ulf Bossel sous la plume de Lisa Zyga qui relate une entrevue avec ce spécialiste mondial des piles à combustible dans un article rendu public sur le site PHYSORG.com, le 11 décembre 2006. Cette journaliste rapporte les propos de Bossel qui lui parle de l'étude intitulée *Does a Hydrogen Economy Make Sense?*[17] qu'il venait alors de publier dans la revue de l'Institute of Electrical and Electronics Engineers. Voici une citation de Ulf Bossel tirée de l'article de Lisa Zyga:

> *There is a lot of money in the field now. I think that it was a mistake to start with a 'Presidential Initiative' rather with a thorough analysis like this one. Huge sums of money were committed too soon, and now even good scientists prostitute themselves to obtain research money for their students or laboratories—otherwise, they risk being fired.*

Une déclaration que l'auteur de ce livre traduit librement par:

> *Il y a beaucoup d'argent impliqué dans ce domaine à présent. Je pense que c'était une erreur de démarrer avec une 'Initiative présidentielle' au lieu d'une analyse rigoureuse comme celle-ci. D'énormes sommes d'argent ont été allouées trop tôt et maintenant même de bons scientifiques se prostituent pour obtenir de l'argent afin que leurs étudiants et leurs laboratoires puissent faire de la recherche – sinon, ils risquent d'être congédiés.*

La situation décrite par Bossel, est d'autant plus délicate que plusieurs instituts et laboratoires de recherche dédiés à l'hydrogène ont vu le jour depuis le milieu des années 1990. Puisque le public paie, par ses impôts, une bonne partie de la recherche faite au sein de ces institutions, ces dernières se doivent de réajuster le tir rapidement.

Une partie de la recherche sur l'hydrogène pourrait être réorientée vers l'ajout d'hydrogène dans les biocarburants et le dopage à l'hydrogène des moteurs thermiques (voir le chapitre 4). Ces deux technologies offrent la possibilité de réduire de beaucoup les émissions polluantes et les émissions de CO2 des moteurs.

---

17. Ulf Bossel, *op. cit.*

Le dopage[18] à l'hydrogène offre, de plus, la possibilité de diminuer de façon significative la consommation de carburant des moteurs thermiques, en particulier ceux qui utilisent de l'essence. Ces perfectionnements sont donc très importants pour les véhicules électriques hybrides, même s'ils ne font pas beaucoup de kilométrage en mode carburant.

Une application réduite des PAC pour les véhicules hybrides demeure toutefois possible, comme nous le verrons plus loin. **Si on restreint l'utilisation des PAC à la fonction de prolongateur d'autonomie, pour 20 % du kilométrage d'un véhicule, les PAC pourraient compétitionner avec les moteurs thermiques fonctionnant aux biocarburants. Mais les PAC conserveraient alors le double handicap de nécessiter la mise en place d'un nouveau réseau de distribution pour l'hydrogène et la manipulation d'un gaz explosif de façon sécuritaire.**

Par ailleurs, compte tenu des nouvelles batteries à recharge très rapide, avec une durée de vie allant jusqu'à 15 ans, nous verrons que les PAC n'ont pas d'avenir dans les transports en commun urbains.

3.8 – Pourquoi les voitures à PAC sont-elles si énergivores ?

Pour évaluer correctement la technologie des PAC, il faut prendre en considération les dépenses d'énergie communément appelées du puits à la roue d'un véhicule. Cette analyse permet d'intégrer les dépenses d'énergie reliées à la production de l'hydrogène, à son stockage, à son transport jusqu'aux stations-service, à son transfert dans les réservoirs des stations et des véhicules et enfin à son utilisation dans les PAC des véhicules.

Une telle étude a été faite, de façon détaillée, par Ulf Bossel, Baldur Eliasson et Gordon Taylor en 2003. Leur rapport a été mis à jour en 2005. Le titre de ce rapport est *The Future of the Hydrogen Economy: Bright or Bleak?* (*L'avenir de l'économie hydrogène : brillant ou terne ?*). On peut le télécharger gratuitement sur le site du *European Fuel Cell Forum EFCF*, à l'adresse www.efcf.com/e/reports.

Comme nous nous y référerons souvent, nous appellerons cette étude le rapport EFCF dans ce qui suit. Ulf Bossel est un des auteurs de ce rapport. Dans l'article *Does a Hydrogen Economy Make Sense?* (*Est-ce que l'économie hydrogène est possible ?*)[19] qu'il a publié en 2007, il fait les mêmes constats que dans le rapport EFCF, constats dont nous allons parler dans les prochains paragraphes.

Commençons par la production de l'hydrogène. La méthode la plus utilisée présentement est le reformage à la vapeur du gaz naturel. Ce dernier est constitué en très grande partie de méthane, un gaz dont les molécules comportent quatre atomes d'hydrogène pour un atome de carbone. Si on tient compte de toutes les pertes, dont nous allons parler plus loin, reliées au stockage de l'hydrogène, à son transport et au remplissage des réservoirs, le procédé de reformage du gaz naturel n'offre pas

---

18. Par dopage, nous entendons l'ajout de substances pour améliorer la performance.
19. Ulf Bossel, *op. cit.*

d'avantage au niveau des gaz à effet de serre, car on émet autant sinon plus de CO_2 qu'avec des véhicules traditionnels[20], comme nous l'avons vu sur la figure 3.5.

La seule façon rentable connue de produire de l'hydrogène à grande échelle sans émettre de CO_2 est de faire passer un courant électrique dans l'eau, afin d'en séparer l'hydrogène et l'oxygène qui la composent, en utilisant de l'électricité renouvelable. Ce procédé, appelé électrolyse, est efficace à environ 75% lorsqu'on dispose de courant continu. Si on part d'un courant alternatif en provenance d'une centrale (pas trop loin), il faut ajouter environ 5% de perte pour la transmission par les lignes électriques et la transformation du courant alternatif en courant continu. On obtient donc, en tout, approximativement 30% de pertes à cette étape.

Ensuite, pour transporter l'hydrogène, qui est gazeux à température et pression ambiantes, il faut le comprimer ou le liquéfier. Bossel et ses coauteurs démontrent dans le rapport EFCF qu'il est plus efficace de transporter l'hydrogène dans des cylindres sous pression que de le liquéfier. La liquéfaction de l'hydrogène consomme trop d'énergie, car il faut le refroidir à -253 °C. On doit ensuite laisser s'évaporer une certaine quantité par jour pour maintenir la température suffisamment basse dans les réservoirs et éviter que la pression ne monte trop.

Maintenant, toujours selon le rapport EFCF, pour comprimer l'hydrogène à une pression de 200 atmosphères dans les réservoirs des camions qui le transportent, il faut dépenser environ 8% de l'énergie de l'hydrogène. **De plus, il faut utiliser approximativement 15 camions d'hydrogène pour livrer aux stations-service l'équivalent d'un camion d'essence.** Ce faisant, les automobilistes pourront parcourir le même nombre de kilomètres avec l'hydrogène des 15 camions qu'avec l'essence d'un seul camion de livraison. L'énergie dépensée sous forme de carburant par les camions de livraison s'élève à 13 % de l'énergie contenue dans l'hydrogène transporté, pour une distance moyenne entre l'usine d'électrolyse et la station-service de 200 km.

Ulf Bossel et ses coauteurs continuent leur analyse au niveau de la station-service. Il faut y transférer l'hydrogène des camions dans de gros réservoirs qui, pour des raisons de sécurité, doivent maintenir l'hydrogène à une pression moins élevée (environ 100 fois la pression atmosphérique) que celle des réservoirs des automobiles (généralement 350 fois la pression atmosphérique). Il faut donc encore une fois comprimer l'hydrogène pour faire le plein des véhicules. Ce faisant, on consomme environ 8% de l'énergie contenue dans l'hydrogène stocké à la station-service.

Si on tient compte des pertes accumulées dans le processus de distribution, on réalise qu'environ 26% de l'énergie contenue dans l'hydrogène produit à l'usine a été perdu entre l'usine et les réservoirs des véhicules. Force est

20. J.J. Romm et Andrew A. Frank, *op. cit.*, et M. Eberhard et M. Tarpenning, *The 21st Century Electric Car*, article en ligne sur le site de Tesla Motors inc., mis à jour le 17 avril 2007. Aller à : www.teslamotors. com/learn_more/white_papers.php. M. A. Weiss et al., Comparative Assessment of Fuel Cell Cars, rapport du Laboratory for Energy and Environment (LFEE) du MIT, février 2003. Téléchargement: site du LFEE à http://lfee.mit.edu/metadot/index.pl.

donc de constater que seulement 52% de l'énergie électrique utilisée pour produire l'hydrogène à l'usine, se retrouve sous forme d'hydrogène dans les réservoirs des véhicules (0,70 × 0,74 = 0,52)!

On pourrait penser qu'en produisant l'hydrogène à la station-service le bilan énergétique serait meilleur, mais ce ne serait pas le cas, car l'efficacité des systèmes d'électrolyse est moins élevée pour les petits systèmes que pour les gros. Et il faudrait toujours comprimer l'hydrogène pour faire le plein des véhicules.

Par ailleurs, pour une station-service sur l'autoroute qui nécessiterait normalement un camion d'essence par jour pour remplir ses réservoirs, les auteurs du rapport EFCF rappellent qu'une quinzaine de camions d'hydrogène devront venir l'approvisionner et que le transfert de tout cet hydrogène dans les réservoirs de la station-service sera beaucoup plus long que pour un seul camion d'essence, surtout qu'un gaz comme l'hydrogène se transfère plus lentement qu'un liquide. Ce petit détail pourrait bien devenir un souci majeur pour la logistique de distribution de l'hydrogène. Sans compter que l'augmentation considérable des camions d'hydrogène sur la route ferait monter le taux d'accidents à risque majeur.

Revenons à notre chaîne de dégradation de l'énergie de l'hydrogène. **Le dernier maillon en est la pile à combustible (PAC) des véhicules qui transforme en électricité approximativement 50% de l'énergie contenue dans l'hydrogène pour alimenter les moteurs électriques des véhicules.**

En faisant le bilan depuis le début, on réalise avec étonnement que seulement 26% de l'énergie électrique utilisée pour produire l'hydrogène arrive aux moteurs qui font avancer les véhicules à PAC.

Pour les véhicules électriques à batterie ou hybrides rechargeables, les pertes sont de beaucoup inférieures. De la centrale électrique à la prise pour recharger les batteries, ces pertes sont évaluées à environ 10%. De la prise électrique aux moteurs du véhicule en passant par la charge et la décharge de la batterie (nouvelle batterie de puissance avec contrôle électronique), l'efficacité énergétique finale dépasse les 85%. **L'efficacité électrique globale des véhicules électriques ou hybrides rechargeables est donc de 76,5% (0,9 × 0,85 = 0,765), au lieu de 26% pour les véhicules à PAC! On utilise donc trois fois moins d'électricité avec les voitures électriques!**

3.9 – Production d'hydrogène par les futures centrales nucléaires

Dans les centrales nucléaires actuelles, les deux tiers environ de l'énergie contenue dans l'uranium qui les alimente sont perdus sous forme de chaleur dans l'eau des rivières utilisée pour le refroidissement et qui s'évapore en partie. Donc, seulement un tiers de l'énergie dégagée par l'uranium produit de l'électricité.

Souvent, les promoteurs de l'économie hydrogène affirment que les futures centrales nucléaires de quatrième génération pourront fabriquer de l'hydrogène grâce à cette chaleur normalement perdue, rendant l'hydrogène

«gratuit» énergétiquement parlant, la haute température d'opération (~900 °C) de ces futures centrales rendant possible la séparation de l'hydrogène à partir de l'eau par voie thermochimique.

Encore une fois, si on y regarde d'un peu plus près, on découvre que cet argument n'en est pas un, au contraire. Tout d'abord, selon le Département de l'énergie (DOE) des États-Unis, les premières centrales nucléaires de quatrième génération à l'échelle commerciale ne seront pas prêtes avant 2020[21]. Or, il faudra au moins 20 ans de plus avant qu'elles soient suffisamment nombreuses pour avoir une incidence significative dans la réduction des gaz à effet de serre en raison de l'hydrogène qu'elles vont produire pour les véhicules routiers. **Ça nous reporte donc vers 2040 et il sera trop tard de toutes façons!** La très grande majorité des spécialistes s'entendent pour dire que nous avons jusqu'en 2020 pour amorcer des réductions importantes dans nos émissions de gaz à effet de serre, si nous voulons éviter que le réchauffement climatique s'emballe.

Les centrales nucléaires de 4e génération produiront de l'hydrogène, mais il sera plus avantageux et efficace de convertir cet hydrogène en électricité et de s'en servir pour recharger les batteries de véhicules électriques.

Une nouvelle technologie, les piles à combustible au carbonate fondu couplées à une turbine à vapeur pour obtenir un système à cycle combiné, permet en effet de produire de l'électricité avec une efficacité de 65%. Le premier prototype de la compagnie Fuel Cell Energy a démontré 56% d'efficacité. De plus grosses unités pourraient atteindre une efficacité de 70%[22]. L'électricité produite pourrait ensuite être distribuée sur le réseau, avec une perte de l'ordre de 10%.

Par contre, pour distribuer l'hydrogène à des stations-service, il faudrait le comprimer, le stocker, le transporter et le transvider à la station, ce qui entraînerait des pertes de l'ordre de 26% (voir la section précédente).

Par ailleurs, dans une automobile électrique les pertes dues à la recharge et décharge des batteries sont au plus de 15%, avec les dernières technologies, alors qu'il faudrait ajouter 50% de pertes pour une automobile à pile à combustible (PAC). Dans ce scénario, l'énergie électrique qui arriverait aux moteurs d'un véhicule électrique à batterie correspond à 50% de l'énergie de l'hydrogène produit à la centrale nucléaire ($0,65 \times 0,9 \times 0,85 = 0,50$). Par contre, les véhicules à PAC ne pourraient utiliser que 37% de l'énergie de l'hydrogène produit à la centrale nucléaire ($0,74 \times 0,5 = 0,37$).

On voit donc que même en produisant de l'hydrogène avec la chaleur perdue par les futures centrales électriques nucléaires, on pourrait faire parcourir 35% plus de kilomètres à des véhicules électriques qu'à des véhicules à PAC!

---

21. Voir le site du Département de l'énergie des États-Unis (DOE), concernant le programme Nuclear Hydrogen Initiative, à l'adresse: http://nuclear.energy.gov/NHI/neNHI.html.
22. Voir la page suivante du site de Fuel Cell Energy http://www.fce.com/technical-thrust-areas.php et télécharger le document Hybrid Power System.

De toute façon, compte tenu des multiples problèmes liés aux centrales nucléaires, dont les déchets nucléaires, les dangers d'accidents graves et la prolifération des armes nucléaires, il serait irresponsable de multiplier de telles centrales sur la planète. Mieux vaut travailler d'abord au niveau de l'efficacité et de la sobriété énergétique, et développer les énergies renouvelables accompagnées de stockage d'énergie.

En fait, l'argument de la production d'hydrogène par les centrales nucléaires ressemble plutôt à un argument mis de l'avant par le lobby de l'industrie nucléaire pour accroître sa pénétration du marché énergétique.

3.10 – L'hydrogène ou les biocarburants ?

Une utilisation potentiellement acceptable des PAC dans les transports routiers pourrait être comme prolongateur d'autonomie dans un véhicule électrique hybride. Ce dernier parcourrait idéalement 80 % de ses kilomètres grâce à la recharge de sa batterie sur le réseau électrique. Pour atteindre ce pourcentage, la batterie doit permettre, aux États-Unis, une autonomie allant jusqu'à 120 km[23], selon les utilisateurs. Les PAC seraient alors environ trois fois plus petites et entreraient en compétition avec des groupes électrogènes à combustion interne pour recharger les batteries pendant le trajet, lors de parcours supérieurs à 120 km. La PAC et son réservoir d'hydrogène permettraient de parcourir 500 km de plus.

Le problème de durabilité des PAC serait d'emblée résolu puisqu'elles seraient cinq fois moins utilisées pendant la durée de vie d'un véhicule. De plus, le problème de prix du platine serait amoindri du fait qu'on en aurait besoin de trois fois moins environ.

Avec les améliorations qu'on anticipe de ce côté (voir le chapitre 2), les moteurs à combustion interne devraient atteindre une efficacité semblable à celle des PAC, soit 50 %. N'oublions pas que ces moteurs améliorés (actionnant les groupes électrogènes) ne seraient utilisés que pour 20 % des kilomètres et qu'ils ne brûleraient que 5 % du carburant consommé par nos automobiles d'aujourd'hui (voir le chapitre précédent). **Si, de plus, ces moteurs-générateurs utilisaient des biocarburants de deuxième génération (voir le chapitre 4), leur impact sur les gaz à effet de serre serait 100 fois plus faible que celui des voitures traditionnelles d'aujourd'hui.**

Par contre, l'hydrogène présente toujours l'inconvénient d'être un gaz occupant un grand volume par rapport à un carburant liquide, même comprimé 350 fois, comme c'est le cas présentement. Compte tenu de la grosseur des batteries requises pour faire parcourir 80 % des trajets à un véhicule, il est indispensable de réduire considérablement la grosseur du réservoir d'hydrogène. Avant d'envisager sérieusement l'utilisation des PAC comme prolongateur d'autonomie, il faudrait pouvoir réduire le volume du réservoir d'hydrogène à 30 litres environ, pour une autonomie de 500 km sur la PAC.

---

23. R. Graham, Comparing the Benefits and Impacts of Hybrid Electric Vehicle Options, rapport 1000349 de l'Electric Power Research Institute (EPRI): Palo Alto, Californie, juillet 2001.

Notons que le réservoir d'hydrogène de la Honda FCX 2008 dont nous avons parlé au début de ce chapitre a un volume de 171 litres et stocke 5 kg d'hydrogène, pour une autonomie de 570 km. On parle donc d'une réduction d'un facteur 5.

La pression dans les réservoirs est déjà suffisamment élevée ; il ne faudrait pas l'augmenter davantage pour des questions de sécurité. À l'heure actuelle, beaucoup de recherche s'effectue pour stocker l'hydrogène dans des « matériaux éponges », comme les hydrures métalliques, ce qui permet de réduire le volume du réservoir en augmentant son poids. La compagnie Ovonic Hydrogen Systems (www.ovonic-hydrogen.com) a développé un hydrure métallique capable de stocker la même quantité d'hydrogène (5 kg) que la Honda FCX dans un réservoir de 92 litres au lieu de 171 litres. En diminuant la prolongation d'autonomie à 400 km au lieu de 570 km, on pourrait réduire le réservoir à 65 litres. Finalement, en poussant à son maximum la réduction de poids du véhicule grâce à des matériaux composites en fibres de carbone et à des alliages métalliques légers, il serait pensable de diminuer la grosseur du réservoir à 50 litres, ce qui permettrait à la pile à combustible de remplir la fonction de prolongateur d'autonomie.

Par contre, s'il faut faire le plein d'hydrogène, le réseau de distribution reste à construire entièrement et cela constitue un obstacle majeur quand on pense aux centaines de milliards de dollars requis.

Sans compter que l'hydrogène, l'atome le plus petit de l'univers, est un gaz explosif qui fuit facilement et provoque la fragilisation des matériaux par infiltration. Ayant travaillé de nombres années dans un institut de recherche où on utilise de l'hydrogène, l'auteur est conscient de toutes les précautions que nécessite la manipulation de ce gaz explosif. Il s'agit définitivement d'un handicap majeur à son utilisation généralisée.

3.11 La production d'hydrogène à bord des véhicules

Une avenue toutefois permettrait de résoudre le problème du réseau de distribution de l'hydrogène et l'aspect sécurité. Il s'agirait de produire l'hydrogène à bord des véhicules, à la demande. Mais, comme nous allons le voir ci-après, pour le moment, les technologies qui permettraient de le faire ne sont pas encore au point ou n'offrent pas réellement d'avantages par rapport aux moteurs à combustion, surtout si ces derniers sont alimentés avec des biocarburants de deuxième génération.

Actuellement, quelques compagnies travaillent à mettre au point des systèmes d'extraction de l'hydrogène par des réactions chimiques avec de l'eau. La compagnie Ecotality (www.ecotality.com) a développé un procédé qui produit de l'hydrogène avec du magnésium et de l'eau. La compagnie Millennium Cell (www.millenniumcell.com) utilise pour sa part un composé de bore de sodium et d'hydrogène, mais elle se concentre sur des applications portables à faible puissance.

Ces compagnies prétendent qu'on peut recycler les matières premières pour les réutiliser et que leur procédé est inoffensif pour l'environnement. En fait, très peu de détails sont disponibles. Entre autres, la quantité de magnésium requise pour faire le plein, l'énergie qu'on doit consommer pour le recyclage des matières premières et le nombre de fois qu'on peut les réutiliser. Par ailleurs, il faudra s'assurer que l'hydrogène produit est suffisamment pur et sec. Trop de vapeur d'eau dans l'hydrogène réduit l'efficacité des PAC, et certains contaminants pourraient même abréger leur durée de vie.

Pour produire de l'hydrogène à bord des véhicules, il y a également la filière du reformage des carburants liquides. La compagnie Nuvera (www.nuvera.com) œuvre dans ce sens, en développant une microraffinerie embarquée, appelée STAR (Substrate Transportation Autothermal Reformer) et capable d'extraire l'hydrogène à partir des carburants liquides commerciaux existants (pétroliers ou renouvelables). Elle a conclu des partenariats avec Renault et Fiat et vise à intégrer la technologie STAR dans un véhicule démonstrateur en 2010.

Puisque les carburants utilisés contiennent du carbone, cette microraffinerie émet du CO_2, le fameux gaz à effet de serre qu'on essaie de réduire. L'objectif de Nuvera est que leur voiture démonstratrice puisse n'émettre que 80 grammes de CO_2 par kilomètre, en 2010. Or, la Prius de Toyota émet à peine 104 g CO_2/km depuis 2004, sans même qu'elle soit branchée sur le réseau électrique, et la Peugeot 308 Hybride-HDi, un prototype qui pourrait être commercialisé en 2010, n'affiche que 90 g CO_2/km (figure 3.7).

Figure 3.7 – La Peugeot 308 Hybride-HDi est un prototype qui devrait être commercialisé vers 2010. Cette voiture hybride diesel-électrique n'émet que 90 g CO_2/km, et consomme 3,4 litres/100 km. Ce sera vraisemblablement la première voiture hybride européenne produite en série.

Par ailleurs, l'efficacité des moteurs à combustion interne peut encore être améliorée de 50% environ dans les années qui viennent (voir le chapitre 2). Si, de plus, on utilise un moteur à combustion comme source de pouvoir d'un groupe électrogène et qu'on le fait tourner à régime constant (hybride série), sa consommation sera réduite de façon significative. Il est donc tout à fait réaliste de penser que les véhicules hybrides non rechargeables vont émettre à peine 70 g CO_2/km d'ici peu.

Le reformage des carburants liquides à bord des véhicules pour produire l'hydrogène et alimenter une PAC ne semble donc pas une solution viable technologiquement ni économiquement. Les moteurs à combustion interne peuvent faire aussi bien ou mieux, de façon plus fiable et à moindre coût.

3.12 – Pas de piles à combustible dans les transports en commun urbains

En matière de transports en commun urbains, le réseau de distribution du carburant pour les véhicules n'a pas besoin d'être très étendu, puisque les autobus sont circonscrits à un périmètre limité et reviennent faire le plein à leur garage tous les jours. L'obstacle du réseau de distribution de l'hydrogène étant pratiquement éliminé, on pourrait penser que les PAC puissent trouver un marché de niche dans les transports en commun urbains.

C'est sûrement ce que les promoteurs des piles à combustible (PAC) ont fait valoir auprès des divers gouvernements pour faire financer les multiples projets d'autobus à PAC un peu partout sur la planète. En 2007, on a même annoncé que le gouvernement fédéral canadien conjointement avec le gouvernement de la Colombie-Britannique vont financer, à la hauteur de 45 millions de dollars, la construction de 20 autobus à PAC et quelques stations pour faire le plein d'hydrogène. À ce montant s'ajouteront 34 millions de dollars pour opérer les autobus pendant cinq ans (340 000 $/an par autobus). Dix millions de dollars ont été injectés dans la phase initiale du projet, incluant le cahier des charges et les demandes de soumissions. Un total de 89 millions de dollars sera donc prélevé dans le portefeuille des citoyens pour être investi dans ce projet.

Avec cette annonce, le gouvernement de la Colombie-Britannique a fait miroiter aux payeurs de taxes qu'ils vont contribuer ainsi à instaurer l'«autoroute de l'hydrogène», de Whistler à San Diego, une autoroute chère à Arnold Schwarzenegger, le gouverneur de la Californie.

Mais, si on revient sur Terre, les 20 autobus à PAC qui seront déployés en Colombie-Britannique vont consommer de l'hydrogène produit soit à partir de gaz naturel (reformage), soit à partir de l'eau (électrolyse). Dans le premier cas, ils émettraient autant de gaz à effet de serre que des autobus diesel conventionnels, en tenant compte du reformage et des multiples pertes d'énergie encourues par le stockage et le transport de l'hydrogène[24]. Par ailleurs, si on électrolyse de l'eau en utilisant l'électricité des barrages hydroélectriques de la province, on dépensera au moins trois fois plus d'énergie renouvelable pour produire l'hydrogène qu'on en aurait besoin pour recharger les batteries d'autobus électriques, comme nous l'avons vu plus haut dans ce chapitre.

Cette énergie renouvelable est très précieuse et on ne peut pas se permettre de la dilapider de façon inconsidérée. Car, lorsqu'on l'a dépensée, c'est de l'énergie polluante qui prend la relève.

La véritable solution pour les transports en commun urbains, ce sont les autobus électriques. Afin de réduire la grosseur des batteries requises et d'économiser les matières premières tout en diminuant le coût, il serait préférable de les

---

24. Ulf Bossel, Baldur Eliasson et Gordon Taylor, *op. cit.*; Ulf Bossel, *op. cit.*; M. Eberhard et M. Tarpenning, *op. cit.*

biberonner à l'électricité, comme nous l'avons vu au chapitre 2. Rappelons qu'il suffit pour cela, qu'un autobus ait une batterie à recharge très rapide (comme celles de Altairnano, voir le chapitre précédent) qui lui permette de parcourir 25 km environ. On installe alors des stations de biberonnage à tous les 4 à 5 kilomètres le long des parcours. L'autobus y fait un arrêt d'une minute environ afin de recharger sa batterie suffisamment pour parcourir un autre 4 à 5 kilomètres. **On retrouve alors les mêmes avantages que les trolleybus et plusieurs avantages des tramways sans avoir besoin de rails ni de fils aériens au-dessus du parcours. Des autobus biberonnés offrent donc plus de flexibilité tout en ne polluant pas l'air qu'on respire.**

Dans les paragraphes qui suivent, les coûts en carburant pour différents types d'autobus seront analysés, de même que les coûts d'achat et d'entretien. Le lecteur qui ne s'intéresse pas à cette comptabilité peut aller directement à la figure 3.8 qui compare les coûts des divers carburants. Il s'agit de l'aspect le plus important de cette section.

Un autobus électrique de 12 mètres de longueur (40 pieds) bien conçu devrait consommer environ 160 kWh d'électricité pour un parcours quotidien de 200 km. L'autobus hybride à moteurs-roues de la compagnie e-Traction (www.etraction.com) consomme 65 kWh/100 km lorsqu'il fonctionne en mode électrique pur. À 0,08 $ le kWh (incluant 13 % de taxes de vente), 160 kWh d'électricité représentent une dépense de 12,80 $/jour, soit environ 3325 $/an, en comptant 260 jours d'opération. **En 2008, faire le plein à l'électricité uniquement reviendrait donc 13 fois moins cher que de faire le plein de carburant diesel pour un autobus traditionnel consommant 60 litres de carburant aux 100 km.** Pour plus de précision, mentionnons que le prix du carburant au Canada en mai 2008, était d'environ 1,40 $ le litre, incluant 31 % de taxes, alors que l'électricité est taxée à 13 % dans plusieurs provinces.

Par ailleurs, **les autobus électriques hybrides à moteurs-roues de e-Traction consomment en mode carburant 3,5 fois moins de carburant que les autobus diesel traditionnels (17 litres/100 km au lieu de 60 litres/100 km, voir www. etraction.com). En les équipant de batteries capables de leur faire parcourir 100 km/jour en mode électrique et en les rechargeant tous les soirs, ces autobus consommeraient 7 fois moins de carburant, pour des parcours de 200 km par jour, sans avoir besoin de biberonnage.** Avec 89 millions de dollars, on pourrait acheter et faire fonctionner pendant 5 ans plus de 60 autobus semblables, au lieu de 20 autobus à PAC. Mieux encore, des batteries au titanate de lithium de Altairnano (www.altairnano.com) pourraient être rechargées plus de 15 000 fois après des décharges complètes et durer plus longtemps que la vie utile des autobus !

En supposant un parcours quotidien de 200 kilomètres, ces autobus consommeraient environ 17 litres de carburant par jour et 80 kWh d'électricité. Il en coûterait donc, au Canada en 2008, 23,80 $/jour de carburant et 6,40 $/jour d'électricité (incluant les taxes), pour un total de 30,20 $/jour. En comptant 260 jours d'opération par année, notre autobus hybride à moteurs-roues coûterait donc 7850 $/an en énergie consommée. **Un autobus diesel conventionnel consommerait environ 120 litres de carburant pour le même trajet de 200 km/jour, ce qui coûterait 168 $/jour de carburant (en 2008), ou 43 680 $ par année (pour 260 jours). On économiserait donc 35 830 $ de carburant par année, pour chaque autobus.**

Or, les autobus hybrides à moteurs-roues auraient une batterie d'une capacité de 80 kWh environ (pour une autonomie de 100 km) qui coûterait de l'ordre de 100 000 $, (moins si elles sont produites en grandes séries). Cette batterie serait donc payée en trois ans, alors qu'elle durerait toute la vie de l'autobus, soit environ 15 ans. Si on tient compte de l'augmentation du prix du pétrole pour les 15 prochaines années, les économies annuelles de carburant risquent de s'élever à 50 000 $ en moyenne, ce qui fait 600 000 $ sur 12 ans, alors que le prix des autobus hybrides à moteurs-roues (sans la batterie de 80 kWh) est d'environ 700 000 $. Par ailleurs, ces autobus auraient des coûts d'entretien mécanique considérablement réduits, du fait qu'ils n'auraient ni embrayage, ni transmission ni différentiel (moteurs-roues) et que leurs freins ne s'useraient pas (freins électromagnétiques). De plus, le moteur générateur diesel fonctionnerait moins de la moitié du temps et toujours à son régime optimal (hybride-série). **De tels autobus se payeraient d'eux-mêmes seulement avec les économies d'opération !**

En ce qui concerne les autobus à PAC, il ne faut pas oublier que la durée de vie des PAC est de l'ordre de 2000 heures en 2008[25], ce qui, à raison de huit heures par jour, permet à un autobus de circuler à peine 250 jours. Dans un budget d'opération, il faudrait donc prévoir changer la PAC d'un autobus au moins une fois par année.

Or, selon une étude du Center for Energy Efficiency and Renewable Technologies (CEERT) parue en mai 2007[26], le coût des systèmes de PAC à hydrogène serait de 500 $-600 $ du kilowatt en 2009-2010, pour des quantités de 5000 à 10 000 unités. Par ailleurs, le Département de l'énergie des États-Unis (DOE) évaluait le coût des prototypes de systèmes de PAC à 3000 $/kW en 2004[27]. En 2008, pour une centaine d'unités, le coût d'un système de PAC devrait donc se situer aux environs de 1500 $US le kilowatt. Pour un autobus dont les PAC ont typiquement 250 kW, le système de PAC coûterait 375 000 $. En supposant qu'on ne remplace que la pile proprement dite (stack), qui compte environ pour 50 % du coût du système, **il faudrait quand même débourser quelque 190 000 $ par année pour remettre les PAC en état.**

En ce qui concerne le coût de l'hydrogène, on sait que les 27 autobus Citaro à PAC de Mercedes-Benz, qui ont roulé entre 2003 et 2005 dans 9 villes européennes, ont consommé en moyenne 24 kg d'hydrogène par 100 km[28]. En supposant que la prochaine génération d'autobus n'en consomme que 16 kg/100 km, pour un parcours quotidien de 200 km on aurait besoin alors de 32 kg d'hydrogène par jour.

---

25. N. Garland, *op. cit.*

26. J. Shears, *op. cit.*

27. A. Anderson, *op. cit.*

28. Projet CUTE (Clean Urban Transport for Europe), *Detailed Summary of Achievements, A Hydrogen Fuel Cell Bus Project in Europe 2001-2006*, voir le site de CUTE : www.global-hydrogen-bus-platform. com.

Par ailleurs, une autre étude faite par l'Institute of Transportation Studies de l'University of California Davis[29] révèle que l'hydrogène à la pompe coûtait, en 2005, 7,00 $/kg pour des stations-service équipées de reformeur de gaz naturel, produisant 565 kg d'hydrogène par jour (en tenant compte des coûts pour les infrastructures et d'un nombre de stations-service de 40[30]). Le reformage du gaz naturel offre, selon cette étude, le meilleur prix. Le prix en dollars actualisé pour 2008 (+4,5%), est donc de 7,31 $/kg. Afin de mettre l'hydrogène sur le même pied que le carburant diesel et l'électricité, pour des fins de comparaison, nous devons ajouter 13% de taxes de vente, au Canada. On obtient ainsi, comme prix à la pompe, 8,26 $/kg. **Il en coûterait donc 265 $/jour pour faire le plein d'hydrogène (32 kg) d'un autobus à PAC parcourant 200 km, soit 68 9000 $ par année, pour 260 jours d'opération.**

Si on additionne à ce montant les 190 000 $ par année pour la remise en état de la PAC, notre estimation sommaire se chiffre à 258 900 $/an. À ce montant doit également s'ajouter l'entretien mécanique de l'autobus. Rappelons que **le budget d'opération prévu, pour chacun des 20 autobus à PAC canadiens, est de 340 000 $/an, incluant l'entretien des stations-service.** Cela explique une partie importante du budget et pourquoi il est aussi élevé.

Pour mieux réaliser l'écart entre ce budget d'opération et celui d'un autobus diesel traditionnel, l'auteur s'est informé auprès d'une société de transport québécoise. L'entretien d'un autobus diesel coûte environ 0,90 $/km, ce qui représente approximativement 46 800 $/an pour un autobus qui parcourt 52 000 km, comme nous le considérons dans cette section (260 jours à 200 km par jour). Un tel kilométrage entraîne une dépense en carburant diesel de 43 680 $/an, à 1,40 $/litre. Le budget d'opération annuel d'un autobus diesel serait d'environ 90 480 $/an, en excluant les salaires des conducteurs et les assurances. En réalité, le véritable budget d'opération devrait être inférieur parce que les sociétés de transports urbains sont exemptées de certaines taxes sur le carburant et qu'elles négocient une réduction sur le carburant de l'ordre de 20%. **Le budget d'opération effectif devrait donc avoisiner 81 000 $/an, en moyenne, pour un autobus diesel conventionnel qui parcourt 52 000 km au cours de l'année.**

La figure 3.8 illustre les coûts pour la consommation journalière de «carburant». Ces coûts comportent tous des taxes de ventes totalisant 13%. Le prix du carburant diesel comporte en plus des taxes spéciales qui s'élèvent à 0,26 /litre au Québec, soit environ 18% du prix, en mai 2008. Afin de pouvoir comparer les coûts des différents carburants de façon équitable, nous avons indiqué les coûts avec et sans ces taxes spéciales sur la figure 3.8. Ainsi, on constate que le coût en carburant pour un autobus à PAC-hydrogène est pratiquement le double du coût en carburant pour un autobus diesel, si on exclut les taxes spéciales.

La différence est plus importante pour des autobus hybrides à moteurs-roues semblables à ceux de e-Traction (www.etraction.com) et munis d'une batterie

29. J.X. Weinert, *A Near Term Economic Analysis of Hydrogen Fueling Station*, thèse de maîtrise, Institute of Transportation Studies, University of California, Davis, 2005. Téléchargement à: http://pubs.its. ucdavis.edu/publication_detail.php?id=46.

30. *Ibid.*

pouvant assurer une autonomie de 100 km en mode électrique. Faire le plein (carburant diesel et électricité) de tels autobus coûte environ 10 fois moins cher, en 2008, que pour faire le plein d'hydrogène d'un autobus à PAC, toujours en excluant les taxes spéciales sur les carburants pétroliers. **Finalement, si on compare avec un autobus uniquement électrique, faire le plein d'électricité, en 2008, le rapport est doublé : il en coûte 20 fois moins cher que de faire le plein d'hydrogène d'un autobus à PAC !**

Il n'y a aucun doute, **les autobus de l'avenir NE FONCTIONNERONT PAS À L'HYDROGÈNE. Il faut que les autorités publiques s'ajustent à cette réalité dans**

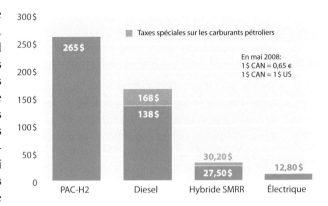

Figure 3.8 – Coût journalier du carburant pour un autobus qui parcourt 200 km/jour, au Canada, en mai 2008 ($). Les coûts incluent 13 % de taxes de vente. Les autobus à PAC consomment 16 kg d'hydrogène (H$_2$) par 100 km, à 8,26 $/kg. Ces coûts sont ceux à la pompe et comprennent les coûts pour l'infrastructure de 40 stations-service. L'autobus Diesel consomme 60 litres de carburant diesel par 100 km, à 1,40 $/litre. L'autobus hybride-série à moteurs-roues rechargeable (SMRR), avec une autonomie électrique de 100 km, consomme 80 kWh d'électricité et 17 litres de carburant diesel pour parcourir le deuxième 100 km. L'autobus électrique à moteurs-roues consomme 80 kWh d'électricité par 100 km, à 0,08 $ CAN/kWh.

leur gestion des fonds publics et réorientent le financement de la recherche vers des solutions plus réalistes : les autobus électriques biberonnés ou non et les autobus hybrides-série rechargeables avec une batterie donnant une autonomie d'environ 100 km en mode électrique. Ces technologies sont déjà fonctionnelles. Tout ce qu'il faut faire, c'est investir pour les amener au niveau commercial. Et, comme nous venons de le constater, le retour sur investissement promet d'être très intéressant, assez rapidement.

3.13 – Dix ans de retard pour les véhicules à piles à combustible, un autre handicap majeur

Quand on considère l'arrivée hypothétique sur le marché de véhicules à PAC à des prix compétitifs, les experts s'entendent sur le fait que ce ne pourrait être avant 2020.

D'ici là, les véhicules électriques et les véhicules électriques hybrides rechargeables se vendront à plusieurs millions d'exemplaires par année. Leur technologie va encore être améliorée et leur prix, diminuer. Comme nous l'avons vu dans le chapitre précédent, Toyota a mis à l'essai, en 2007, une Prius avec une plus grosse batterie qu'on peut recharger, et qui permet de rouler 13 kilomètres en mode électrique. Le président de Toyota a d'ailleurs annoncé une Prius branchable pour 2010. De son côté, GM annonce également pour 2010 l'arrivée de la Chevy Volt, sa future voiture hybride branchable capable de parcourir éventuellement 64 km en mode électrique. Déjà en 2008, plusieurs compagnies offrent d'ajouter aux véhicules hybrides existants, une plus grosse batterie qu'on peut recharger sur le réseau...

Une fois qu'un produit a déjà pris une bonne part du marché et qu'il offre tout ce que les consommateurs recherchent, un nouveau produit qui veut pénétrer le même marché, sans avantages significatifs, a beaucoup de difficulté à le faire. Dans le cas des voitures à PAC, ce serait d'autant plus difficile qu'il faudrait que le consommateur débourse au moins cinq fois plus pour faire le plein d'hydrogène dans une station-service difficile à trouver que pour faire le plein d'électricité chez lui ou dans le stationnement de son employeur.

Cet énorme handicap s'ajoute à tous les autres et démontre une fois de plus le caractère non viable des piles à combustible à l'hydrogène dans les transports routiers, sauf possiblement comme prolongateur d'autonomie pour 20% à 30% des kilomètres parcourus. Même alors, un prolongateur d'autonomie utilisant un groupe électrogène à moteur thermique est aussi bon, plus fiable, moins cher et ne nécessite pas de nouveau réseau de distribution, comme c'est le cas pour l'hydrogène.

3.14 – Vendre du gaz naturel via l'hydrogène

Maintenant que nous avons mieux saisi les handicaps importants des véhicules à PAC-hydrogène, on ne peut faire autrement que de s'interroger sérieusement sur l'insistance de l'industrie pétrolière, de l'industrie automobile et des gouvernements pour le développement de la filière hydrogène-PAC. En fait, les intérêts sont assez évidents.

Dans le premier chapitre, nous avons vu que les réserves actuelles de pétrole ne nous permettraient pas de consommer cet or noir au rythme d'aujourd'hui au-delà de 2050. À court terme, la décroissance imminente de la production planétaire du pétrole, d'ici 2020, tout au plus, est encore plus préoccupante. Par contre, les réserves de gaz naturel sur la planète pourraient nous approvisionner pendant environ 62 ans encore (voir l'épilogue), au rythme actuel de consommation, et le pic de production ne serait pas atteint avant approximativement 2040.

La tentation est donc très grande pour les compagnies pétrolières-gazières de remplacer le pétrole par le gaz naturel, et le meilleur moyen pour atteindre cette fin pourrait être de passer par l'hydrogène. **Surtout qu'avec le prix du pétrole qui ne cesse d'augmenter, le prix de l'hydrogène issu du gaz naturel pourrait atteindre la parité avec celui du pétrole vers 2015.**

Ce n'est certainement pas de cette manière qu'on va régler le problème du réchauffement climatique, car en reformant le gaz naturel pour produire de l'hydrogène, on émet autant de CO_2 que le font des voitures hybrides comme la Prius 2007 (voir la figure 3.5). Par ailleurs, dans ce grand jeu qui se dessine, on a sous-estimé la progression très rapide des véhicules électriques et hybrides branchables, qui eux peuvent réellement ne pas émettre de CO_2, grâce aux énergies renouvelables. Ces véhicules n'ont pas besoin non plus qu'on implante

un nouveau réseau de distribution de l'hydrogène, et l'électricité coûte beaucoup moins cher que l'hydrogène. Par ailleurs, les biocarburants de deuxième génération couplés à des moteurs générateurs à combustion interne permettent aux véhicules électriques hybrides une autonomie équivalente à celle des véhicules traditionnels.

Les parcours de la semaine pour se rendre au travail en voiture et faire les emplettes seront faits en mode électrique, à la hauteur de 80% du kilométrage. Les voyages plus longs et occasionnels utiliseront des biocarburants de deuxième génération, à la hauteur de 5% environ de notre consommation de carburant actuelle, sur une année. La quantité nette de CO_2 émise par une voiture liée à ces biocarburants sera alors inférieure à 1% de celle des voitures traditionnelles d'aujourd'hui.

Au lieu de s'obstiner à mettre au point des véhicules à PAC, les compagnies pétrolières et gazières devraient plutôt chercher à remplacer les centrales au charbon par des mini-centrales à PAC au gaz naturel. La compagnie Fuel Cell Energy (www.fuelcellenergy.com) se spécialise dans les PAC au carbonate, qui ont un reformeur intégré et peuvent produire l'hydrogène, *in situ*, à partir du gaz naturel. Ces mini-centrales sont silencieuses et moins polluantes que les centrales au gaz naturel à turbines parce qu'elles sont plus efficaces pour produire de l'électricité, sans qu'il y ait de combustion du gaz naturel. De plus, elles se prêtent bien à la cogénération, ce qui améliorerait de beaucoup les piètres performances des centrales au charbon.

Il sera toujours plus propre et plus efficace d'utiliser le gaz naturel dans une centrale électrique pour recharger les batteries de véhicules électriques plutôt que de produire de l'hydrogène pour des véhicules à PAC. L'efficacité énergétique doit toujours prévaloir dans les années qui viennent, et non les profits de l'industrie des carburants fossiles.

3.15 – Remise à l'heure des pendules en 2007

Voulant régler d'importants problèmes de pollution urbaine, la Californie a joué un rôle prépondérant, depuis 1990, dans la commercialisation de véhicules à émissions nulles (Zero Emission Vehicles, ZEV). La réglementation sur ces véhicules (ZEV mandate) instaurée en 1990 par le California Air Resource Board (CARB) forçait les fabricants d'automobiles à introduire des véhicules électriques en Californie à partir de 1998. C'est dans ce contexte qu'on a vu différents véhicules électriques, comme le EV-1 de GM et le RAV4-EV de Toyota, apparaître sur les routes de la Californie, respectivement en 1996 et en 1998.

Toutefois, en 2001, afin de faire échouer cette réglementation, **les fabricants d'automobiles intentent une poursuite judiciaire contre la Californie, alléguant que le contrôle de l'économie de carburant était de juridiction fédérale.** Ils ont d'ailleurs été aidés dans cette poursuite par les hommes de loi du gouvernement fédéral (Administration Bush)! La Californie se voit alors contrainte d'abandonner l'obligation imposée aux fabricants d'automobiles de continuer la commercialisation de véhicules électriques à batterie. Les fabricants d'automobiles s'engagent, en échange, à développer à plus long terme la technologie des piles à combustibles à hydrogène et à mettre sur les routes 2500 véhicules à PAC, de 2009 à 2011, et 25 000 de 2011 à 2014[31]. Dans cette foulée, le président Bush annonce, en janvier 2003, un budget de 1,2 milliard de dollars dans un programme mis sur pied en 2002 et appelé Freedom Car pour la recherche et le développement des PAC et de l'hydrogène.

Mais, **le dossier des PAC n'avance pas aussi vite que prévu**, et dans article paru en novembre 2007 dans la revue *Spectrum* de l'IEEE (Institute of Electrical and Electronics Engineers)[32], Peter Fairley signale que les manufacturiers d'automobiles veulent réduire d'un facteur 10 les véhicules à PAC qu'ils s'étaient engagés à livrer d'ici 2014. Par ailleurs, plusieurs experts indépendants remettent au California Air Resources Board (CARB) un rapport sur l'avancement de différentes technologies[33]. Dans ce rapport, les experts mentionnent que si on réussit à surmonter les nombreux obstacles techniques et économiques restants, les véhicules à PAC ne pourraient être commercialisés à grande échelle avant 2025.

Les deux principaux arguments mis de l'avant par les fabricants d'automobiles pour forcer l'arrêt de production des véhicules électriques étaient que les gens n'en voulaient pas et que la technologie des batteries n'était pas prête.

Ceux qui ont vu le film *Who Killed the Electric Car*, de Chris Paine (2006), sont en droit de se poser de sérieuses questions quant à ces deux arguments. En effet, dans ce film, l'ancien directeur du marketing des EV-1, John R. Dabels, et Chelsea Sexton, une employée dans l'équipe de mise en marché de ces voitures électriques, témoignent d'une longue liste d'attente pour la location des EV-1 et du manque de volonté de GM pour les louer. En ce qui concerne les batteries, la compagnie Southern California Edison possède une flotte de 262 véhicules électriques RAV4-EV de Toyota, équipés de batteries NiMH. Certains d'entre eux ont 10 ans et d'autres ont dépassé 200 000 kilomètres sans perte appréciable de capacité de leur batterie et avec seulement un peu de perte de puissance[34]. Ces véhicules sport utilitaires peuvent parcourir 200 km sur une charge. Bien des gens voudraient pouvoir acheter de tels véhicules aujourd'hui, même si aux dires des fabricants d'automobiles la technologie des batteries «n'est pas prête»! Le problème est que Toyota n'en fabrique plus.

Il faut aussi ajouter que **les brevets pour les batteries NiMH ont été achetés en 2001 par la pétrolière Chevron Texaco** qui en contrôle, depuis lors, la commercialisation à l'échelle mondiale, via sa filiale Cobasys. En 2004, au terme d'une poursuite légale contre Toyota, pour avoir contrevenu aux brevets sur les batteries NiMH, une entente confidentielle est survenue hors cour entre Cobasys et Toyota. Depuis ce

---

31. P. Fairley, «California to Rule On Fate of EVs», revue *IEEE Spectrum Online*, novembre 2007. Voir: www.spectrum.ieee.org.

32. *Ibid.*

33. F.R. Kalhammer *et al.*, *Status and Prospects for Zero Emissions Vehicle Technology*, Report of the ARB Independent Expert Panel 2007, Executive Summary Only, 13 avril 2007.

34. J.W. Smith, *Advanced Battery Technologies in EV, PHEV, and Stationary Applications at Southern California Edison*, Conférence Power Up! Electrifying Transportation, organisée par Advanced Vehicle Innovations (AVI : www.plugincenter.com), Wenatchee, Washington, 14-15 mai 2007.

temps, les grosses batteries NiMH qu'utilisait Toyota ont été retirées du marché et Toyota ne commercialise plus que des petites batteries NiMH dans ses Prius.

Qu'est-ce qui a entraîné l'arrêt de la production des RAV4-EV par Toyota? Est-ce l'effondrement de la demande pour les véhicules électriques? Est-ce Toyota qui a constaté que les véhicules électriques n'étaient pas suffisamment rentables parce qu'ils nécessitent moins d'entretien et donc moins de pièces de rechange? Ou est-ce Cobasys qui a imposé des restrictions sur l'utilisation des batteries NiMH dans le secteur des transports? Difficile à dire, mais Cobasys (donc Chevron Texaco) gardera le contrôle des batteries NiMH jusqu'en 2014.

Bien sûr, avec des batteries NiMH, l'autonomie de la EV-1 de GM et du RAV4-EV de Toyota était limitée à environ 200 km. Ces véhicules ne répondaient donc pas à tous les besoins des consommateurs. Mais comme deuxième véhicule pour une famille, ou comme véhicule faisant partie d'une flotte commerciale à rayon d'action limité, c'était idéal!

Il est intéressant de savoir que c'est d'abord GM qui a pris le contrôle des batteries NiMH en 1994, en achetant la majorité des parts à Energy Conversion Devices (ECD), la compagnie qui a inventé la batterie NiMH. GM a utilisé cette batterie dans sa dernière génération de EV-1 en 1999. GM a ensuite arrêté la production et la location des EV-1 et a vendu ses parts sur la technologie des batteries NiMH à Chevron Texaco, en 2001.

Revenons maintenant aux véhicules à PAC, supposément une bien meilleure solution. Depuis 2002, plusieurs scientifiques ont tenté de faire valoir le non-sens d'une économie hydrogène[35] et ont dû se battre contre une énorme machine de propagande qui ne cessait d'afficher sur nos écrans de télévision l'eau qu'on peut boire à la sortie du tuyau d'échappement des voitures à PAC. Dans la promotion des voitures à PAC, on insistait sur le fait qu'on peut faire le plein d'hydrogène en 10 minutes contrairement aux grosses piles électriques qui, avant 2007, prenaient plusieurs heures à se faire recharger. Mais les automobiles électriques hybrides branchables peuvent également faire le plein de carburant en 10 minutes et parcourir 80% ou 90% des kilomètres sans carburant!

La prise de conscience par un nombre sans cesse croissant de spécialistes que les voitures à PAC ne pourront atteindre une production de masse avant 2025 environ et la décroissance imminente de la production mondiale de pétrole accompagnée d'une augmentation fulgurante de son prix sont en train de venir à bout du puissant lobby de l'«économie hydrogène».

Le renversement de la vapeur a commencé en janvier 2006 lorsque le président Bush a déclaré, dans son discours sur l'état de l'Union, que les Étatsuniens étaient

---

35. J.J. Romm, *op. cit.*; Ulf Bossel, Baldur Eliasson et Gordon Taylor, *op. cit.*; A.N. Brooks (AC Propulsion), *Perspectives on Fuel Cell and Battery Electric Vehicles*, présentation faite à l'atelier California Air Resource Board (CARB) Zero Emission Vehicle (ZEV), 5 décembre, 2002; B. Dessus, «La voiture à hydrogène», revue *La Recherche*, n° 357, octobre 2002, p. 60 à 69; M.L. Wald, «Questions about a Hydrogen Economy», revue *Scientific American*, mai 2004, p. 66 à 73.

accros au pétrole et qu'il fallait agir rapidement pour diminuer la dépendance au pétrole des États-Unis qui importent 60% de leur consommation. Plusieurs groupes de pression ont fait valoir l'urgence de devenir indépendant au niveau énergétique pour des raisons évidentes de sécurité nationale.

Par ailleurs l'achat massif de pétrole au Moyen-Orient et le financement de l'armée étatsunienne pour en contrôler la disponibilité entraînent une véritable hémorragie financière qui entrave sérieusement l'économie des États-Unis. Ce sont apparemment ces raisons (sécurité et économie), beaucoup plus qu'une soudaine prise de conscience environnementale, qui forcent le gouvernement étatsunien à reconnaître, depuis 2006, l'importance des véhicules électriques hybrides branchables. Ce fut une surprise pour plusieurs lorsque le président Bush a déclaré, en juin 2006, que la façon de sortir les États-Unis de leur dépendance au pétrole était de brancher des véhicules hybrides sur le réseau électrique et de disposer d'une batterie suffisamment grosse pour permettre une autonomie de 64 kilomètres (40 milles) sans carburant!

À la suite de cette déclaration, plusieurs prototypes de voitures hybrides branchables ont fait leur apparition en 2007, comme nous l'avons vu au chapitre 2. Ce revirement important des fabricants d'automobiles et de plusieurs institutions en faveur des véhicules hybrides branchables a été ponctué également de déclarations percutantes de plusieurs joueurs de premier plan du monde de l'automobile et des piles à combustible.

Déjà en 2006, **Bill Reinert, directeur des technologies avancées de Toyota USA, déclarait dans le film *Who Killed the Electric Car* de Chris Paine qu'il ne travaillait pas à Disney Land et que, dans la vraie vie, la commercialisation des voitures à PAC était loin dans le futur.**

En octobre 2006, **Ulf Bossel, spécialiste des piles à combustible et fondateur du European Fuel Cell Forum** (www.efcf.com), publiait un article sollicité (*invited paper*), dans une prestigieuse *Revue de l'IEEE* (Institute of Electrical and Electrinics Engineers)[36]. Dans cet article intitulé *Does a Hydrogen Economy Make Sense?* (*Est-ce que l'économie hydrogène est possible?*), Bossel nous fait part des conclusions de son analyse détaillée:

> *The establishment of an efficient 'electron economy' appears to be more appropriate than the creation of a much less efficient 'hydrogen economy'.*

> *La mise en place d'une 'économie électron' efficace apparaît plus appropriée que la création d'une 'économie hydrogène' beaucoup moins efficace.* (traduction libre de l'auteur)

> *Electricity from hydrogen fuel cells will be at least four times more expensive than electricity from the grid. Who wants to use fuel cells? Who wants to drive a hydrogen-fuel-cell car?*

> *L'électricité issue des piles à combustible à l'hydrogène sera au moins quatre fois plus chère que l'électricité du réseau. Qui veut utiliser des piles à combustible? Qui veut conduire une voiture à pile à combustible à l'hydrogène?* (traduction libre de l'auteur)

---

36. Ulf Bossel, *op. cit.*

It seems that by focusing attention on hydrogen we are missing the chance to meet the challenges of a sustainable energy future.

Il semble qu'en focalisant l'attention sur l'hydrogène, on est en train de perdre la chance de relever les défis d'un avenir basé sur l'énergie durable. (traduction libre de l'auteur)

Par ailleurs, **James Woolsey, ex-directeur de la CIA sous l'Administration Clinton,** abonde dans le même sens. Celui dont la mission a été la sécurité nationale des États-Unis connaît très bien le talon d'Achille de son pays, le pétrole. Comme il ne cesse de le répéter sur toutes les tribunes depuis 2005, il faut vite diminuer la consommation de pétrole de façon importante et ce n'est pas l'hydrogène qui va y aider. James Woolsey est le cofondateur de la coalition Set America Free (www. setamericafree.org), un groupe de pression pour accélérer l'indépendance énergétique des États-Unis et promouvoir des solutions réalistes pour y arriver le plus rapidement possible. Conférencier invité de la Society of Motor Manufacturers and Traders à Londres, le 27 novembre 2007, James Woolsey a déclaré[37] :

Hydrogen and fuel cells are not the way to go. The decision by the Bush administration and the State of California to follow the hydrogen highway is the single worst decision in the past few years.

L'hydrogène et les piles à combustible ne sont pas la bonne direction à prendre. La décision de l'Administration Bush et de l'État de Californie de suivre l'autoroute de l'hydrogène est définitivement la pire décision des quelques dernières années. (traduction libre de l'auteur)

Woolsey préconise les véhicules hybrides branchables et les biocarburants de deuxième génération comme solutions concrètes pour diminuer rapidement notre consommation de pétrole et régler les multiples problèmes qui lui sont associés.

Il est intéressant de constater que le gouvernement des États-Unis semble avoir compris le message, puisque le président Bush déclarait officiellement, le 5 mars 2008, à la Conférence internationale sur l'énergie renouvelable, à Washington[38] :

We want our city people driving not on gasoline but on electricity. And the goal, the short-term goal, is to have vehicles that are capable of driving the first 40 miles on electricity... This administration is a strong supporter of hydrogen... This is an amazing opportunity for us. Now, this will be a long-term opportunity, compared to ethanol and biodiesel and plug-in hybrids.

Nous voulons que nos citadins ne conduisent pas avec de l'essence, mais avec de l'électricité. Et le but, le but à court terme, est d'avoir des véhicules capables de rouler les premiers 40 milles [64 km] sur l'électricité... Cette administration est un fort supporteur de l'hydrogène... C'est une opportunité extraordinaire pour nous. Maintenant, ceci va être une opportunité à long terme, en comparaison de l'éthanol, du biodiesel et des hybrides branchables. (traduction libre de l'auteur)

---

37. Voir les articles suivants dans deux sites de nouvelles. Site de AutoWired, *No future for hydrogen*, 3 décembre 2007, à www.autowired.co.uk. Site de Energy Efficient MotorSport (EEMS), *Clean Fuels Foundation Chairman Discounts Hydrogen's Potential*, 29 novembre 2007, à www.eemsonline.co.uk.
38. George W. Bush, Communiqué de presse de la Maison Blanche, 5 mars 2008, voir : http://www. whitehouse.gov/news/releases/2008/ 03/20080305.html

Par ailleurs, dans un article intitulé *Fuel Cell Cars Won't Save the world*, paru le 6 novembre 2007 sur le site de nouvelles AUTOCAR (www.autocar.co.uk), **le Dr Jurgen Leohold, directeur de la recherche chez Volkswagen**, dévoile le fond de sa pensée sur les voitures à PAC. Il **déclare explicitement que les véhicules à PAC ne constituent pas l'avenir des groupes de traction alternatifs**. Selon lui, les problèmes inhérents à cette technologie résident dans la production et la distribution de l'hydrogène. Le Dr Leohold mentionne dans son article qu'il voit plutôt les biocarburants et la motorisation électrique à batterie dans le futur de la mobilité.

Lors d'une entrevue donnée à *U.S. News* (www.usnews.com), et qui a été publiée le 21 novembre 2007, **Bob Lutz, vice-président de GM, a été très clair quant aux priorités technologiques de sa compagnie, en plaçant l'hydrogène loin dans le futur**. Voici un extrait de cette entrevue :

> **U.S. News** : *So of all the different technologies GM is working on, how would you prioritize them?*
>
> **Bob Lutz** : *Electric. Advanced hybrid. Plug-in hybrid. Advanced clean diesels. And far out, there's hydrogen.*
>
> **U.S. News** : *Alors, de toutes les différentes technologies sur lesquelles GM travaille, comment les prioriseriez-vous?*
>
> **Bob Lutz** : *Électrique. Hybrides avancés. Hybrides branchables. Diesels propres avancés. Et, loin derrière, il y a l'hydrogène.* (traduction libre de l'auteur)

BMW, qui travaille sur les voitures à hydrogène depuis la fin des années 1970, a également mis les pendules à l'heure en ce qui concerne l'hydrogène, à travers les propos de Jochen Schmalholz, directeur des énergies propres de la compagnie. Ce dernier a en effet déclaré au journal *The Sydney Morning Herald*, alors qu'il était de passage en Australie, qu'il faudrait **encore 15 à 20 ans avant que les voitures à hydrogène se retrouvent en nombre significatif sur la route**. Voici deux citations de Jochen Schmalholz tirées l'article de Joshua Dowling, du même journal, en date du 26 janvier 2008 :

> *Distribution is the biggest hurdle to the hydrogen car.*
>
> *La distribution est le plus gros obstacle à la voiture à hydrogène.* (traduction libre de l'auteur)
>
> *We can move a car without any CO_2 emissions but we just shift the problem to production of hydrogen.*
>
> *On peut faire rouler une voiture sans émission de CO_2, mais on fait simplement déplacer le problème vers la production de l'hydrogène.* (traduction libre de l'auteur)

Finalement, **Ballard Power Systems** (http://ballard.com), longtemps reconnu comme le chef de file mondial dans le domaine des piles à combustible à hydrogène, **annonçait dans un communiqué de presse, le 7 novembre 2007, que la compagnie procédait à la vente de sa division des piles à combustible (PAC)**

Figure 3.9 – La Honda FCX Clarity, présentée au Salon de l'auto de Los Angeles en novembre 2007, est disponible en petite quantité pour la location depuis 2008. Elle est équipée d'une pile à combustible et d'un réservoir d'hydrogène sous pression. (Source : Wikimedia Commons, http://commons.wikimedia.org, auteur : Bbqjunkie, novembre 2007)

pour les véhicules automobiles. Parmi les raisons invoquées dans le communiqué de presse, on mentionne les coûts élevés et le long délai avant la commercialisation de la technologie. Plusieurs analystes y voient une abdication de la compagnie face aux nombreux défis qui parsèment encore la commercialisation de véhicules à PAC, comme nous l'avons vu dans ce chapitre.

Bien sûr, il est tout à fait possible de construire des voitures à PAC qui vont fonctionner à merveille et ne pas émettre de pollution au lieu d'utilisation. Honda nous l'a prouvé avec sa FCX Clarity (**figure 3.9**), présentée au Salon de l'auto de Los Angeles en novembre 2007. Cette voiture à PAC élégante et performante est mise en location, en petit nombre, à l'été 2008. Toutefois, les multiples problèmes liés à la production et à la distribution de l'hydrogène ne sont pas résolus pour autant, ni les problèmes de coûts élevés et de durabilité des PAC à hydrogène. Les voitures électriques à batterie (hybrides ou non) demeurent toujours beaucoup moins énergivores, plus économiques à l'achat et à l'utilisation, et se prêtent bien mieux à un développement durable sans carburants fossiles.

3.16 – En résumé

L'hydrogène nous a été présenté depuis le milieu des années 1990 comme la solution miracle aux problèmes de pollution causés par les véhicules automobiles. Seule de la vapeur d'eau sort du tuyau d'échappement, nous martèle la publicité télévisée !

Cette promotion d'une économie hydrogène s'est accentuée en 2002, lorsque le gouvernement étatsunien a annoncé le programme Freedom Car visant à promouvoir le développement des piles à combustible (PAC) à l'hydrogène pour les véhicules. L'annonce de ce programme est venue peu de temps après que la compagnie GM eut commencé à récupérer ses merveilleuses voitures électriques EV-1, en ne renouvelant pas les contrats de location. Le déchiquetage subséquent des EV-1, en 2004 et en 2005, est désormais un épisode désolant bien connu de l'histoire de l'automobile.

Certains ont vu dans ce changement de direction vers l'hydrogène une stratégie de la part des compagnies d'automobile pour montrer qu'elles avaient à cœur de produire éventuellement des voitures écologiques, tout en continuant entre-temps à vendre des véhicules sport utilitaires très voraces en carburant. Par ailleurs, sachant que 96 % de l'hydrogène est produit présentement à partir des carburants fossiles, les pétrolières voient nécessairement d'un bon œil l'arrivée d'une économie hydrogène.

Le principal avantage de l'hydrogène mis de l'avant est la possibilité de faire le plein en 10 minutes, contrairement aux batteries qui prenaient plusieurs heures pour leur recharge. Depuis 2007, de nouvelles batteries au lithium peuvent être rechargées en 10 minutes et donner une autonomie de 200 km environ. Par ailleurs, avec une voiture électrique hybride branchable, on peut aller aussi loin qu'une voiture traditionnelle et également faire le plein de carburant en moins de 10 minutes.

L'hydrogène n'est pas aussi bénéfique qu'on le dit. Plusieurs experts ont démontré que l'économie hydrogène n'était pas réellement viable et qu'on s'éloignait du développement durable en prenant cette filière. Les principales raisons en sont :

- Lorsque l'hydrogène est produit par reformage du gaz naturel et l'électricité dans une centrale électrique au gaz naturel, une voiture à PAC émet alors 50 % plus de CO_2 qu'une voiture électrique à batterie ou qu'une voiture hybride rechargeable en mode électrique.

- Lorsque l'hydrogène est produit par électrolyse de l'eau, les véhicules à PAC consomment trois fois plus d'électricité que les véhicules électriques à batterie ou les véhicules hybrides rechargeables.

- Il faudrait investir des centaines de milliards de dollars pour mettre en place un réseau de distribution de l'hydrogène.

- Faire le plein d'hydrogène coûterait au moins cinq fois plus cher que faire le plein d'électricité.

- Il serait très difficile de produire le platine nécessaire à la fabrication des PAC en quantité suffisante. De plus, le prix du platine est déjà très élevé et ne cesse de grimper (2000 $/once troy, en 2008).

- Le développement des véhicules à PAC est en retard de dix ans sur les véhicules électriques hybrides. Les véhicules à PAC ne présentent aucun avantage significatif, ce qui rend très improbable une pénétration significative du marché.

- Il est impossible d'avoir un réseau de distribution de l'hydrogène aussi étendu et flexible que le réseau de distribution de l'électricité.

Tout au plus, les PAC à hydrogène pourraient rivaliser avec les moteurs thermiques avancés dans un véhicule hybride rechargeable, comme prolongateur d'autonomie pour 20% à 30% des kilomètres. Toutefois, pour cette application, les PAC à hydrogène devront composer avec des handicaps sérieux, à savoir l'obligation très onéreuse de mettre en place un système de distribution de l'hydrogène et la manipulation sécuritaire à grande échelle de ce gaz explosif.

Par ailleurs, comme nous l'avons vu au chapitre 2, l'efficacité de certains moteurs thermiques devrait atteindre 50% d'ici 2015 environ. Cette performance accrue des moteurs thermiques les place pratiquement nez à nez avec les PAC, relativement à l'efficacité de conversion du carburant en électricité par un groupe électrogène. Les PAC ne pourront donc plus compter sur cet avantage qu'elles détiennent présentement.

Pour que les PAC puissent s'imposer de façon non équivoque comme prolongateur d'autonomie, il faudrait pouvoir produire l'hydrogène à bord du véhicule, à la demande, avec un système compact. On éviterait ainsi le réseau de distribution d'hydrogène et les problèmes de sécurité qui s'y rattachent. Toutefois, les différentes avenues explorées pour y arriver n'ont pas encore été validées à l'échelle de véhicules prototypes, ou n'offrent pas d'avantages par rapport aux moteurs thermiques, au contraire.

Le dossier des PAC n'avance pas aussi vite que prévu, et il apparaît de plus en plus clairement que les véhicules à PAC ne pourront être commercialisés à grande échelle avant 2025, s'ils le sont. De plus, la décroissance imminente de la production mondiale de pétrole et l'augmentation de son prix font que la réalité est en train de venir à bout du puissant lobby de l'économie hydrogène.

Un renversement de la vapeur a commencé en janvier 2006, lorsque le président Bush a déclaré que les Étatsuniens étaient accros au pétrole et lorsqu'il a précisé, en juin 2006, qu'une façon de sortir de cette dépendance était de brancher des véhicules hybrides sur le réseau électrique.

Par ailleurs, plusieurs fabricants d'automobiles ont dévoilé des voitures hybrides branchables prototypes en 2007 et en 2008: la Chevy Volt de GM, des Prius de Toyota, la Flextreme de Opel (GM), la ReCharge de Volvo (Ford), une Ford Escape, la Karma de Fisker Automotive (nouveau joueur), et la F6DM de BYD Auto (fabricant chinois). Ces divers prototypes peuvent parcourir de 48 à 100 km en mode électrique pur, selon le véhicule.

Dans ce revirement important, on retrouve également des déclarations percutantes de plusieurs joueurs de premier plan. Bill Reinert, directeur des Technologies avancées de Toyota USA, et Bob Lutz, un vice-président de GM, ont tous deux déclaré, respectivement en 2006 et en 2007, que la commercialisation des voitures à

PAC était loin dans le futur, et Lutz que GM se concentrait sur les véhicules hybrides branchables.

Jochen Schmalholz, directeur des technologies propres chez BMW, a déclaré en janvier 2008 qu'il ne voit pas les voitures à hydrogène en nombre significatif sur la route avant 2025, et que leur plus gros obstacle demeure la distribution de l'hydrogène. Il souligne également qu'il faut développer des moyens de fabriquer l'hydrogène proprement à l'échelle commerciale, ce qui n'est pas le cas présentement.

Par ailleurs, James Woolsey, ex-directeur de la CIA sous l'Administration Clinton, et le Dr Jurgen Leohold, directeur de la recherche chez Volkswagen, ont tous deux déclaré, en 2007, que les véhicules à PAC ne constituent pas une solution pour les futurs groupes de traction. Leurs convictions mutuelles vont dans le sens des véhicules hybrides branchables et des biocarburants de deuxième génération.

Finalement, le président des États-Unis, Georges W. Bush, a déclaré en mars 2008 que l'hydrogène était une opportunité à long terme et qu'il fallait présentement développer rapidement des voitures hybrides branchables pouvant parcourir le premier 64 km sur l'électricité du réseau.

Il est plus que temps de tourner la page de la «dépense hydrogène» pour mettre en place rapidement une véritable «économie de l'électron».

CHAPITRE 4

Les nouveaux carburants et leur dopage à l'eau ou à l'hydrogène

Dans ce chapitre, nous examinerons principalement les biocarburants, l'utilisation du gaz naturel comme carburant, ainsi que les carburants synthétiques liquides fabriqués à partir du charbon et du gaz naturel. À la fin du chapitre, nous analyserons le plan Pickens, très discuté aux États-Unis en 2008, qui propose de fermer les centrales électriques au gaz naturel au États-Unis pour les remplacer par des éoliennes et d'utiliser le gaz naturel ainsi libéré dans les véhicules à moteur thermique. Finalement, nous verrons comment réduire la consommation de carburant en les dopant à l'hydrogène ou à l'eau.

Ce regard sur les nouveaux carburants nous le porterons en gardant à l'esprit que, selon notre scénario (voir la section 2.20 du chapitre 2), on n'a besoin de remplacer seulement 7,5 % des carburants pétroliers d'aujourd'hui pour éliminer le pétrole des transports routiers. C'est l'utilisation des véhicules hybrides avancés très sobres en énergie et l'électricité pour 70 % des kilomètres, en moyenne, qui nous permet de ramener les besoins en carburant à 7,5 % de notre consommation actuelle. **Ce faible pourcentage fait en sorte qu'on peut envisager un développement durable des biocarburants de deuxième génération qui n'utilisent pas de plantes destinées à l'alimentation.** Surtout qu'avec ces nouvelles technologies, on pourra produire le tiers des biocarburants requis à partir de déchets municipaux, de résidus et du recyclage des huiles de cuisson. Il ne reste donc plus que 5 % des carburants pétroliers à remplacer par des biocarburants issus de cultures énergétiques, dont on pourra utiliser l'ensemble des plantes.

4.1 – Géocarbone, biocarbone et déforestation

Le pétrole, le charbon et le gaz naturel sont ce qu'on appelle des **carburants fossiles**. Il s'agit, en fait, des résidus transformés de plantes et d'organismes vivants qui se sont épanouis à la surface de la Terre, il y a des millions d'années. On les retrouve aujourd'hui sous terre, en raison de multiples bouleversements géologiques qui ont créé les conditions de température et de pression appropriées pour transformer cette biomasse en carburant.

L'un des principaux constituants des organismes vivants est le carbone. En se combinant avec l'oxygène de l'air lors de la combustion, cet atome forme du dioxyde de carbone (CO_2), le fameux gaz à effet de serre qui contribue au réchauffement climatique. On appelle le carbone des carburants fossiles du **géocarbone** pour indiquer qu'il est normalement piégé sous terre dans des formations géologiques. Lorsqu'on remonte ce géocarbone à la surface de la planète et qu'on le brûle, le CO_2 qui en résulte augmente la concentration atmosphérique de ce gaz à effet de serre. Et comme on brûle 30 milliards de barils de pétrole par année en plus du charbon et du gaz naturel, le pourcentage des gaz à effet de serre augmente constamment, à un rythme inquiétant.

Lorsqu'on considère le carbone des végétaux vivant présentement à la surface de la Terre, on parle de **biocarbone**. Brûler du biocarbone produit une interaction avec l'atmosphère très différente de celle du géocarbone du fait que les végétaux absorbent le CO_2 de l'air pour croître. Ainsi, si on coupe des plantes ou des arbres à un rythme raisonnable et qu'on les brûle pour se chauffer ou pour d'autres utilisations, le CO_2 ainsi émis sera capté à nouveau par de nouvelles plantes qui poussent. Il suffit de reboiser ou semer à nouveau. Ce cycle du carbone ne fait pas augmenter continuellement la quantité de CO_2 dans l'atmosphère.

Bien sûr, lorsqu'on brûle systématiquement des forêts tropicales pour en faire des terres agricoles, on envoie dans l'atmosphère une énorme quantité de CO_2 en peu de temps et ça peut prendre 100 ans avant de capter à nouveau tout le CO_2 émis. À l'heure actuelle, cette **déforestation** est la plus grosse source d'émission de CO_2 sur la planète ; elle est plus importante que celle de tous les véhicules, bateaux et avions réunis[1] ! Or, avec l'augmentation galopante des gaz à effet de serre, il faut tout faire pour diminuer cette déforestation inconsidérée, sans compter les pertes de diversité animale et végétale qui s'ensuivent. **On parle même d'une sixième grande extinction d'espèces sur la planète[2], la cinquième ayant été celle des dinosaures, il y a 65 millions d'années.**

1. K.A. Baumert, T. Herzog et J. Pershing, *Navigating the Numbers, Greenhouse Gas Data and International Climate Policy*, rapport du World Resources Institute, décembre 2005. Téléchargement sur le site de WRI à www.wri.org, dans la rubrique Publications ; H. Steinfeld *et al.*, *Livestock's Long Shadow, Environmental Issues and Options*, rapport de la Food and Agriculture Organisation des Nations Unies (FAO) et de The Livestock, Environment and Development (LEAD) Initiative, Rome, 2006. Téléchargement sur le site de LEAD à www.virtualcentre.org.
2. H. Reeves et P. Lenoir, *Mal de Terre*, Éditions du Seuil, Paris, 2003.

4.2 Les biocarburants de première et de deuxième génération

Les hommes ont découvert les biocarburants il y a très longtemps. Dès que nos lointains ancêtres ont fait cuire de la viande sur un feu, ils ont réalisé que le gras animal fondu s'enflamme facilement. Ils en ont fait les premières lampes pour s'éclairer, il y a plus de 50 000 ans, avec de la mousse de sphaigne comme mèche. Dans l'Antiquité, on a remplacé le gras animal par des huiles végétales, comme l'huile d'olive ou de tournesol, entre autres, dans les lampes à l'huile.

Par ailleurs, la fabrication du vin par la fermentation du raisin et de la bière par la fermentation des céréales remonte à la plus haute Antiquité. C'est le sucre contenu dans les fruits et l'amidon contenu dans les grains qui permettent aux microorganismes de fabriquer un type particulier d'alcool qu'on appelle éthanol. Les apothicaires du Moyen-Âge ont commencé à concentrer l'éthanol contenu dans les boissons alcoolisées, à l'aide de la distillation. Ils utilisaient cet alcool pour extraire les principes actifs des plantes et soigner les gens. Ils ont vite fait d'en remarquer l'inflammabilité.

Plus près de nous, les premières voitures fabriquées par Henry Ford, à la fin du 19e siècle et au début du 20e siècle, utilisaient de l'éthanol comme carburant. De l'autre côté de l'Atlantique à la même époque, Rudolf Diesel utilisait de l'huile d'arachide comme carburant pour faire fonctionner le nouveau moteur qu'il venait d'inventer.

Mais, le pétrole a pris le contrôle des carburants pour les transports dans les années 1920, principalement en raison de son bas coût. Récemment, l'intérêt pour les biocarburants est redevenu d'actualité parce que les réserves de pétrole s'épuisent et que son prix monte en flèche, sans oublier le réchauffement climatique, bien entendu.

Comme nous le verrons, lorsqu'on utilise les bonnes plantes et les bonnes technologies de fabrication, les biocarburants offrent plusieurs avantages par rapport à l'environnement. Un de ces avantages est **l'aspect biodégradable des biocarburants. Ainsi, un déversement accidentel n'entraînera pas une catastrophe écologique**, comme c'est le cas pour le pétrole.

On appelle biocarburants de première génération (G1) :

– l'éthanol obtenu par la fermentation du sucre ou de l'amidon des plantes, suivi d'une distillation,

– le biodiesel, fabriqué avec des huiles végétales ou des gras animaux qu'on fait réagir avec un alcool, pour diminuer la viscosité des matières grasses utilisées.

Pour l'éthanol, les principales matières premières utilisées sont la canne à sucre au Brésil, les grains de maïs en Amérique du Nord et la betterave à sucre en Europe. En ce qui concerne le biodiesel, on utilise principalement du soya en Amérique du Nord, des graines de colza et de tournesol en Europe, de l'huile de palme en

Indonésie et en Malaisie, et on mise sur le jatropha en Inde. Les huiles de cuisson recyclées ainsi que les gras animaux récupérés des abattoirs constituent également des matières premières pour le biodiesel, un peu partout.

Ces biocarburants de première génération sont ceux qui sont vendus présentement, mélangés à de l'essence pour l'éthanol ou au carburant diesel pour le biodiesel. Les biocarburants à base d'éthanol sont étiquetés E5, E10 ou E85, selon que le carburant contient 5%, 10% ou 85% d'éthanol. Pour le biodiesel, on utilise une nomenclature similaire, c'est-à-dire B5, B20 ou B100, selon que le carburant contient 5%, 20% ou 100% de biodiesel. D'autres dosages sont également possibles.

En fait, tous les véhicules à essence peuvent accepter jusqu'à 10% d'éthanol dans leur essence. Au-delà de ce pourcentage, il faut effectuer des modifications au véhicule. Les véhicules dits Flexifuel peuvent accepter jusqu'à 85% d'éthanol et toutes les proportions inférieures. Les paramètres du moteur s'ajustent automatiquement en fonction du mélange. Ces voitures sont très populaires au Brésil. Il faut toutefois au moins 15% d'essence dans le mélange, afin de pouvoir démarrer à des températures inférieures à 10°C. Pour les températures sous 0°C, il faut diminuer la proportion d'éthanol dans le mélange. Pour ce qui est du biodiesel, on peut l'utiliser dans les moteurs diesel traditionnels dans toutes les proportions. Toutefois, sa plus grande viscosité ne permet pas de l'utiliser avec une concentration supérieure à 5%, l'hiver, dans les pays nordiques.

À l'heure actuelle, des biocarburants de deuxième génération (G2) sont produits dans des usines pilotes, à une échelle précommerciale. On peut en produire beaucoup plus pour une surface de culture donnée, comparativement aux biocarburants G1. **Cette plus grande productivité à l'hectare des biocarburants G2 est due, entre autres, à la possibilité d'utiliser les plantes au complet pour les fabriquer et non seulement les graines ou les fruits.**

Cette possibilité permet également de prendre comme matière première des hautes herbes des prairies, dont les tiges atteignent 3 à 4 mètres de hauteur en une saison (figure 4.1), tout en nécessitant peu d'eau, peu d'engrais, pratiquement pas d'insecticides et beaucoup moins de travail de la terre. En fait, les hautes herbes, comme le panic érigé (*switchgrass*) et le miscanthus, sont des plantes vivaces qu'on n'a pas besoin de replanter avant 10 ou 15 ans et qui excellent dans la transformation de l'énergie solaire en énergie chimique. De plus, ces plantes des prairies peuvent pousser dans des terres normalement impropres à la culture et, de ce fait, ne diminuent pas la superficie disponible pour les cultures alimentaires.

Les biocarburants G2 peuvent également être produits à partir de résidus forestiers ou même de déchets municipaux organiques difficilement compostables. **Les deux filières principales de production des biocarburants G2 sont l'éthanol cellulosique et les carburants synthétiques BTL.** Pour ces derniers, on utilise l'acronyme BTL (*Biomass To Liquids*) pour les différencier des carburants synthétiques faits à partir de carburants fossiles, comme le CTL (*Coal To Liquids*) et le GTL (*Gas To Liquids*).

Figure 4.1 – Plantation expérimentale de miscanthus, plante étudiée par le professeur Stephen Long de l'Université de l'Illinois. L'étudiante Emily Heaton, 1,63 mètre, pose devant la plante pour en montrer la taille. (Photo : Université de l'Illinois)

4.3 – Les procédés de fabrication des biocarburants

La fabrication du biodiesel à partir de plantes cultivées commence par l'extraction de l'huile végétale des graines, en deux étapes. Tout d'abord, on utilise une presse hydraulique pour extraire une bonne partie de l'huile. On recourt ensuite à un solvant pour extraire l'huile restante dans les résidus solides (le tourteau de pression). Pour compléter la fabrication du biodiesel, il reste à diminuer la viscosité des huiles extraites en les faisant réagir avec de l'alcool et un catalyseur à une température modérée de 20 °C à 80 °C et à pression atmosphérique. C'est ce qu'on appelle la transestérification. La fabrication du biodiesel est donc un procédé simple et peu coûteux, surtout lorsqu'on utilise des huiles usagées. L'utilisation des matières grasses usagées (huiles de friture) ou rejetées (gras animal des abattoirs) est beaucoup moins dommageable pour l'environnement.

Pour **fabriquer de l'éthanol par fermentation**, plusieurs variantes existent selon la plante de départ. Pour le maïs, il faut d'abord broyer les grains et mélanger la farine obtenue à de l'eau. On fait alors cuire légèrement le tout et on y ajoute des enzymes qui vont transformer l'amidon des grains en sucre, au moyen d'une réaction appelée hydrolyse. On continue le processus de fabrication en ajoutant des levures pour transformer le sucre en éthanol par fermentation. Finalement, l'éthanol est séparé de l'eau par la distillation suivie d'une déshydratation par tamis moléculaires[3]. Une technologie très récente (2008) permet de séparer l'éthanol de l'eau avec des membranes polymériques, qui agissent comme des filtres moléculaires. Cette dernière technologie de séparation consomme moins d'énergie et moins d'eau. Nous l'examinerons plus en détail à la fin de ce chapitre.

Le procédé de fabrication de l'éthanol cellulosique diffère de celui de l'éthanol ordinaire par une étape supplémentaire de prétraitement pour séparer la cellulose de la lignine, deux constituants majeurs des tiges des plantes. Les molécules de cellulose étant composées de longues chaînes de molécules de sucre, elles peuvent être hydrolysées, à l'aide d'enzymes, pour les transformer en sucre. Les sucres sont ensuite fermentés pour produire un mélange d'eau et d'éthanol qui sera distillé pour séparer l'éthanol de l'eau ou encore filtré par des membranes polymériques. La compagnie canadienne Iogen (www.iogen.ca) exploite une usine pilote à Ottawa et utilise de la paille comme matière première. Elle obtient environ 340 litres d'éthanol cellulosique par tonne métrique de fibres. L'avantage de l'alcool cellulosique est qu'il permet d'utiliser une partie des plantes beaucoup plus grande.

Le procédé de fabrication du carburant diesel synthétique BTL fait appel à des réactions thermochimiques qui commencent par la gazéification thermique de la biomasse, à des températures de 800°C à 1000°C, dans une atmosphère généralement pauvre en oxygène. Le gaz synthétique produit à cette étape (syngas) est essentiellement composé d'hydrogène (H2) et de monoxyde de carbone (CO) que l'on fait réagir ensuite en présence de vapeur d'eau et d'un catalyseur pour produire le carburant synthétique. Cette dernière étape est ce qu'on appelle le procédé Fischer-Tropsch, que les Allemands ont utilisé, lors de la Deuxième Guerre mondiale, pour fabriquer leurs carburants à partir du charbon. La compagnie allemande Choren (www.choren.com) exploite une usine pilote, à Freiberg, qui produit un carburant diesel synthétique BTL qu'elle a baptisé SunDiesel. Choren utilise de la paille ou des résidus forestiers comme matière première et produit environ 260 litres de SunDiesel par tonne métrique de fibres, ce qui représente autant d'énergie que 420 litres d'éthanol. La viscosité du SunDiesel étant inférieure à celle des carburants diesel pétroliers, son utilisation l'hiver, dans les pays nordiques, ne devrait donc pas poser de problèmes, contrairement aux biodiesels G1. Enfin, mentionnons que les biogaz peuvent également être transformés en diesel synthétique BTL, par un procédé similaire à celui de la compagnie Choren.

On peut également produire de l'éthanol synthétique à partir du gaz synthétique en choisissant les bons catalyseurs et les bonnes conditions d'opération, dans **un procédé thermo-chimique** similaire à la fabrication du carburant

---

3. Un tamis moléculaire est un matériel solide dont la partie d'eau peut être retirée par chauffage.

diesel synthétique BTL. Le carburant liquide qui en résulte comporte environ 80% d'éthanol, 9% de méthanol et 9% de propanol, qu'on sépare à l'aide d'un tamis moléculaire[4]. On peut obtenir ainsi environ 330 litres d'éthanol synthétique par tonne métrique de fibres. Les compagnies canadiennes Enerkem (www.enerkem.com) et Syntec Biofuel (www.syntecbiofuel.com), entre autres, y travaillent.

Il est par ailleurs possible d'utiliser un procédé mixte thermobiologique pour produire de l'éthanol. La compagnie étatsunienne Bioengineering Resources Inc. (BRI: www.brienergy.com) a démontré en laboratoire, depuis 2003, un procédé qui consiste d'abord à gazéifier de la biomasse pour obtenir du gaz synthétique. Ensuite, des cultures bactériennes «biocatalysent» une transformation du gaz synthétique en éthanol et en eau, en moins de deux minutes. Selon la compagnie, le procédé permet de produire entre 260 et 340 litres d'éthanol par tonne métrique de fibre, à partir ds déchets municipaux organiques, de biomasse cultivée ou de résidus forestiers. Le procédé peut également transformer en éthanol les biogaz issus des sites d'enfouissement ou des fosses à purin.

La compagnie Coskata (www.coskata.com) a mis au point un procédé mixte thermo-biologique similaire de production d'éthanol. **Des microorganismes transforment en éthanol le gaz synthétique issu de la gazéification de biomasse ou de tout matériau riche en carbone et en hydrogène (vieux pneus, plastique non recyclable, déchets municipaux, boues organiques des usines d'épuration d'eau, etc.).** Coskata estime, à partir de son installation de laboratoire, que son procédé permettra de produire 400 litres d'éthanol par tonne métrique de matière sèche utilisée, tout en consommant moins d'eau et moins d'énergie que les autres procédés. La plus grande quantité d'éthanol produite par tonne de fibre provient de ce qu'on peut utiliser une plante au complet, y compris la lignine, pour la fabrication de l'éthanol. En janvier 2008, Coskata a conclu un partenariat avec General Motors et prévoit construire une usine pilote pour 2010. **Le coût de production anticipé pour l'éthanol est déjà moins élevé que le coût de production de l'essence en 2008, pour des volumes de carburant contenant la même quantité d'énergie!** La plus grande efficacité énergétique de ce procédé est due à la performance des microorganismes utilisés et à une nouvelle technologie de séparation moléculaire de l'eau et de l'éthanol qui élimine le besoin de la distillation (voir à la fin de ce chapitre).

Les différents carburants contiennent des quantités différentes d'énergie chimique pour un même volume. Il faudra à un véhicule plus d'éthanol pour parcourir la même distance qu'avec de l'essence. La figure 4.2 nous montre l'énergie chimique contenue dans un litre de divers carburants[5]. Pour ceux qui ne sont pas familiers avec les unités d'énergie, noter que ce sont les valeurs relatives qui importent. On constate, par exemple, qu'un litre d'essence contient 50% plus d'énergie qu'un litre d'éthanol.

---

4. S. Philips *et al.*, *Thermochemical Ethanol via Indirect Gasification and Mixed Alcohol Synthesis of Lignocellulosic Biomass*, rapport technique NREL/TP-510-41168, National Renewable Energy Laboratory, Golden, Colorado, avril 2007.
5. R. Edwards *et al.*, *Well-To-Wheels Analysis of Future Automotive Fuels and Powertrains in the European Context*, Well-to-Tank Report, Version 2c, European Commission, EUCAR et CONCAWE, mars 2007. Téléchargement à http://ies.jrc.ec.europa.eu/wtw.html.

Figure 4.2 – Énergie chimique contenue dans un litre de carburant (en mégajoules, MJ). Énergie chimique contenue dans un litre de carburant évaluée à son pouvoir calorique inférieur PCI (Low Heating Value, LHV, en anglais).

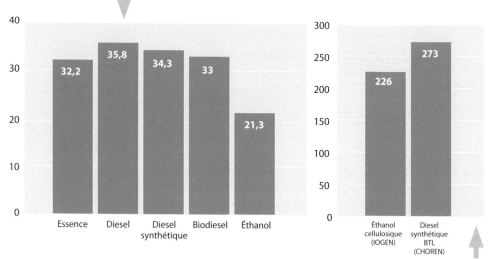

Figure 4.3 – Nombre de litres d'équivalent essence par tonne de fibre. Comparaison de la production des deux principales filières de biocarburants G2 exprimée en litres d'équivalent essence pour les usines pilotes de Iogen et de Choren. Les données ont été prises sur les sites Internet de ces compagnies. L'usine de Iogen peut produire 340 litres d'éthanol par tonne métrique de fibre, alors que Choren arrive à une production de 200 kg de diesel synthétique par tonne de fibre, soit 256 litres par tonne de fibres (densité du diesel synthétique = 0,78 kg/litre).

En 2008, les seules usines pilotes en opération pour les biocarburants G2 fabriquent de l'éthanol cellulosique ou du diesel synthétique BTL, en utilisant des fibres végétales comme matière première. Une façon de comparer équitablement les deux procédés est de chiffrer la production en **litres d'équivalent essence**. Pour obtenir ce nombre, il suffit de diviser l'énergie totale du carburant produit avec une tonne de fibre par l'énergie contenue dans un litre d'essence (32,2 MJ)[6]. Cette comparaison entre les deux procédés est illustré sur la **figure 4.3**. Nous avons pris les rendements affichés par l'usine pilote d'Iogen pour l'alcool cellulosique et par l'usine pilote de Choren pour le diesel synthétique BTL.

4.4 – Les différentes plantes utilisées pour les biocarburants et le rendement à l'hectare

Connaissant le nombre de tonnes sèches de fibres produites sur une superficie d'un hectare pour différentes plantes, nous sommes en mesure d'évaluer, pour les biocarburants, le nombre de litres d'équivalent essence produits par hectare cultivé.

---

6. *Ibid.*

En recoupant des informations de diverses sources[7], on peut comparer le rendement à l'hectare pour les biocarburants G1 et G2. C'est ce que nous avons fait sur la figure 4.4 où le rendement est donné pour des conditions de culture optimales. Il va de soi que ces rendements diminuent en se déplaçant vers les régions froides ou arides. Les rendements des plantes pour les biocarburants G2 et les rendements pour le maïs, l'orge, le blé et le soya pour les biocarburants G1 correspondent à ceux qu'on retrouve aux États-Unis. Les rendements pour le tournesol, le colza et la betterave à sucre sont ceux qu'on retrouve typiquement en Europe de l'Ouest. Enfin, les rendements pour la canne à sucre, le jatropha et le palmier à huile correspondent aux rendements qu'on retrouve respectivement au Brésil, en Inde et en Indonésie.

Sur la figure 4.4, on constate rapidement tout l'intérêt de passer aux biocarburants de deuxième génération (G2) le plus tôt possible, afin de diminuer les surfaces de culture de façon importante. Les hautes herbes vivaces des prairies, comme le panic érigé et le miscanthus, permettent de multiplier respectivement par un facteur 4 et 6 la production de biocarburant diesel par rapport au colza, pour une même surface de culture ! Par ailleurs, en supposant qu'on utilise les plants de maïs au complet pour produire de l'éthanol (tiges = éthanol G2 + grains = éthanol G1), on pourrait obtenir environ 3450 litres d'équivalent essence d'éthanol par hectare (5175 litres d'éthanol/hectare), alors qu'avec le miscanthus on peut en produire 75 % de plus. Sans compter que le miscanthus est beaucoup moins dommageable pour l'environnement que le maïs parce qu'il requiert beaucoup moins d'engrais chimiques, de pesticides et de travail de la terre que le maïs. De plus, la culture des hautes herbes vivaces ralentit l'érosion des sols, contrairement à la culture du maïs qui l'accentue (voir plus loin).

Dans les pays tropicaux et subtropicaux, en particulier au Brésil, l'éthanol fabriqué à partir de canne à sucre constitue un biocarburant de choix. À l'instar des hautes herbes vivaces, cette culture n'a pas besoin d'être ressemée chaque année, demande peu de travail de la terre, est sobre en engrais et insecticides et ne nécessite pas d'arrosages autres que ceux de la nature près de l'équateur. Une étude sur l'aspect durable de l'éthanol brésilien effectuée en 2006 par le Copernicus Institute de l'Université d'Utrecht[8], aux Pays-Bas, conclut que :

No prohibitive reasons were identified why ethanol from São Paulo principally could not meet the Dutch sustainability standards set for 2007.

Aucune raison prohibitive n'a été identifiée à l'effet que l'éthanol en provenance de São Paulo principalement ne puisse rencontrer les critères de développement durable des Hollandais mis de l'avant pour 2007. (Traduction libre)

---

7. L. Fulton *et al.*, *Biofuels for Transport*, International Energy Agency (IEA), Paris, avril 2004. Téléchargement sur le site de l'IEA à www.iea.org, dans la rubrique Publications ; Worldwatch Institute et Agency for Technical Cooperation, *Biofuels for Transportation, Global Potential and Implications for Sustainable Agriculture and Energy in the 21st Century*, rapport préparé pour le German Federal Ministry of Food, Agriculture and Consumer Protection, Washington, juin 2006 ; Oak Ridge National Laboratory, *Biofuels from Switchgrass : Greener Energy Pastures*, septembre 1998 ; Voir le site Bioenergy Feedstock Information Network de Oak Ridge National Laboratory (ORNL) : http://bioenergy.ornl.gov.

8. E. Smeets *et al.*, *Sustainability of Brazilian bio-ethanol*, rapport NWS-E-2006-110 du Copernicus Institute de l'Université Utrecht, pour The Netherlands Agency for Sustainable Development and Innovation, Utrecht, Pays-Bas, août 2006.

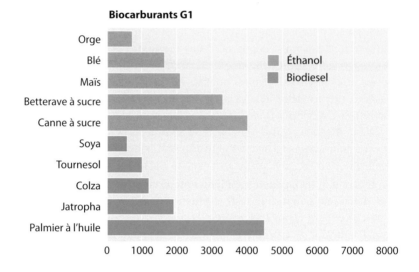

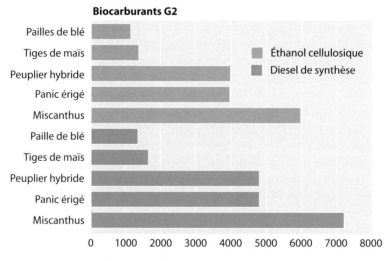

Figure 4.4 – Rendement à l'hectare de biocarburants G1 (éthanol et biodiesel) et G2 (éthanol cellulosique et diesel synthétique BTL issus de différentes plantes, en litres d'équivalent essence par hectare, dans les conditions optimales de culture.

Toutefois, il ne faudrait pas passer sous silence la pratique néfaste des exploitations de canne à sucre qui consiste à brûler les champs avant la récolte, pour enlever les feuilles et faciliter la récolte aux travailleurs et leur permettant également de mieux voir les serpents. Les fumées dégagées sont dommageables pour la santé des habitants et le danger de perdre le contrôle des incendies n'est pas négligeable. Le gouvernement brésilien a légiféré pour éliminer progressivement cette pratique, en misant sur une mécanisation des récoltes. Cette situation est soulignée dans le rapport de l'Université d'Utrecht.

Une très grande partie de la déforestation effectuée par les Brésiliens depuis quelques décennies visait à étendre les pâturages et les cultures de soya et de maïs pour le bétail. Les endroits où la canne à sucre est cultivée sont loin des forêts tropicales. Mais avec les plans d'expansion pharaoniques de la culture de canne à sucre au Brésil, d'autres cultures vont devoir être déplacées, avec de fortes probabilités d'entraîner indirectement une déforestation dévastatrice. Les Brésiliens émettraient alors beaucoup plus de CO_2 qu'on en économiserait en remplaçant le pétrole par de l'éthanol.

Par ailleurs, en ce qui concerne les palmiers à huile, l'Indonésie déboise sa forêt tropicale à un rythme inquiétant, pour en faire la culture. Cette situation, incompatible avec un développement durable, est dénoncée dans un rapport de l'organisation Friends of the Earth, publié en 2004[9], et dont voici un extrait:

The creation of monoculture oil palm plantations is a major driver of forest destruction in one of the world's most biodiverse areas. In Indonesia, where tropical rainforest is disappearing at a rate of more than 2 million hectares [20 000 km²] a year, oil palm acreage increased by 118 per cent in the past eight years. In Indonesia indigenous people's land is stolen from them and given to companies for the development of palm oil plantations. Human rights abuses and violent conflict are commonly associated with land theft.

La création de plantations de palmiers à huile, en monoculture, est un incitateur majeur pour la des-truction de la forêt dans une des régions du monde les plus riches en biodiversité. En Indonésie, où la forêt vierge tropicale disparaît à un taux de plus de 2 millions d'hectares [20 000 km²] par année, la surface de culture des palmiers à huile a augmenté de 118 pour cent dans les huit dernières années... les terres des peuples indigènes leur sont volées et données à des compagnies pour le développement des plantations de palmier à huile. Des abus des droits de l'Homme et de violents conflits sont couramment associés aux vols des terres. (Traduction libre)

Figure 4.5 – L'arbuste Jatropha curcus et ses fruits dont les graines sont utilisées pour fabriquer du biodiesel G1. (Gracieuseté de www.Jatropha.org, photo: R.K. Henning)

Enfin, une plante peu connue du monde occidental mérite qu'on s'y attarde un peu. C'est le jatropha, un petit arbuste vivace bien adapté aux régions semi-arides qui peut croître dans des sols pauvres, impropres à l'agriculture (figure 4.5). Pendant 50 ans, il produit des fruits de 2 à 3 cm contenant des graines avec une teneur en huile de 37%. Ces fruits et ces graines ne sont pas comestibles et, de ce fait, ne concurrencent pas la production agricole alimentaire. Le jatropha n'a pas besoin d'engrais, ni d'insecticide, ni d'arrosage, pas plus que de travail de la terre. La seule

9. R. Webster *et al., Greasy palms – palm oil, the environment and big business,* rapport de l'organisation Friends of the Earth, mars 2004.

ombre potentielle au tableau est que la récolte des graines de jatropha demande une main-d'œuvre importante parce qu'elle est difficilement mécanisable.

Comme on peut le constater sur la figure 4.4, c'est la plante qui produit le plus d'huile à l'hectare, après le palmier à huile, deux fois plus que le tournesol et trois fois plus que le soya. La culture du jatropha pour la production de biodiesel fait l'objet d'un important développement en Inde. Si tout fonctionne bien, ce pays pourrait diluer son carburant diesel à la hauteur de 10% d'ici 2020, avec le biodiesel issu de cet arbuste, lequel, en prime, aide à diminuer l'érosion des sols. D'autres pays que l'Inde envisagent de se lancer éventuellement dans la culture de cet «arbuste à pétrole».

4.5 – Superficies de culture requises

On reproche souvent aux biocarburants d'occuper d'importantes superficies de culture au détriment de l'agriculture alimentaire et d'exercer, de ce fait, une pression à la hausse sur le prix de la nourriture. Cette inquiétude est tout à fait légitime et constitue un problème réel si les choses ne sont pas faites correctement.

Comme nous le verrons dans la prochaine section, en plus de faire de la culture énergétique pour produire des biocarburants, on peut également en fabriquer en recyclant les huiles usées de l'industrie alimentaire, les gras animaux des abattoirs, les déchets municipaux organiques, de même que les résidus agricoles et forestiers. **Nous verrons également qu'il serait tout à fait réaliste de remplacer de la sorte 2,5% des carburants pétroliers utilisés en 2008. En ajoutant à ce 2,5% de biocarburants recyclés un 5% de biocarburants cultivés, on obtient un total de 7,5% de remplacement des carburants pétroliers. C'est ce dont nous avons besoin, dans notre scénario, pour faire rouler des véhicules hybrides avancés sans pétrole (voir le chapitre 2, section 2.20). Cette faible consommation en biocarburants cultivés est indispensable, si on veut en faire un développement durable.**

Pour mieux saisir les enjeux, la **figure 4.6** présente différentes superficies, par habitant, reliées aux terres agricoles cultivées (en beige) ou non (en vert). Les superficies de culture requises pour remplacer 5% des carburants pétroliers par des biocarburants G1 sont représentées par des carrés aux contours bleus, alors que les superficies nécessaires pour remplacer ce 5% par des biocarburants G2 ont des contours orangés. Les données reliées à la consommation de carburants et aux terres agricoles proviennent de divers organismes et ministères de ces pays[10]. Toutes les superficies correspondent aux superficies totales divisées par le nombre d'habitants, ce qui ramène les chiffres à une dimension plus humaine. La largeur des quatre terrains de la figure est de 100 m et le dessin est à l'échelle.

10. Pour les statistiques sur les véhicules routiers, voir le site du Comité des Constructeurs Français d'Automobiles (CCFA) www.ccfa.fr, le site du Center for Transportation Analysis (CTA), Oak Ridge National Laboratory http://cta.ornl.gov/cta et le site de Statistique Canada www.statcan.ca. Pour les statistiques sur les terres agricoles, voir le site français de l'Institut National de la Statistique et des Études Économiques (INSEE) www.insee.fr, le site de Economic Research Service de l'United States Department of Agriculture www.ers.usda.gov,et le site de Statistique Canada www.statcan.ca.

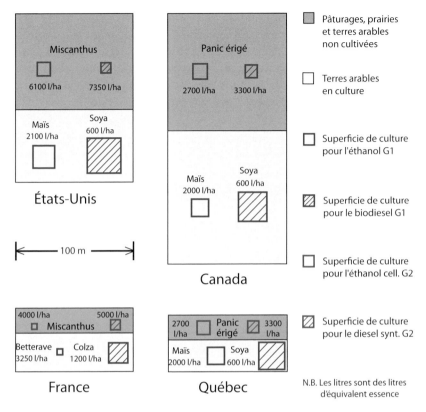

Figure 4.6 – Comparaison des superficies de culture par habitant pour remplacer 5 % des carburants pétroliers par soit des biocarburants G1, soit des biocarburants G2 (3,33 % du carburant pour véhicules légers, et 10,66 % pour véhicules moyens et lourds) Représentation schématique des superficies de cultures requises par habitant pour remplacer 5 % des carburants pétroliers de 2005, comparées aux superficies agricoles par habitant, pour trois pays et une province. Les superficies de culture des plantes énergétiques sont évaluées en tenant compte que les biocarburants sont tous de première génération pour les carrés bleus, ou tous de deuxième génération pour les carrés orangés. Les rendements à l'hectare des différentes plantes sont exprimés en litres d'équivalent essence. Les quatre « terrains agricoles » ont une façade de 100 mètres et sont dessinés à l'échelle. Rappelons qu'un carré de 100 m de côté a une superficie d'un hectare.

Les carrés vides représentent les superficies dédiées au remplacement de l'essence par de l'éthanol, alors que les carrés hachurés donnent les superficies nécessaires au remplacement du carburant diesel. Les quantités de biocarburants cultivés nécessaires pour remplacer chacun des deux types de carburant pétrolier correspondent aux deux tiers des quantités totales de biocarburants requises. Puisque, selon notre scénario, on aura besoin de remplacer 16 % du carburant des véhicules moyens et lourds, et 5 % du carburant des véhicules légers, les deux tiers de ces quantités donnent respectivement 10,66 % et 3,33 %.

Le nom des plantes cultivées de même que leur rendement à l'hectare (ha) pour le pays concerné sont juxtaposés aux carrés correspondants. La culture des biocarburants G1 doit nécessairement s'effectuer sur des terres arables, d'où la localisation des carrés correspondants dans les terres agricoles cultivées (en beige). Par contre, puisque les plantes pour les biocarburants G2 peuvent occuper des terres marginales, leurs carrés correspondants sont localisés dans les terrains de pâturages (en vert).

Les plantes de la figure 4.6 sont celles qu'on utilise déjà pour les biocarburants G1 ou qui sont susceptibles de l'être pour les biocarburants G2. Les rendements sont différents selon les pays, en fonction des données disponibles[11]. Le miscanthus pourrait probablement être utilisé au Canada également, mais sa culture n'y a pas encore fait l'objet d'essais sur des superficies conséquentes. Par contre, le panic érigé a subi plusieurs tests de culture au Québec, et les chercheurs de l'organisation REAP-Canada (Resource Efficient Agricultural Production: www.reap-canada.com) ont démontré une production de douze tonnes métriques de fibres sèches à l'hectare (figure 4.7).

Figure 4.7 – Roger Samson, de REAP-Canada, pose devant une balle de Panic érigé, avec des granules de cette plante énergétique dans les mains. Ces granules constituent un excellent carburant pour les systèmes de chauffage à combustion. (Source : REAP-Canada)

Au premier coup d'œil sur la figure 4.6, la disproportion entre les terres agricoles par habitant au Canada et en France étonne. Elle est due principalement aux grandes plaines de l'Ouest canadien et au fait que le Canada est un gros exportateur de céréales. Toutes les denrées cultivées ne servent pas qu'à l'alimentation des Canadiens. Il en va de même pour les États-Unis. L'est de l'Amérique du Nord est plus typique de ce qu'on retrouve dans les pays industrialisés, comme en témoignent les territoires agricoles par habitant du Québec, qui se rapprochent sensiblement de ceux de la France.

Toujours sur la figure 4.6, concentrons-nous sur les superficies des terres cultivées (en beige) et des carrés bleus pour les biocarburants G1.

N'oublions pas que ces carrés définissent les superficies requises pour remplacer seulement 5 % des carburants utilisés, correspondant à 3,33 % des carburants consommés par les véhicules légers et 10,66 % des carburants brûlés par les véhicules moyens et lourds. Une chose est certaine, les espaces nécessaires pour les biocarburants G1 empiéteraient de façon importante sur ceux des cultures alimentaires, particulièrement au Québec.

---

11. L. Fulton *et al.*, *op. cit.*; Worldwatch Institute et Agency for Technical Cooperation, *Op. cit.*; Oak Ridge National Laboratory, *op. cit.*; Voir le site Bioenergy Feedstock Information Network de Oak Ridge National Laboratory (ORNL): http://bioenergy.ornl.gov.; Resource Efficient Agricultural Production (REAP) – Canada: www.reap-canada.com.

Par ailleurs, puisqu'en Amérique du Nord les voitures et véhicules utilitaires légers consomment presque uniquement de l'essence, et les véhicules moyens et lourds presque seulement du diesel, les carrés bleus non hachurés, qui réfèrent à l'éthanol, représentent approximativement les superficies de culture requises pour remplacer 3,33 % de l'essence des voitures et véhicules utilitaires légers, en Amérique du Nord.

Maintenant, on sait que **le Congrès des États-Unis a voté, en décembre 2007, la Loi sur l'énergie (Energy Bill) qui impose d'augmenter la production nationale à 136 milliards de litres par année de biocarburants en 2022 (36 milliards de gallons US). Cette quantité permettait de déplacer environ 20 % de la consommation de carburants pétroliers des Étatsuniens de 2007**. Pour ce faire, il faudrait cinq à six carrés bleus non hachurés de la figure 4.6 seulement pour l'éthanol, en plus des surfaces requises pour remplacer le carburant diesel ! Beaucoup d'experts dénoncent cette initiative comme étant irréaliste, dévastatrice pour l'environnement et préjudiciable pour le prix des denrées alimentaires.

L'Administration Bush pense pouvoir compter sur un développement rapide et important de l'alcool cellulosique. Mais les délais imposés sont courts et plusieurs scientifiques craignent les effets néfastes d'une intensification massive de la culture du maïs. Nous examinerons d'ailleurs ces effets néfastes un peu plus loin dans ce chapitre.

En fait, **la première chose à faire pour diminuer la consommation de carburants pétroliers n'est pas d'augmenter de façon inconsidérée la production de biocarburants à 20 %. Il faut plutôt diminuer la consommation des véhicules, en passant rapidement aux véhicules hybrides avancés.** Comme nous l'avons vu au chapitre 2 (section 2.4), on peut réduire la consommation de carburant de tels véhicules de 75 % sans même les brancher sur le réseau pour recharger leur batterie. Une voiture hybride avancée que l'on branche consommera, elle, 20 fois moins de carburant !

Malheureusement les politiciens ne semblent pas saisir cette réalité. Ils optent plutôt pour l'augmentation inconsidérée des biocarburants, probablement sous le poids de puissants lobbies. On peut facilement comprendre pourquoi la grogne monte à ce sujet, et avec raison. **Mais il faut faire attention pour ne pas jeter le bébé avec l'eau du bain. Les biocarburants peuvent donner lieu à un développement durable, si les choses sont faites correctement**. La clé réside dans les biocarburants G2 fabriqués à une échelle raisonnable, avec les bonnes plantes cultivées intelligemment, ainsi que dans la récupération de matières premières, comme le recyclage des matières grasses alimentaires, la récupération des résidus forestiers et la revalorisation d'une partie des déchets municipaux.

Dans cette perspective, regardons les carrés orangés sur la figure 4.6. Ces carrés représentent les superficies de culture requises pour remplacer 5 % des carburants pétroliers avec des biocarburants G2. Pour les États-Unis, on constate que non seulement les superficies de culture sont beaucoup plus faibles, mais, en plus, on n'a pas besoin de monopoliser des terres arables. Pour le Québec, la réduction des superficies de culture pour les biocarburants G2 par rapport aux G1 est toujours significative, mais pas aussi marquée, à cause de la température plus froide et des rendements à l'hectare plus faibles qu'on y observe.

4.6 – Huiles recyclées, gras animaux, résidus forestiers et déchets municipaux

Comme nous l'avons mentionné, on peut également produire des biocarburants en recyclant les huiles de cuisson des restaurants et des entreprises de transformation alimentaire pour en faire du biodiesel. Le gras animal des abattoirs peut aussi être utilisé à cette fin. Toutefois, en ce qui concerne cette dernière possibilité, il serait encore mieux de réduire notre consommation de viande et de libérer des terres agricoles normalement dédiées au bétail, comme nous le verrons plus loin.

Le Conseil québécois du biodiesel (CQB)[12], dans un mémoire soumis au gouvernement québécois en 2005, etime qu'il y a au Québec un potentiel pour fabriquer 206 millions de litres de biodiesel à partir des graisses animales récupérées et 65 millions de litres à partir des huiles de friture recyclées. Or, 271 millions de litres de biodiesel, au total, représentent environ 8% du carburant diesel consommé par les véhicules routiers au Québec en 2004. En considérant un taux de récupération de 50%, il est donc pensable d'en produire 4% à partir des ressources que nous venons de mentionner. Ce biodiesel G1 serait consommé principalement l'été, en raison de sa viscosité plus élevée. L'hiver, on utiliserait le diesel synthétique BTL (G2) qui serait fabriqué à partir de la culture du panic érigé et de la récupération des résidus forestiers, de même que des déchets municipaux organiques difficilement compostables.

En ce qui concerne l'éthanol, pour remplacer l'essence, les résidus forestiers et les déchets municipaux organiques peuvent également être mis à contribution afin de réduire la superficie de culture requise. On fabriquerait alors de l'éthanol cellulosique G2 par un procédé biochimique. Éventuellement, d'autres procédés thermochimiques ou thermobiologiques pourraient également synthétiser de l'éthanol, comme nous l'avons vu plus haut.

Regardons maintenant, d'un peu plus près, quelle quantité de carburant on peut fabriquer à partir des déchets municipaux. Aux États-Unis en 2005, selon l'Environmental Protection Agency (EPA), les municipalités ont produit 145 millions de tonnes métriques de déchets organiques solides[13]. Par ailleurs, grâce au procédé de la compagnie Iogen (www.iogen.ca), on peut produire 226 litres d'équivalent essence d'éthanol cellulosique à partir d'une tonne métrique de fibre (figure 4.3). Avec le procédé de la compagnie Choren (www.choren.com), c'est 273 litres de diesel synthétique BTL qu'on peut fabriquer avec une tonne de fibre (figure 4.3).

---

12. Conseil québécois du biodiesel (CQB), *Le biodiesel*, mémoire soumis au gouvernement du Québec dans le cadre de la commission de l'économie et du travail, janvier 2005. Téléchargement sur le site du CQB : www.biodieselquebec.org.

13. Voir Environmental Protection Agency/Municipal Solid Waste : www.epa.gov/msw.

Puisque les Étatsuniens utilisent environ 78 % d'essence pour 22 % de diesel, en faisant la moyenne pondérée des deux rendements, on obtiendrait 235 litres de carburant par tonne de fibre. Les Étatsuniens pourraient donc remplacer 34,1 milliards de litres de carburant. Finalement, sachant qu'aux États-Unis on a consommé environ 680 milliards de litres de carburant (essence + diesel) pour les transports routiers en 2005[14], **on en conclut que les déchets solides organiques municipaux des États-Unis, leur permettraient de fabriquer, en principe, 5 % des carburants pétroliers utilisés par les véhicules routiers!**

Il va de soi qu'il faudrait récupérer ces déchets de façon efficace et en rediriger une partie importante vers le compostage ou le recyclage. En pratique, les Étatsuniens pourraient vraisemblablement obtenir en biocarburants l'équivalent de 1 % à 2 % de leur consommation en carburants pétroliers de 2005, en transformant leurs déchets organiques municipaux.

On voit donc que la récupération des huiles et des gras alimentaires ainsi que des déchets municipaux organiques peuvent remplacer ensemble quelque 2 % des carburants pétroliers. En ajoutant l'utilisation des résidus forestiers pour fabriquer des biocarburants, remplacer environ 2,5 % des carburants pétroliers semble tout à fait réaliste et même conservateur. Cela correspond au tiers du 7,5 % requis pour assurer l'autonomie des véhicules hybrides avancés, sans pétrole (voir le chapitre 2).

4.7 – Encore moins de cultures avec de l'hydrogène

Il est possible de réduire davantage les superficies de culture pour les biocarburants. **En effet, en 2007, des chercheurs de l'Université Purdue, en Indiana, ont démontré qu'en ajoutant suffisamment d'hydrogène (H_2) dans un procédé de fabrication de diesel synthétique BTL, on pouvait réduire de 60 % la biomasse nécessaire[15]. Il serait donc possible, en principe, de réduire les superficies de cultures énergétiques de moitié environ.**

En fait, l'hydrogène ajouté permet d'utiliser tout le carbone de la biomasse au lieu de seulement la moitié, comme c'est le cas à l'heure actuelle. Ce carbone non utilisé se retrouve normalement sous forme de CO_2 ou de résidus solides.

À partir des données disponibles dans la publication des chercheurs de l'Université Purdue, l'auteur a calculé qu'on aurait besoin d'ajouter 350 grammes d'hydrogène (H_2) pour chaque litre de carburant produit. En supposant qu'on applique cette technologie de biocarburants hydrogénés au tiers des biocarburants, on retrouverait, en moyenne, environ 117 g d'hydrogène ajouté par litre de biocarburant. Nous avons vu au chapitre 2 que les futures voitures hybrides avancées intermédiaires vont consommer environ 2 litres de carburant aux 100 km lorsqu'elles fonctionneront en mode carburant. La consommation d'hydrogène ajouté serait donc de

---

14. S.C. Davis et S.W. Diegel, *Transportation Energy data Book*, 26e édition, Oak Ridge National Laboratory, U.S. Department of Energy, Oak Ridge 2007. Téléchargement: http://cta.ornl.gov/cta.

15. R. Agrawal *et al.*, «Sustainable Fuel for the Transportation Sector», *Proceedings of the National Academy of Sciences of the United States of America* (PNAS), vol. 104, n° 12, 20 mars 2007, p. 4828 à 4833.

0,235 kg/100 km, ce qui correspond à 425 km par kilogramme d'hydrogène. **Pour fins de comparaison, dans le chapitre 3, nous avons vu que la Honda FCX 2008 à pile à combustible fait 114 km par kilogramme d'hydrogène, donc approximativement quatre fois moins qu'avec l'hydrogénation du tiers des biocarburants, tel que proposé.**

L'avantage des biocarburants par rapport à l'hydrogène pur est qu'ils sont liquides, non explosifs et n'ont pas besoin d'un nouveau réseau de distribution, comme c'est le cas pour l'hydrogène. De plus, la fabrication des biocarburants peut bénéficier de toute une panoplie de technologies, incluant celles pour fabriquer l'hydrogène, tout en permettant le recyclage des huiles végétales et des gras animaux, ainsi que l'utilisation des résidus forestiers et des déchets municipaux organiques solides.

Figure 4.8 – Le chercheur Rich Diver vérifie le four solaire qui servira à générer de l'hydrogène avec le procédé CR5 développé à Sandia, en 2008. (Photo : Sandia National Laboratories)

Toutefois, pour que la production des biocarburants hydrogénés puisse être considérée comme du développement durable, il faut fabriquer l'hydrogène sans émettre de gaz à effet de serre. Pour ce faire, deux options sont possibles : l'électrolyse de l'eau à partir d'énergie renouvelable, disponible présentement, ou l'utilisation d'un four solaire, en développement.

Considérons tout d'abord l'électrolyse de l'eau. En tenant compte du fait que le futur parc de véhicules hybrides branchables ferait 70 % des kilomètres en mode électrique et 30 % avec des biocarburants, on peut calculer que **l'ajout de l'hydrogène dans le tiers des biocarburants implique une augmentation de l'ordre de 50 % de la consommation électrique des véhicules, pour une diminution de 25 % des superficies de culture dédiées aux biocarburants.**

Maintenant, en ce qui concerne **la fabrication d'hydrogène à l'aide d'un four solaire,** les chercheurs de Sandia National Laboratories, aux États-Unis, ont mis au point un procédé, appelé CR5, qui permet de produire de l'hydrogène à partir des rayons solaires concentrés par un miroir[16] (**figure 4.8**). Dans le réacteur, au foyer du miroir, un anneau en oxyde métallique

---

16. Sandia National Laboratories Newsroom, *Sandia's Sunshine to Petrol Project Seeks Fuel from Thin Air*, communiqué de presse (news release), 5 décembre 2007. Voir le site www.sandia.gov. ; W.D. Jones, «Synthetic Fuel From a Solar Collector», *IEEE Spectrum Online*, janvier 2008. Voir le site www. spectrum.ieee.org.

tourne lentement et expose une partie de sa circonférence aux rayons concentrés du soleil, qui font monter localement la température à 1500 °C. Cette haute température arrache les atomes d'oxygène à la partie exposée de l'anneau d'oxyde métallique. Cette partie de l'anneau s'éloigne ensuite graduellement de la zone exposée, du fait de sa rotation. Un demi-tour plus loin, cette région désoxydée de l'anneau se retrouve isolée des rayons du soleil et refroidie à 1000 °C. On l'expose alors à de la vapeur d'eau surchauffée qui réagit avec le métal. Ce dernier se combine ainsi avec l'oxygène contenu dans l'eau pour former à nouveau un oxyde métallique, libérant l'hydrogène des molécules d'eau. L'anneau continue sa rotation et le cycle recommence.

L'efficacité théorique de conversion de l'énergie solaire en énergie chimique contenue dans l'hydrogène atteint 76%, selon les chercheurs de Sandia[17]. S'ils atteignaient une efficacité pratique de 60%, leur procédé serait quatre fois plus efficace que l'électrolyse de l'eau alimentée par l'électricité de panneaux solaires commerciaux efficaces à 20% (l'électrolyse ayant une efficacité de 75%)!

4.8 – Les carburants solaires

Le procédé CR5 de Sandia peut également briser les molécules de dioxyde de carbone (CO_2) pour dégager du monoxyde de carbone (CO), alors que les atomes d'oxygène arrachés au CO_2 se combinent au métal de l'anneau pour former l'oxyde métallique.

Puisqu'on peut produire de l'hydrogène (H_2) et du monoxyde de carbone (CO) avec l'énergie solaire thermique, on dispose donc des deux constituants de base du gaz de synthèse (syngas) obtenu généralement par gazéification de la biomasse ou du charbon. Or, l'obtention du gaz de synthèse constitue la première étape dans la production de carburants synthétiques (essence, carburant diesel ou éthanol), comme nous l'avons vu à la section 4.3 (procédés thermo-chimiques et thermo-biologiques). Les chercheurs de Sandia l'ont compris et ils ont mis sur pied le projet Sunshine to Petrol (Du soleil au pétrole) pour y arriver (figure 4.8). Ils estiment qu'une commercialisation de leur procédé pourrait survenir vers 2020-2025. Mais, en fait, tout dépend des efforts et des investissements qu'on déploiera.

Dans un premier temps, le CO_2 pourrait être fourni par les cheminées des centrales électriques au charbon ou au gaz naturel, ce qui permettrait de diminuer considérablement les émissions de ce gaz à effet de serre. Ultimement, le but serait d'utiliser directement le CO_2 de l'atmosphère. **On produirait alors du carburant de synthèse à partir de l'eau et de l'air uniquement, grâce à l'énergie solaire! Des carburants solaires pour ainsi dire.**

---

17. W.D. Jones, *op..cit.*

4.9 – Les biocarburants à base d'algues microscopiques

La championne olympique dans la course aux biocarburants est une herbe géante, le miscanthus, qui peut atteindre quatre mètres de hauteur. Cette mystérieuse graminée, originaire de l'Asie du Sud-Est, est également appelée herbe à éléphants. Mais, attention! aussi grande soit-elle, des athlètes littéralement microscopiques risquent de lui faire perdre son titre. **Il s'agit d'algues microscopiques unicellulaires capables d'un rendement à l'hectare de 6 à 12 fois supérieur à celui du miscanthus et de 40 à 80 fois supérieur à celui des plantes terrestres à graines huileuses, comme le tournesol ou le colza. On parle donc d'un rendement annuel potentiel de 50 000 à 100 000 litres de biocarburants à l'hectare!** Ces athlètes minuscules sont à l'entraînement présentement, mais ils pourraient bien s'aligner sur la ligne de départ d'une prochaine course dans le stade des biocarburants rentables et écologiques.

Ce sont les chercheurs du National Renewable Energy Laboratory (NREL)[18], au Colorado, qui ont mis en évidence, de 1978 à 1996, le talent bien spécial des microalgues pour produire des huiles végétales de qualité à un taux presque incroyable. Ces microorganismes peuvent, en effet, doubler voire quadrupler leur masse en une seule journée d'été bien ensoleillée. De plus, chez certaines espèces, 40% de cette masse est constituée d'huile végétale, à partir de laquelle on peut produire du biodiesel très facilement. Il suffit de les placer dans de l'eau, qui n'a pas besoin d'être potable, d'ajouter un peu de nutriments, et de les alimenter avec le CO_2 émis par une centrale électrique au charbon ou au gaz naturel.

La compagnie GreenFuel Technologies qui a réalisé l'installation de la **figure 4.9**, conjointement avec la compagnie Arizona Public Service (APS), vient de démontrer, à l'été 2007, la production de près d'une tonne d'algues à l'hectare par jour (98 g/m^2/jour), en moyenne! On peut donc s'attendre à une production annuelle de l'ordre de 200 tonnes/hectare, ce qui pourrait donner environ 80 000 litres/hectare de biodiesel par année, soit 130 fois plus qu'avec du soya, pour une même superficie cultivée! De plus, puisque la culture des algues est hydroponique, il n'y a aucune contrainte sur la qualité du sol.

Par ailleurs, certaines algues produisent de l'amidon et peuvent être transformées en éthanol. Il est également possible de fabriquer du diesel synthétique BTL à partir des algues.

Toutefois, lorsque les algues sont alimentées par le CO_2 issu de la combustion de carburants fossiles, il faut bien comprendre qu'on ne fait que retarder l'émission de géocarbone dans l'atmosphère. Vu sous cet angle, on ne peut donc pas réellement parler de développement durable pour ces biocarburants «hybrides». Pour que ce soit le cas, il faudrait fermer les centrales au charbon le plus possible et alimenter les algues avec du biocarbone issu de la surface terrestre, comme celui émis par les

---

18. J. Sheehan *et al.*, *A Look at the U.S. Department of Energy's Aquatic Species Program – Biodiesel from Algae*, rapport préparé par le National Renewable Laboratory, Golden, Colorado, juillet 1998. Téléchargement sur le site de Energy Efficiency and Renewable Energy (EERE), Biomass Program : www1.eere.energy.gov/biomass .

Figure 4.9 – Installation d'une unité de production de microalgues de la compagnie GreenFuel Technologies, couplée à la centrale électrique au gaz naturel de Redhawk, en Arizona. Cette unité est à une échelle d'ingénierie, pas encore à une échelle commerciale.

Photo : Greenfuel Technologies

usines de biocarburants. Disons que pour les 20 prochaines années la production de biocarburants hybrides à base d'algues est acceptable et même souhaitable au niveau de l'environnement. Mais, il ne faudrait pas qu'on retarde la mise au rancart des centrales au charbon, extrêmement néfastes pour l'environnement, à cause des biocarburants algaux.

Pour ce qui est du taux d'absorption du CO_2 par les algues, la compagnie GreenFuel (www.greenfuelonline.com) a effectué des tests en 2004 sur son bioréacteur expérimental de l'époque constitué de tubes de plastique transparents dans lesquels circulent l'eau remplie d'algues et les gaz issus d'une centrale au charbon. Les résultats confirment une réduction de 83,2 % du CO_2 et une réduction de 85,9 % des oxydes d'azote lors des journées ensoleillées.

Mais, puisque la photosynthèse ne fonctionne pas la nuit, qu'il y a plusieurs journées nuageuses dans l'année et que les journées sont plus courtes en hiver, on ne peut pas penser piéger avec des algues plus de 25 à 35 % environ du CO_2 et des oxydes d'azote émis par une centrale thermique.

Enfin, le handicap des microalgues est qu'elles sont sensibles aux températures trop fraîches. Aussi, on doit les faire pousser à l'abri, dans des bioréacteurs en plastique transparent ou dans des serres, ce qui augmente considérablement le coût de production. Un autre problème est le besoin de grandes superficies près des centrales électriques thermiques, dans des lieux où souvent le prix des terrains est élevé, ce qui contribue également à l'augmentation du prix des biocarburants.

En fait, malgré leur potentiel évident, le plus gros défi des biocarburants à base d'algues est d'arriver à les produire à un prix raisonnable. Plus d'une douzaine de compagnies y travaillent en 2008, mais elles sont toutes avares de commentaires sur les coûts réels. Il faudrait possiblement envisager de cultiver les algues sans l'apport de CO_2 d'une centrale thermique. Le rendement serait inférieur, mais on gagnerait en flexibilité, ce qui permettrait d'implanter des fermes d'algues dans les meilleurs endroits. Dans le cas des États-Unis, ce serait plus au sud, près des déserts, alors que la grande majorité des centrales au charbon sont au nord-est du pays, près des zones urbaines.

4.10 – Moins de gaz à effet de serre

Jusqu'à maintenant, nous avons mis l'accent sur le rendement à l'hectare des bio-carburants. Toutefois, il est également très important de connaître le pourcentage de réduction des gaz à effet de serre que chacun de ces biocarburants entraîne, par rapport à l'utilisation des carburants pétroliers.

À cet effet, une étude très élaborée a été réalisée conjointement par EUCAR (EUropean Council for Automotive R&D), CONCAWE (CONservation of Clean Air and Water in Eurore, l'organisme pour l'environnement des compagnies de pétrole) et le Joint Research Center de la Commission Européenne. La dernière version date de mars 2007. Le titre de l'étude est *Well-to-Wheels Analysis of Future Automotive Fuels and Powertrains in the European Context*[19]. Nous nous sommes basés sur les données de cette étude pour élaborer le graphique de la **figure 4.10**, sauf pour le maïs et le soya, qui ne sont pas traités dans l'étude européenne. Pour ces deux plantes, nous nous sommes référés à l'étude de l'International Energy Agency, inti-tulée *Biofuels for Transport* et publiée en 2004[20].

L'étude européenne porte sur le cycle de vie des divers biocarburants, en pas-sant par la culture des plantes, leur transport, leur transformation, la distribution du carburant et son utilisation. Les trois principaux gaz à effet de serre (CO_2, CH_4 et N_2O) y sont évalués, et le tout est transposé en quantité de CO_2 équivalent. Dans ces évaluations, les meilleures pratiques sont considérées, comme le recours à des résidus de plantes pour produire de l'électricité et de la chaleur qu'on utilise à l'usine de fabrication des biocarburants. De plus, des crédits de CO_2 sont alloués pour les produits dérivés de la biomasse, comme des combustibles solides, des compléments

---

19. R. Edwards *et al.*, *op. cit.*
20. L. Fulton *et al.*, *op. cit.*

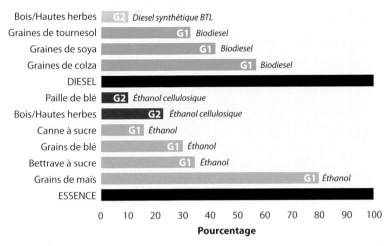

Figure 4.10 – Émissions relatives de CO_2 de divers biocarburants, par rapport au carburant pétrolier qu'il déplace. L'essence et le carburant diesel représentent 100 %. Les appellations G1 et G2 symbolisent respectivement les biocarburants de première génération et de deuxième génération.

alimentaires pour le bétail ou de l'électricité en surplus qui est vendue au réseau électrique local. Les plantes vivaces sauvages comme le panic érigé et le miscanthus sont représentées sur la figure 4.10 par l'appellation hautes herbes.

La figure 4.10 nous révèle toute l'importance d'aller rapidement aux biocarburants de deuxième génération G2, dont les performances pour réduire les gaz à effet de serre sont nettement supérieures. Dans les biocarburants de première génération G1, seul l'éthanol fabriqué à partir de la canne à sucre permet d'obtenir des rendements similaires aux biocarburants G2. **Comme biocarburant, le maïs est la dernière plante que nous devrions considérer.** Non seulement cette plante contribue peu à réduire les gaz à effet de serre, mais elle pollue de façon importante les cours d'eau et les lacs, tout en causant une érosion importante des sols. De plus, **si on tient compte de l'énergie nécessaire à la fabrication de la machinerie utilisée dans la production du maïs et d'une usine d'éthanol, certaines études[21] n'accordent aucune réduction de CO_2 à l'éthanol de grains de maïs, même qu'il en émettrait plus!**

Le meilleur candidat pour combattre les gaz à effet de serre semble le diesel synthétique BTL, fait à partir de panic érigé, de miscanthus et de résidus forestiers, ou de déchets municipaux organiques. En plus de n'émettre que très peu de CO_2, c'est cette filière qui demande le moins de superficies de culture, comme on peut le constater sur la figure 4.4, et le moins d'engrais, d'insecticides et de travail de la terre. De plus, le panic érigé et le miscanthus ne sont pas

---

21. D. Pimentel et M.H. Pimentel, *Food Energy and Society*, CRC Press, Taylor & Francis Group, Boca Raton, Floride, 2008.

comestibles et peuvent être cultivés sur des terres marginales. De ce fait, ces plantes ne rivalisent pas avec les cultures alimentaires, pas plus que le bois.

La figure 4.10 nous révèle également que le procédé de fabrication de l'alcool cellulosique fonctionne moins bien avec les fibres plus coriaces, comme les hautes herbes et le bois.

4.11 – Moins d'émissions polluantes

Bien que le CO_2 soit le principal gaz relié au changement climatique, il n'est pas considéré comme un polluant, car il ne présente pas de toxicité pour les êtres vivants, il ne participe pas à l'élaboration du smog dans nos villes, et n'est pas relié aux pluies acides.

Les principales émissions polluantes qui sortent des tuyaux d'échappement de nos véhicules sont:

- **les hydrocarbures imbrûlés (HC),**

- **le monoxyde de carbone (CO),**

- **les oxydes d'azote (NOx),**

- **les particules fines de matière (PM).**

Les hydrocarbures (HC) forment une vaste famille de molécules constituées uniquement de carbone (C) et d'hydrogène (H), et dont un grand nombre sont volatils. Plusieurs de ces composés organiques, comme le benzène, sont cancérigènes. Heureusement, on les retrouve à des concentrations très faibles.

Le monoxyde de carbone (CO) est un gaz inodore très toxique, qui diminue la capacité du sang de transporter l'oxygène aux cellules. Respiré à faible dose, il causera des maux de tête et une sensation de fatigue.

Les oxydes d'azote (NOx) sont à l'origine du smog, ce brouillard jaunâtre qui enveloppe les villes de plus en plus souvent. Le smog est très néfaste pour le système respiratoire, particulièrement pour les asthmatiques et ceux qui souffrent de bronchite chronique. Les jeunes enfants, les personnes âgées et ceux qui souffrent de maladies cardiaques y sont plus sensibles. C'est en réagissant avec les composés organiques volatiles (COV), sous l'effet de la chaleur et de la lumière, que les NOx produisent le smog, principalement durant les journées chaudes d'été avec peu de vent. Les COV proviennent de l'évaporation des carburants et des solvants, ainsi que de la combustion de l'essence.

Les particules fines de matière, plus petites que 10 microns (un centième de millimètre), sont particulièrement dommageables pour les poumons, affectant de façon plus aiguë les personnes souffrant de maladies cardiaques ou de troubles respiratoires. Plusieurs personnes voient leur vie raccourcie à cause de cette pollution. Les jeunes enfants et les personnes âgées, comme toujours, y sont plus vulnérables.

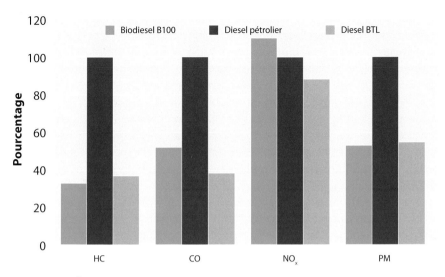

Figure 4.11 – Émissions polluantes relatives au biodiesel B100 et au diesel BTl par rapport au diesel pétrolier. Émissions polluantes relatives des biocarburants diesel par rapport au diesel pétrolier (100 %) pour les hydrocarbures (HC), le monoxyde de carbone (CO), les oxydes d'azote (NO$_x$), et les fines particules de matière (PM). Ces émissions sont produites par la combustion des divers carburants dans des moteurs diesel de voitures. Les données proviennent d'une étude de l'Environmental Protection Agency (EPA) pour le biodiesel[22] et de Argonne National Laboratory pour le diesel synthétique BTL SunDiesel™de la compagnie Choren[23].

La figure 4.11 nous montre les quantités relatives d'émission de ces quatre polluants atmosphériques pour trois types de carburants diesel : le diesel pétrolier, le biodiesel B100 (100 % biodiesel, non mélangé), et le diesel de synthèse BTL. Le diesel pétrolier constitue la référence à 100 %. Les données pour le biodiesel B100 proviennent de l'Environmental Protection Agency (EPA)[22], alors que les résultats pour le diesel synthétique BTL ont été obtenus par le Argonne National Laboratory (ANL)[23] du Département de l'énergie des États-Unis (DOE). Les chercheurs du laboratoire ANL ont testé le SunDiesel™ de la compagnie Choren (www.choren.com).

Les oxydes de soufre et les sulfates responsables des pluies acides ne sont pas représentés sur la figure 4.11. Les biocarburants qui remplacent le diesel pétrolier ne contiennent pas de soufre, contrairement à ce dernier. De la figure 4.11 il ressort clairement que les hydrocarbures (HC), le monoxyde de carbone (CO) et les fines particules de matière (PM) sont réduits de façon substantielle lorsqu'on utilise des biocarburants. Seuls les oxydes d'azote (NO$_x$) ne diminuent pas de façon appréciable. Il y a même une légère augmentation de 10 % pour le biodiesel.

22. U.S. Environmental Protection Agency (EPA), *A Comprehensive Analysis of Biodiesel Impacts on Exhaust Emissions*, octobre 2002.

23. H. Ng *et al.* (Argonne National Laboratory), *Comparing the Performance of Sundiesel™ and Conventional Diesel in a LD Vehicle and Engines*, présentation faite à la conférence Diesel Engine Emissions Reduction (DEER), Chicago, du 21 au 25 août 2005. Téléchargement sur le site www1.eere.energy.gov.

Toutefois, **les nouvelles technologies pour éliminer les oxydes d'azote à la sortie des moteurs diesel sont de plus en plus performantes**. Les convertisseurs catalytiques traditionnels, qui peuvent éliminer plus de 95% des NO_x dans une voiture à essence, ne fonctionnent pas bien pour les moteurs diesel, n'éliminant que 10% à 20% des NO_x. Mais la nouvelle technologie Bluetec™ développée par Mercedes pour les moteurs diesel est capable d'éliminer jusqu'à 85% des NO_x, en utilisant un additif à base d'urée. Les premières voitures équipées de ce système devraient arriver sur le marché en 2008. De plus, les chercheurs du Massachusetts Institute of Technology (MIT) ont développé une nouvelle technologie différente, centrée sur un miniréacteur à plasma appelé Plasmatron™, couplé à un système catalytique. Aucun additif n'est requis, des décharges électriques font le travail. Selon des tests effectués sur un autobus diesel par ArvinMeritor, la compagnie qui devrait commercialiser le système vers 2010, le Plasmatron™ fonctionne très bien aux basses températures des gaz d'échappement, caractéristiques de la conduite urbaine, et il est capable d'éliminer 90% des NO_x[24].

Par ailleurs, il ne faut pas oublier que selon notre scénario, les voitures ne vont consommer en biocarburants que l'équivalent de 5% des carburants pétroliers qu'elles consomment aujourd'hui. Donc, en tenant compte des technologies d'élimination des NO_x, les quantités de ces polluants seront réduites à des niveaux infimes, en comparaison d'aujourd'hui, et continueront de diminuer avec le perfectionnement des dépollueurs embarqués.

Le graphique de la figure 4.11 est important, car les moteurs diesel, qui sont désormais aussi propres que les moteurs à essence, vont gagner progressivement du terrain, jusqu'à dominer l'ensemble des transports routiers. La raison est simple, les moteurs diesel sont 30% plus efficaces que les moteurs à essence et, par conséquent, consomment moins de carburant. De plus, leur durée de vie est plus longue. Déjà, 7 Français sur 10 qui achètent une nouvelle voiture optent pour la motorisation diesel. Les voitures de demain seront donc majoritairement des hybrides diesel branchables. On sait qu'il faut de 3 à 4 barils de pétrole brut pour produire un baril de carburant diesel, mais cette limitation n'existe pas pour les biocarburants (diesel synthétique BTL et biodiesel).

L'utilisation accrue de moteurs diesel tombe bien, car le diesel synthétique BTL semble le biocarburant qui offre le plus de potentiel, au niveau de la réduction des superficies de culture, de la diminution des gaz à effet de serre, de la protection des sols, des rivières et des lacs, et de la non-concurrence avec les denrées alimentaires (voir plus loin). Par ailleurs, le biodiesel peut être fabriqué à partir des huiles et des gras alimentaires recyclés, sans rien cultiver, et on peut le mélanger au diesel synthétique BTL dans diverses proportions.

---

24. E.A. Thomson (MIT News Office), «Plasmatron Could Cut Oil Consumption Emissions», *MIT News*, 22 octobre 2003. Voir le site http://web.mit.edu/newsoffice à la rubrique «Archives».

De son côté, l'éthanol est toujours mélangé avec de l'essence, car l'éthanol pur ne permet pas à une voiture de démarrer par temps froid. Le pourcentage maximum d'éthanol qu'on retrouve dans ces mélanges est de 85 %, et on parle alors de carburant E85. En ce qui concerne les émissions polluantes du E85 par rapport à l'essence pure, les résultats des tests sont très variables et dépendent du véhicule et des conditions de conduite. De façon générale, on peut dire que le E85 émet un peu moins d'oxydes d'azote (NO_x) et de monoxyde de carbone (CO), la même quantité de particules de matière (PM) et un peu plus d'hydrocarbures (HC)[25].

Pour rouler sans pétrole, il faudra remplacer le 15 % d'essence du E85 par 15 % d'un carburant synthétique BTL (*Biomass To Liquid*) ayant des caractéristiques similaires à celles de l'essence.

4.12 – Planter des arbres ou faire de la culture énergétique

Certains chercheurs remettent en cause les biocarburants en prétextant qu'on peut retirer plus de CO_2 de l'atmosphère en plantant des arbres qu'en cultivant des plantes pour les biocarburants, pour une même superficie de terrain. C'est la position mise de l'avant par Renton Righelato et Dominick V. Spracklen dans un article publié dans la revue *Science*, en août 2007[26]. Ces derniers ont calculé la quantité de carbone retiré de l'atmosphère par une plantation d'arbres sur une superficie d'un hectare, pendant 30 ans, et la quantité évitée par différentes plantes transformées en divers biocarburants, sur la même superficie et pendant la même période de temps. Voici leurs constatations :

> *In all cases, forestation of an equivalent area of land would sequester two to nine times more carbon over a 30-year period than the emissions avoided by the use of the biofuel.*

> *Dans tous les cas, le boisement d'une superficie équivalente de terrain séquestrerait deux à neuf fois plus de carbone sur une période de 30 ans que les émissions évitées par l'utilisation du biocarburant.* (Traduction libre de l'auteur)

Righelato et Spracklen concluent qu'il est préférable de continuer à utiliser du pétrole et de planter des arbres, tout en mettant l'accent sur la réduction de notre consommation de carburants pétroliers.

L'auteur de ce livre est tout à fait d'accord avec la réduction de notre consommation de carburants, comme tous ceux qui sont sensibilisés aux problèmes de l'environnement. Par ailleurs, ce que ces deux chercheurs démontrent dans leur article percutant, c'est le non-sens de développer l'industrie des biocarburants à partir des technologies de première génération en utilisant des plantes comme le maïs, le soya ou le tournesol.

---

25. K.S. Varde (Département de Génie Mécanique, Université du Michigan à Dearborn), *Control of Exaust Emissions from Small Engines Using E-10 and E-85 Fuels*, rapport, octobre 2002.
26. R. Righelato et D.V. Spracklen, «Carbon Mitigation by Biofuels or by Saving and Restoring Forests?», revue *Science*, vol. 317, 17 août 2007, p. 902.

Toutefois, Righelato et Spracklen ont omis de présenter les émissions de carbone évitées par les biocarburants de deuxième génération G2 produits à partir des plantes ayant les meilleurs rendements à l'hectare, comme le panic érigé et le miscanthus. En faisant le calcul du carbone évité par l'utilisation de diesel synthétique ou d'alcool cellulosique produits à partir de ces hautes herbes vivaces, on démontre que la quantité de carbone évité par ces biocarburants est supérieure à celle qui serait séquestrée par un boisement dans les zones tempérées.

Même en admettant que le boisement et les meilleurs biocarburants G2 ont le même impact sur les gaz à effet de serre, il est de beaucoup préférable d'aller vers les biocarburants. En effet, le problème des gaz à effet de serre n'est pas seul. Il faut aussi se prémunir contre le déclin pétrolier imminent (voir le chapitre 1) et l'emballement des prix à la pompe.

4.13 – Réduire notre consommation de viande de 15 %

Si on veut se préoccuper de la meilleure façon de gérer nos terres agricoles, il n'y a pas que le boisement qu'on devrait considérer. Pour réduire l'empreinte écologique de l'exploitation des sols, nous aurions tout avantage à diminuer notre consommation de viande. Un rapport de la FAO (Food and Agriculture Organisation) publié en 2006, est très éloquent à ce sujet[27]. **Selon ce rapport des Nations Unies, 70 % des terres agricoles de la planète (culture et pâturage) sont utilisées pour le bétail et 33 % des terres arables cultivées servent à le nourrir !**

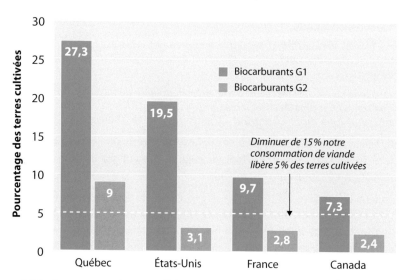

Figure 4.12 – Pourcentage des superficies agricoles cultivées, de divers États, requis pour remplacer 5 % des carburants pétroliers utilisés en 2005 par la culture, soit de biocarburants de première génération G1, soit des biocarburants de deuxième génération G2.

27. H. Steinfeld *et al.*, *op. cit.*

Figure 4.13 – L'élevage du bétail émet plus de gaz à effet de serre (GES) que les véhicules routiers de l'ensemble de la planète. Manger 15% moins de viande libérerait les surfaces agricoles requises pour produire en biocarburants plus de 5% des carburants pétroliers consommés par nos véhicules en 2008, tout en réduisant deux fois plus les GES. (Photo : iStock)

Réduire notre consommation de viande de 15% environ (un jour par semaine sans viande), libérerait 5% des terres arables cultivées. Comme le montre la figure 4.12, cela suffirait, en moyenne, pour remplacer 5% des carburants pétroliers actuels par des biocarburants. En plus, cette journée sans viande rendrait inutiles 15% des pâturages, soit une superficie égale à 36% de toutes les terres arables de la planète. Et, il est possible de cultiver des terres moins fertiles comme les pâturages avec un mélange de hautes herbes vivaces sauvages dans un même champ pour produire des biocarburants.

Une diminution de notre consommation de viande de 15% permet donc de libérer amplement de terres agricoles pour remplacer 5% de carburants pétroliers par des biocarburants «cultivés». Ajouter 2,5% de biocarburants recyclés à ce 5% de biocarburants cultivés et utiliser l'électricité du réseau, c'est tout ce dont on a besoin pour rouler sans pétrole.

Par ailleurs, dans le même rapport de la FAO mentionné plus haut, on apprend également que le bétail est responsable de 18% des gaz à effet de serre reliés aux activités humaines! C'est plus que tous les véhicules routiers de la planète, qui contribuent pour 12% (10% pour les véhicules et 2% pour l'extraction et le raffinage du pétrole)[28]. **Ainsi, en libérant des terres agricoles dédiées au bétail pour les consacrer aux biocarburants de deuxième génération, on multiplie par deux la réduction des gaz à effet de serre!**

---

28. K.A. Baumert, T. Herzog et J. Pershing, *op. cit.*

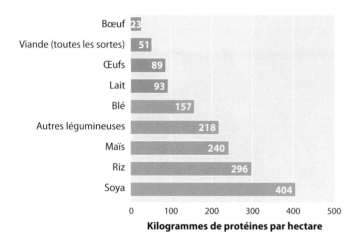

Kilogrammes de protéines par hectare

Figure 4.14 – Efficacité d'utilisation des terres pour la production de protéines, selon les données du Département de l'agriculture des États-Unis et de FAO/WHO/UNICEF, Protein Advisory Group (2004). Les données originales sont en livres par acre, que l'auteur a converties en kilogrammes par hectare, en arrondissant à l'unité.

On peut facilement remplacer le 15 % de protéines animales, dans notre alimentation, par des protéines végétales. En fait, en ce qui concerne la production de protéines, la viande constitue une utilisation très inefficace des terres agricoles, si on la compare aux légumineuses et aux céréales, comme le montre la figure 4.14. Les régimes très carnés, particulièrement ceux qui comportent beaucoup de viande de bœuf, constituent un gaspillage éhonté des ressources agricoles, surtout lorsqu'on pense au problème de la faim dans le monde! Et il n'y a pas que l'inefficacité dans l'utilisation des sols qui occasionne des problèmes avec le bétail, il y a aussi l'inefficacité dans l'utilisation de l'eau. La production de 1 kg de bœuf peut requérir jusqu'à 100 000 litres d'eau, comparativement à 1000 litres pour le blé[29]. Par ailleurs, un peu moins de viande ne ferait pas de tort à la santé des Occidentaux. Pour plus d'information sur les problématiques associées au bétail, le lecteur est invité à consulter le site Internet de l'organisation Compassion in World Farming Trust (www.ciwf.org.uk), en particulier leur rapport intitulé *The Global Benefits of Eating less Meat*, paru en 2004[30].

Il n'y a donc aucun problème de superficie de culture pour les biocarburants, à condition d'utiliser les bonnes technologies avec les bonnes plantes et d'avoir une vision plus large de la problématique de gestion des terres, tout en diminuant au maximum la quantité de biocarburants requis.

4.14 Les effets néfastes de l'agriculture industrielle

Une fois établie la disponibilité des superficies de culture pour les biocarburants, la préoccupation suivante vient naturellement à l'esprit : les effets potentiellement néfastes de l'agriculture industrielle sur les sols, l'eau et les organismes vivants. Comme nous le verrons dans ce qui suit, les monocultures alimentaires industrielles en rangées sont entachées de graves problèmes environnementaux, qu'il ne faudrait pas aggraver avec les biocarburants. Après avoir passé en revue ces divers problèmes dans la présente section, nous verrons qu'il est possible de les éviter.

---

29. M. Gold, *The Global Benefit of Eating Less Meat*, rapport de l'organisation Compassion in World Farming Trust, 2004. Téléchargement à www.ciwf.org.uk/eatlessmeat.
30. *Ibid.*

Aujourd'hui, ce n'est plus un secret pour personne que les monocultures industrielles intensives de plants annuels en rangée, comme le maïs, sont très dommageables pour l'environnement. Le maïs et le soya, en particulier, nécessitent beaucoup d'engrais industriels, de lisiers, d'herbicides et d'insecticides. De plus, le fait que la terre soit exposée directement aux précipitations, au début de la saison de culture, favorise le ruissellement et l'érosion des sols par l'eau et le vent.

Une partie des engrais et lisiers est ainsi acheminée dans les cours d'eau et contribue à la prolifération des algues. En mourant, ces algues tapissent le fond des rivières et des lacs et leur décomposition consomme l'oxygène dissous dans l'eau. L'appauvrissement en oxygène qui en résulte empêche alors les organismes vivants supé-

Figure 4.15 – Photographie satellite rehaussée montrant l'immense «zone morte» dans les eaux côtières du Golfe du Mexique, s'étalant à partir de l'embouchure du fleuve Mississippi.

Source : NASA/NOAA)

rieurs (poissons, crustacés…) d'y vivre et entraîne la mort de plusieurs d'entre eux. Il se crée ce qu'on appelle des zones mortes que l'on retrouve même dans les mers et océans, aux embouchures des fleuves. La figure 4.15 nous fait voir une zone morte de 15 000 km², qui s'étale à partir de l'embouchure du fleuve Mississippi, dans le golfe du Mexique. Cette zone morte océanique n'est pas la seule. Une étude du Programme des Nations Unies pour l'environnement (PNUE), publiée en 2004, en dénombrait 146 dans les eaux côtières océaniques de la planète[31]. Ces zones mortes constituent un autre péril pour l'industrie de la pêche, en décimant les stocks de poissons et crustacés et en rendant de plus en plus précaire à bien des endroits le métier de pêcheur.

Par ailleurs, **l'érosion des terres arables** constitue un autre fléau de l'agriculture moderne. Une couche de 15 centimètres de terre arable peut prendre 3000 ans à se former et, si l'érosion est trop importante, cette mince couche de sol organique fait place graduellement à des terres non productives, puis au sable et à la désertification. Or, selon John Jeavons, un des pionniers de l'organisation Ecology Action (www.growbiointensive.org), pour chaque tonne de nourriture que nous produisons, 6 à 18 tonnes de terre arable sont perdues par l'érosion de l'eau et du vent[32]. **Nous aurions ainsi perdu environ 30% de nos terres arables dans les 40 dernières années, à la grandeur de la planète!** Ce sont principalement les pratiques agricoles mécanisées de plantes en rangées qui en sont responsables.

31. Programme des Nations Unies pour l'environnement (PNUE) (en anglais : United Nations Environment Programme (UNEP), *Further Rise in Number of Marine 'Dead Zones'*, communiqué de presse du 19 octobre 2006. Voir les archives des Communiqués de presse (Press releases) en anglais (communiqué non disponible en français) du site de l'UNEP : www.unep.org/newscentre

32. D. Pimentel et M.H. Pimentel, *op. cit.*, et J. Jeavon, *How to Grow More Vegetables Than You Tought Possible on Less Land Than You Can Imagine*, Ten Speed Press, Berkeley 2006.

Mais, il est possible de travailler la terre de façon plus écologique, sans engendrer de pertes d'humus, avec l'agriculture biointensive, une pratique agricole à échelle humaine dont l'organisation Ecology Action fait la promotion depuis 1971[33].

Un troisième effet très néfaste est lié à l'agriculture moderne : **l'emploi systématique et à grande échelle de pesticides de synthèse** (herbicides, insecticides et fongicides).

En 2004, l'organisation Pesticide Action Network North America (PANNA : www.panna.org) a publié une étude sur les niveaux de pesticides accumulés dans l'organisme de 9282 personnes qui ont subi des tests à cet effet (prélèvements et analyses d'urine et/ou de sang). Les résultats de cette étude dévoilent des situations très inquiétantes. Voici quelques extraits de la version française du sommaire du rapport[34] :

> *De nombreux pesticides que nous avons dans le corps peuvent causer le cancer, perturber notre système hormonal, faire baisser notre fertilité, causer des fausses couches ou affaiblir notre système immunitaire. Et ce ne sont que quelques-uns des effets néfastes connus de quelques pesticides à de très faibles niveaux d'exposition. On ne connaît presque rien des effets à long terme de plusieurs pesticides combinés dans notre organisme sur de longues périodes.*

> *Des femmes, des enfants et des personnes âgées d'un échantillon de population, qui reflète des millions de personnes aux USA, dépassent la dose chronique d'exposition officiellement établie comme acceptable.*

> *Les femmes adultes, incluant les femmes en âge de procréer, avaient les plus hauts niveaux mesurables de charge corporelle pour 3 des 6 pesticides organochlorés évalués. Ceci est très préoccupant, car plusieurs de ces pesticides sont reconnus pour leurs multiples effets nocifs lorsqu'ils traversent la barrière placentaire pendant le développement embryonnaire.*

Par ailleurs, le Dr Relyea, du Département des sciences biologiques de l'Université de Pittsburgh, a effectué des expériences sur l'effet de l'herbicide Roundup™ sur les grenouilles et a conclu, dans un article publié en 2005, dans la revue *Ecological Applications*[35] :

> *In short, the current study suggests that applying Roundup formulations containing the POEA surfactant to amphibian habitats has the potential to cause substantial mortality in many amphibian species.*

> *En bref, la présente étude suggère que le fait d'appliquer les formulations Roundup contenant le surfactant POEA à des habitats d'amphibiens peut causer une mortalité importante chez plusieurs espèces d'amphibiens. (Traduction libre de l'auteur)*

---

33. Voir le site de Ecology Action à www.growbiointensive.org.
34. K.S. Schafer *et al.*, *Viol chimique, Les pesticides dans le corps humain et la responsabilité des grandes corporations*, rapport de l'organisation Pesticide Action Network North America (PANNA), mai 2004. Sommaire disponible en français : voir le titre Chemical Trespass dans la rubrique Resource Library du site www.panna.org
35. R.A. Relyea, «The Lethal Impact of Roundup on Aquatic and Terrestrial Amphibians», article paru dans la revue *Ecological Applications*, vol. 15, n° 4, août 2005, p. 1118 à 1124.

Or, la compagnie Mosanto, qui commercialise l'herbicide Roundup, a également mis sur le marché un soya modifié génétiquement pour résister au Roundup, afin que les agriculteurs puissent l'utiliser sans crainte pour leurs plants de soya. Cependant, au fil des années, plusieurs mauvaises herbes développent une résistance au Roundup ce qui oblige les agriculteurs à augmenter les doses et à utiliser un cocktail d'herbicides différents. Bref, l'introduction d'OGM résistants au Roundup ne ferait qu'accentuer l'utilisation des herbicides, ce qui dégrade davantage notre environnement et augmente les effets néfastes sur les êtres vivants!

Après ce bref survol des problèmes reliés aux monocultures alimentaires intensives de plantes en rangées, force est de constater que le bilan n'est pas très reluisant. Notre agriculture N'EST PAS DURABLE et nous allons devoir corriger le tir rapidement, si on veut éviter les fléaux agricoles qui pointent à l'horizon. Nous avons tout intérêt à nous diriger vers une agriculture paysanne biologique plus respectueuse de l'environnement et à modifier nos comportements alimentaires, en consommant moins de viande.

Face à ce constat déplorable sur l'agriculture actuelle, il est tout à fait compréhensible que nombre de personnes s'opposent aux biocarburants, ne voulant pas aggraver une situation déjà précaire.

Heureusement, **il y a moyen de pratiquer des cultures énergétiques de façon durable**, sans érosion des sols, avec beaucoup moins d'engrais et pratiquement pas de pesticides. De plus, on peut obtenir des rendements à l'hectare meilleurs que le maïs pour les biocarburants, et diminuer beaucoup plus les gaz à effet de serre, tout en utilisant des terres marginales impropres à la culture alimentaire. Voyons donc de quoi il s'agit.

4.15 – Des cultures énergétiques durables grâce à un mélange de hautes herbes vivaces sauvages

Nous avons vu, dans ce chapitre, que les hautes herbes vivaces sauvages des prairies, comme le panic érigé, présentent un fort potentiel pour la production des biocarburants (voir les figures 4.4 et 4.10). On peut transformer leurs fibres en carburant grâce au procédé de fabrication d'éthanol cellulosique ou encore en utilisant un procédé de gazéification suivie d'une réaction Fischer-Tropsch pour fabriquer de l'essence ou du carburant diesel synthétique BTL (*Biomass To Liquid*).

Mais, ce qui est particulièrement intéressant c'est de cultiver plusieurs herbes des prairies dans un même champ (**figure 4.16**). Des chercheurs de l'Université du Minnesota (Tilman, Hill et Lehman) ont effectué des expériences sur 152 parcelles de terrains, de 1994 à 2005, en y cultivant de 1 à 16 herbes sauvages différentes dans la même parcelle, et en y incluant des plantes légumineuses. **Ils ont pu ainsi constater les énormes avantages de la biodiversité, dont l'augmentation de la productivité en biomasse, la résistance accrue aux insectes ravageurs et aux mauvaises herbes, ainsi que le peu d'engrais requis, en raison des plantes**

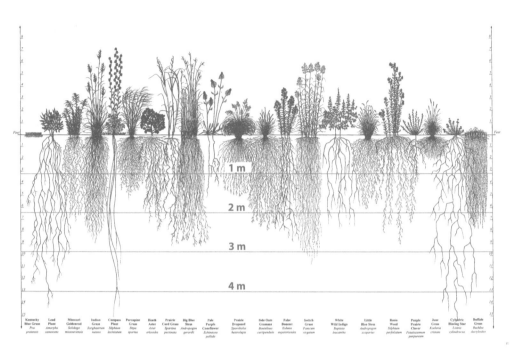

Figure 4.16 – Les herbes des prairies ont des racines abondantes et profondes qui comptent pour environ les deux tiers de leur matière végétale. Elles sont donc très bénéfiques pour empêcher l'érosion des sols et très performantes pour capter l'eau. De plus, en utilisant ces herbes pour produire des biocarburants, on capte plus de CO_2 dans l'atmosphère que celui émis par les carburants pétroliers qu'on remplace. (Image : United States Department of Agriculture/Natural Resources Conservation Service, profondeurs en mètres ajoutées par l'auteur)

légumineuses qui fixent l'azote de l'air. Les résultats de leur étude ont été publiés en 2006 dans la revue *Science*[36].

La **figure 4.17**, tirée de leur article dans *Science*, montre les très faibles quantités d'engrais et de pesticides utilisés, par rapport aux cultures conventionnelles de maïs et de soya, pour produire respectivement de l'éthanol et du biodiesel. Sur cette figure, **l'appellation biomasse représente le mélange maximum d'herbes de prairie, soit 16 herbes (mélange 16).** Les trois valeurs étiquetées biomasse sont les mêmes. Elles ont été séparées sur le graphique simplement pour montrer qu'on peut en faire trois utilisations différentes.

Tilman, Hill et Lehman n'abordent pas l'aspect de l'érosion du sol dans leur article. Mais, Ranney et Mann du Oak Ridge National Laboratory (ORNL) ont publié une étude, en 1994, sur les cultures énergétiques où ils mentionnent que la culture d'herbes de prairies, comme le panic érigé, entraîne environ 100 fois moins d'érosion

---

36. D. Tilman *et al.*, «Carbon-Negative Biofuels from Low-Input High-Diversity Grassland Biomass», revue *Science*, vol. 314, 8 décembre 2006, p. 1598 à 1600.

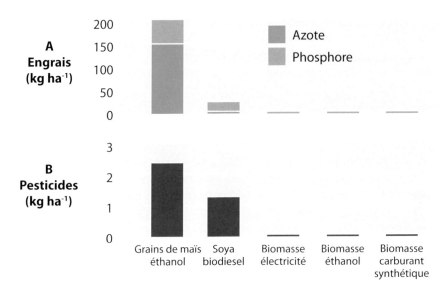

Figure 4.17 – Comparaison de l'utilisation d'engrais et de pesticides pour le maïs, le soya et le mélange de 16 herbes sauvages vivaces des prairies (biomasse), tirée des travaux de Tilman, Hill et Lehman de l'Université du Minnesota.

des sols que le maïs[37]. Les chercheurs du ORNL en parlent également dans un document de 1998 intitulé *Biofuels from Switchgraas : Greener Energy Pasture*[38] :

> *Switchgrass also does a far better job of protecting soil, virtually eliminating erosion.*

> *Le panic érigé fait également un travail de loin supérieur pour protéger les sols, éliminant virtuellement l'érosion.* (Traduction libre de l'auteur)

Non seulement les herbes de prairie empêchent l'érosion du sol, mais elles l'enrichissent en matières organiques et le rendent plus fertile, comme l'ont démontré les chercheurs de l'Université du Minnesota. En effet, ces derniers ont constaté que le mélange 16 stocke sous terre 4,4 tonnes métriques de CO_2 par hectare par an, soit 1,2 tonne de carbone par hectare par an, pour les dix premières années. Ils ont également observé que la culture d'une seule herbe de prairie, comme le panic érigé, ne séquestre que 0,14 tonne métrique de CO_2 par hectare par année, ce qui est 31 fois moins que pour le mélange de 16 herbes. On voit donc tout l'intérêt de la biodiversité.

Cette forte séquestration de carbone dans le sol accomplie par le mélange 16 le rend particulièrement intéressant pour produire des biocarburants pouvant diminuer au maximum les gaz à effet de serre (GES). En fait, **les chercheurs de l'Université du Minnesota ont évalué que les biocarburants fabriqués avec le mélange de 16 herbes des prairies entraînent une réduction des GES, par**

---

37. J.W. Ranney et L.K. Mann, «Environmental Considerations In Energy Crop Production», revue *Biomass and Bioenergy*, vol. 6, n° 3, 1994, p. 211 à 228.
38. Oak Ridge National Laboratory, *op. cit.*

rapport aux carburants pétroliers, de plus de 100 %! Plus précisément, la réduction est estimée à 250 % pour la production d'éthanol, et à 160 % pour la production de diesel synthétique BTL, en moyenne durant les dix premières années, et à environ 200 % et 140 % respectivement pour les décennies subséquentes[39]. Si on se réfère à la figure 4.10, on constate que la plus forte réduction de GES, par des biocarburants produits à partir de monocultures, est estimée à 90 %. Force est donc de constater que les mélanges d'herbes de prairie avec une haute diversité constituent une avenue très prometteuse pour les biocarburants.

Il y a également une autre propriété des herbes des prairies qu'il ne faudrait pas passer sous silence. Voici comment les chercheurs du Oak Ridge National Laboratory décrivent cette propriété bien particulière dans le document mentionné plus haut[40] :

> *Besides helping slow runoff and anchor soil, switchgrass can also filter runoff from fields planted with traditional row crops. Buffer strips of switchgrass, planted along streambanks and around wetlands, could remove soil particles, pesticides and fertilizer residues from surface water before it reaches groundwater or streams – and could also provide energy.*

> *En plus d'aider à ralentir le ruissellement et à consolider le sol, le panic érigé peut également filtrer les ruissellements en provenance de champs semés avec des plants traditionnels en rangée. Des lisières tampons de panic érigé, plantées le long des berges de cours d'eau et autour des marécages, pourraient enlever les particules de sol, les pesticides et les résidus de fertilisant de l'eau de surface, avant qu'elles atteignent la nappe d'eau souterraine ou les cours d'eau – et pourraient également fournir de l'énergie.* (Traduction libre de l'auteur)

À la lueur de ces propriétés tout à fait remarquables des herbes vivaces des prairies, leur intérêt pour un développement durable des cultures énergétiques est évident, particulièrement lorsqu'on en cultive plusieurs variétés dans un même champ.

La question qu'il nous reste à regarder maintenant concerne la productivité du mélange de 16 herbes de prairie (mélange 16) cultivé par les chercheurs de l'Université du Minnesota. Ces derniers mentionnent, dans le matériel complémentaire de leur article dans la revue *Science*[41], qu'ils ont obtenu, pour ce mélange, un rendement en biomasse de 3682 kg par hectare, sur le sol hautement dégradé de leur champ expérimental. Ils estiment que, sur un sol fertile, on pourrait obtenir 6000 kg par hectare. Nous retiendrons cette dernière valeur, afin de comparer le rendement avec les autres cultures énergétiques apparaissant sur la figure 4.4. **On obtient alors un rendement de 1360 litres d'équivalent essence par hectare en éthanol et 1640 litres d'équivalent essence par hectare en diesel synthétique BTL.** Pour cet estimé, nous avons utilisé les facteurs de conversion illustrés sur la figure 4.3 qui découlent des efficacités annoncées par les compagnies Iogen et Choren, fabriquant respectivement de l'alcool cellulosique et du carburant diesel synthétique.

---

39. Matériel complémentaire à l'article de Tilman *et al.* dans la revue *Science*, disponible en ligne à l'adresse www.sciencemag.org/cgi/content/full/314/5805/1598/DC1.
40. Oak Ridge National Laboratory, *op. cit.*
41. Matériel complémentaire disponible en ligne à l'adresse www.sciencemag.org/cgi/content/full/314/5805/1598/DC1

Le rendement à l'hectare du mélange 16 en carburant diesel synthétique est supérieur à celui du soya, du tournesol et du colza pour produire du biodiesel. Par contre, il est inférieur à celui des grains de maïs pour produire de l'éthanol, d'environ 35 %.

4.16 – Le bilan énergétique net des biocarburants

Toutefois, lorsqu'on s'intéresse au rendement à l'hectare des biocarburants, il ne faut pas considérer seulement le nombre de litres produits, mais aussi la quantité d'énergie dépensée pour les produire. Principalement, il s'agit de carburants consommés par la machinerie agricole et les camions de transport, d'énergie pour la fabrication des fertilisants et pesticides, et d'énergie thermique et électrique pour la transformation proprement dite à l'usine. Par ailleurs, il faut aussi tenir compte des «produits dérivés» comme le surplus d'électricité produit à l'usine pour la faire fonctionner en brûlant une partie de la biomasse. Ce surplus est retourné sur le réseau électrique. En fait, il faut établir le **bilan énergétique net (BEN)** pour une superficie de culture donnée, ce qui consiste à faire la différence entre l'énergie produite (biocarburants et produits dérivés) et l'énergie utilisée (machinerie, fertilisants, pesticides, transport et transformation).

BEN = Énergie produite – Énergie utilisée

Ce paramètre nous permet de porter une appréciation plus éclairée sur le rendement à l'hectare du mélange 16 pour produire du biocarburant, comparativement au rendement du maïs. En ce qui concerne le bilan d'énergie net (BEN), dans la filière éthanol, le mélange 16 cultivé sur des terres dégradées et le maïs cultivé sur des terres fertiles s'équivalent, alors que le BEN du mélange 16 est supérieur au maïs de 50 % lorsqu'on en fabrique du carburant diesel synthétique. **Par contre, si on cultive le mélange 16 sur des terres fertiles pour fabriquer de l'éthanol, le BEN sera environ 40 % plus élevé que celui du maïs, alors qu'il sera approximativement 80 % plus élevé que le maïs lorsqu'on en fabrique du carburant diesel synthétique.**

Il faut donc retenir qu'il est possible de faire un développement durable des biocarburants en ayant recours aux bonnes cultures et aux bonnes technologies, à condition que nos besoins en biocarburants issus de cultures énergétiques restent modérés.

4.17 – L'impact sur le prix des aliments et le rôle des gouvernements

Le développement chaotique actuel des biocarburants basés sur des cultures alimentaires a déjà fait doubler le prix des céréales en quelques années, avec comme résultat une problématique accrue de la faim dans le monde. Des émeutes un peu partout sur la planète en 2008 ont fait connaître la gravité de cette situation aux pays développés.

À ce sujet, le 25 octobre 2007, Jean Ziegler, le rapporteur spécial des Nations Unies pour le droit à la nourriture, demandait aux Nations Unies un moratoire de cinq ans sur les biocarburants pour contrecarrer le développement chaotique de cette industrie qui s'oriente vers un crime contre l'humanité en privant de nourriture encore plus de gens affamés pour alimenter des voitures! Ziegler mentionne alors que le maïs nécessaire à faire un plein d'éthanol d'une voiture peut nourrir un enfant pendant une année!

Ces cinq années de moratoire permettraient de faire évoluer les technologies vers la deuxième génération de biocarburants qui n'utilisent pas de cultures alimentaires, mais plutôt des fibres végétales, des résidus et des déchets organiques. Ce laps de temps permettrait également de mettre en place des politiques internationales pour s'assurer que le développement des biocarburants se fasse correctement, autant au niveau de l'environnement que des êtres humains.

Dans le même courant de pensée, Robert Bayley, de Oxfam International, a enjoint la Commission Européenne de mettre en place des mécanismes pour s'assurer que le développement des biocarburants ne bafoue pas les plus démunis, dans un communiqué de presse daté du 1er novembre 2007. Il réagissait à l'annonce de la Commission Européenne de rendre obligatoire, pour 2020, une proportion de 10% de biocarburants dans les carburants des véhicules. M. Bayley a insisté sur l'importance d'adopter des balises afin de prémunir les gens contre des conditions de travail pénibles et l'insécurité alimentaire. Il a conseillé à la Commission Européenne de garder de la flexibilité dans sa législation, afin de pouvoir reconsidérer le pourcentage de 10% s'il advenait qu'il entraîne une dégradation des conditions humaines. C'est d'ailleurs ce que la Commission Européenne est en train de faire en 2008.

Même les banques se mêlent de dénoncer le non-sens des politiques mises en place présentement, particulièrement aux États-Unis, pour favoriser l'industrie des biocarburants de façon inconsidérée. Voici ce que déclarait, le 22 octobre 2007, Jeff Rubin, l'économiste et stratège en chef de CIBC World Markets (un service de la banque canadienne CIBC, pour les services financiers aux sociétés sur les marchés mondiaux)[42]:

> *Converting corn from food to fuel has, at best, dubious net energy benefits, but its impact on food prices, already significant, can only grow over time.*

> *La conversion du maïs de l'aliment au carburant a, au mieux, des bénéfices énergétiques nets douteux, mais son impact sur les prix de la nourriture, déjà significatif, ne peut que croître avec le temps.* (Traduction libre de l'auteur)

Dans un article intitulé *Corn For Ethanol: An Inflation Crop*[43], Jeff Rubin et Benjamin Tal, de CIBC World Markets, mentionnent que les subventions diverses pour l'éthanol de maïs aux États-Unis couvrent la moitié du coût de production réel

---

42. J. Rubin, «Fueling Inflation», article dans la publication *StrategEcon* de CIBC World Markets, 22 oct. 2007.
43. J. Rubin et B. Tal, «Corn for Ethanol: An Inflation Crop», article dans la publication *StrategEcon* de CIBC World Markets, 22 octobre 2007.

de chaque litre d'éthanol. On y apprend que **les États-Unis ont financé l'éthanol de maïs, en 2006, à la hauteur de près de 8 milliards de dollars US pour environ six milliards de gallons US d'éthanol produits. C'est 0,35 $ le litre d'éthanol ou 0,50 $ le litre d'équivalent essence d'éthanol** (il faut 1,5 litre d'éthanol pour égaler le contenu en énergie d'un litre d'essence). Avec de tels incitatifs, il est bien évident que de plus en plus d'agriculteurs vont laisser la culture des céréales alimentaires pour se concentrer sur la production de maïs pour l'éthanol. Cela qui est totalement irresponsable, autant pour la pression sur le prix des aliments que pour l'environnement!

Jean Ziegler, des Nations Unies, a raison. Il faut prendre le temps de faire les choses correctement, pour le mieux-être de tous et de la planète! Au lieu d'augmenter trop rapidement la production de biocarburants à des niveaux trop élevés, déployons plutôt un maximum d'efforts pour diminuer la consommation des véhicules. Ce ne sont pas les solutions qui manquent, comme nous l'avons vu à la section 2.4 du chapitre 2, c'est la volonté politique qui fait défaut. Par ailleurs, s'il y a une chose qu'on doit faire rapidement, c'est d'encourager et d'améliorer les transports en commun, bien entendu.

4.18 – La consommation d'eau pour les biocarburants

Les opposants aux biocarburants font souvent état du problème de la consommation d'eau qu'ils entraînent. Comme nous allons le voir ci-dessous, si on se limite à des petites quantités de biocarburants, qu'on utilise les bonnes plantes et qu'on tient compte de l'évolution rapide des technologies de fabrication, la consommation d'eau s'avère très raisonnable.

Il faut proscrire, au départ, les cultures qui demandent de l'arrosage et privilégier la récupération d'huiles de friture, de déchets municipaux et de résidus forestiers, ainsi que l'utilisation de hautes herbes vivaces des prairies ou de la canne à sucre, qui ne nécessitent pas d'être arrosés. Le maïs du Nebraska, quant à lui, requiert environ 780 litres d'eau d'arrosage par litre d'éthanol produit[44], ce qui n'a pas de sens.

L'autre maillon qui consomme de l'eau dans la chaîne de production des biocarburants est l'usine de fabrication. À ce sujet, les performances ont beaucoup évolué depuis les années 1990. Par exemple, au Minnesota, les usines d'éthanol de maïs consommaient, en 1998, 5,8 litres d'eau par litre d'éthanol en moyenne, alors qu'en 2005 elles en consommaient 4,2 litres[45]. La majeure partie de cette consommation d'eau est reliée à l'évaporation dans les tours de refroidissement pour la distillation, ainsi qu'au séchage des pâtes résiduelles vendues aux éleveurs pour nourrir leurs animaux (l'eau s'évapore de la pâte).

---

44. Committee on Water Implications of Biofuels Production in the United-States, National Research Council of the National Academies, *Water Implications of Biofuels Production in the United-States*, The National Academies Press, Washington, 2008.

45. D. Keeney et M. Muller, *Water Use by Ethanol Plants – Potential Challenges*, publication de l'Institute for Agriculture and Trade Policy, Minneapolis, 2006. Téléchargement à www.tradeobservatory.org.

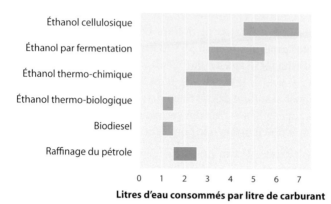

Éthanol cellulosique

Éthanol par fermentation

Éthanol thermo-chimique

Éthanol thermo-biologique

Biodiesel

Raffinage du pétrole

0 1 2 3 4 5 6 7

Litres d'eau consommés par litre de carburant

Figure 4.18 – Consommation d'eau des différents procédés de fabrication de biocarburants, avec celle due au raffinage du pétrole, pour fin de comparaison, selon deux études et selon le site de la compagnie Coskata (www.coskata.com).

La figure 4.18 présente les consommations d'eau reliées aux différents procédés de fabrication des biocarburants ou au raffinage du pétrole, pour fin de comparaison. Les valeurs portées en graphique proviennent d'un rapport du National Research Council of the National Academies[46], d'un rapport du National Renewable Energy Laboratory (NRLE)[47], et du site Internet de la compagnie Coskata (www. coskata.com). L'éthanol par fermentation est celui qu'on retrouve partout présentement. On produit l'éthanol à partir de la fermentation des sucres, qu'on retrouve dans la canne à sucre, la betterave à sucre ou le maïs. Le biodiesel est fabriqué à partir des huiles végétales (colza, tournesol, soya) idéalement recyclées, ainsi qu'avec du gras animal recyclé. Avec l'éthanol cellulosique, on utilise des enzymes pour décomposer la cellulose des plantes en molécules de sucre, que l'on fait fermenter par la suite. Pour fabriquer de l'éthanol avec un procédé thermo-chimique, on gazéifie d'abord toute la biomasse et on fait réagir les gaz qui en résultent (monoxyde de carbone et hydrogène) avec des catalyseurs qui vont synthétiser principalement de l'éthanol, accompagné d'autres alcools. Finalement, pour produire de l'éthanol par un procédé thermo-biologique, on commence également par gazéifier toute la biomasse et on nourrit ensuite des microorganismes avec le monoxyde de carbone et l'hydrogène générés. Ce sont les microorganismes qui transforment ces gaz en éthanol uniquement.

Le diesel synthétique BTL, comme celui de la compagnie Choren, n'est pas représenté sur la figure 4.18, faute d'avoir pu trouver l'information, bien gardée par les fabricants. Mais puisqu'il s'agit d'un procédé thermo-chimique similaire à celui de l'éthanol thermo-chimique, on peut présumer que cette consommation devrait se situer entre 2 et 5 litres d'eau par litre de diesel. Il serait surprenant que la consommation d'eau soit supérieure, car la biomasse entre sèche dans le procédé et les résidus n'ont pas à être asséchés à la sortie, comme c'est le cas pour l'éthanol par fermentation.

Les valeurs de consommation d'eau pour l'éthanol thermo-biologique, sur la figure 4.18, ont comme limite inférieure celle avancée par la compagnie Coskata (1 litre d'eau par litre d'éthanol) à laquelle nous avons ajouté une marge de sécurité

46. Committee on Water Implications of Biofuels Production in the United-States, National Research Council of the National Academies, *op. cit.*

47. S. Phillips *et al.*, *Thermochemical Ethanol via Indirect Gasification and Mixed Alcohol Synthesis of Lignocellulosic Biomass*, rapport technique du National Renewable Energy Laboratory (NREL), avril 2007.

de 50%, puisque l'usine n'est pas encore construite. La très faible consommation d'eau du procédé est due, en bonne partie, à l'élimination de l'étape de distillation pour séparer l'eau de l'éthanol. On utilise, pour ce faire, une technologie de membranes de séparation agissant comme des filtres moléculaires. Un peu plus loin dans ce chapitre, nous verrons plus en détail ce procédé révolutionnaire, dont la compagnie Vaperma (www.vaperma.com) commercialise, en 2008, une version à fibres creuses. Il faut dire que cette nouvelle techno-

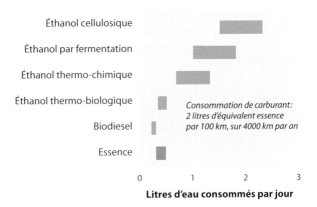

Figure 4.19 – Consommation d'eau d'une voiture hybride avancée, reliée à la fabrication en usine ou au raffinage des divers carburants, selon notre scénario. Dans ce dernier, nous considérons que la voiture parcourt 20 % des kilomètres (4000 km/an) avec des biocarburants, à raison de 2 litres d'équivalent essence/100 km.

logie peut s'appliquer à tous les procédés de production d'éthanol. Les consommations d'eau de tous ces procédés, telles qu'elles apparaissent sur la figure 4.18, devraient donc avoisiner leurs valeurs inférieures, et possiblement moins, d'ici 2015-2020.

Connaissant les consommations d'eau des divers procédés de fabrication pour chaque litre de biocarburant, on peut désormais évaluer la consommation quotidienne d'eau d'une voiture électrique hybride avancée qui parcourrait 20% de ses kilomètres avec des biocarburants, selon notre scénario. En supposant un kilométrage annuel total de 20 000 km, cette voiture devrait donc utiliser des biocarburants sur 4000 km. Par ailleurs, la consommation en carburant d'une voiture hybride avancée sera, comme nous l'avons vu au chapitre 2, de 2 litres d'équivalent essence par 100 km, pour une berline intermédiaire. La figure 4.19, nous donne cette consommation journalière, correspondant aux différents procédés.

Comme on peut le constater sur cette figure, la consommation quotidienne en eau de notre voiture, reliée à la fabrication en usine des biocarburants, sera inférieure à un litre.

Remarquez que cette consommation d'eau serait d'environ 25 litres par jour dans le cas d'une voiture flexifuel conventionnelle, non hybride, utilisant de l'éthanol de maïs fabriquée dans une usine de 2008, et qui parcourrait 20000 km par année avec de l'éthanol. Cette consommation d'eau de 25 litres par jour prend en compte uniquement l'eau consommée à l'usine. S'il fallait inclure l'irrigation du maïs aux États-Unis, comme nous avons vu plus haut, il faudrait compter 780 litres d'eau d'arrosage par litre d'éthanol. Comme notre voiture conventionnelle flexifuel consomme 6 litres d'éthanol par jour (pour 20 000 km/an), il faut donc ajouter 4680 litres d'eau par jour, pour un total de 4705 litres quotidiennement !

On comprend alors facilement pourquoi les environnementalistes s'inquiè-
tent et s'opposent à une voiture qui consommerait 4705 litres d'eau par jour
dans une perspective de rareté de l'eau qui va encore s'accentuer! Ces chiffres
nous démontrent qu'il faut rapidement passer aux biocarburants de deuxième génération utilisant des plantes qui poussent sans arrosage, comme le panic érigé et
d'autres hautes herbes vivaces des prairies, ou encore la canne à sucre. Les déchets
municipaux, les résidus forestiers, les huiles végétales et les gras animaux recyclés
ne nécessitent pas d'arrosage non plus, et constituent des matières idéales pour les
biocarburants. Surtout qu'en les transformant on évitera de les enfouir ou de les
incinérer, réglant du même coup un autre problème de plus en plus épineux.

Ainsi, en utilisant les plantes et matériaux appropriés, en faisant parcourir
80% du kilométrage de notre voiture en mode électrique, et en ayant un groupe de
traction hybride avancé, la consommation d'eau d'une voiture sera limitée à moins d'un litre par jour, ce qui est très raisonnable.

Aliments	L/kg
Soya	2000
Blé	900
Maïs	650
Poulet	3500
Porc	6000
Bœuf	43000

Tableau 4.1 – Nombre de litres d'eau consommés pour produire divers aliments, selon les travaux de David Pimentel.

D'ailleurs, pour relativiser les choses, il est important de réaliser quelle est notre consommation d'eau
à travers certains aliments. Le tableau 4.1 nous donne
plusieurs exemples[48]. **Le seul fait de manger un steak
de 150 grammes entraîne une consommation d'eau
de 6450 litres!** Ce n'est donc pas le petit litre quotidien de notre voiture hybride avancée qui pèsera bien
lourd dans la balance. C'est notre consommation de
viande qui est catastrophique pour l'environnement!
Raison de plus d'en diminuer la consommation de 15%,
comme nous le préconisons.

4.19 – Le coût des biocarburants

Dans le portrait des biocarburants présenté dans ce chapitre, il reste un aspect
important à regarder, leurs coûts de production selon les technologies utilisées,
comparés à ceux des carburants pétroliers qu'ils remplacent.

La figure 4.20 fait la synthèse de ces coûts pour l'année 2005 (sans subventions),
exprimés en dollars par litre, ainsi que les projections pour 2030 (rectangles poin-
tillés), selon les données de l'IEA[49]. Notons, comme nous l'avons vu précédemment,
qu'il faut 1,5 litre d'éthanol pour obtenir la même quantité d'énergie contenue dans
un litre d'essence. Les coûts effectifs de l'éthanol sont donc approximativement
1,5 fois plus élevés que ceux de la figure 4.20, si on veut les comparer à celui de
l'essence. Pour ce qui est du biodiesel et du diesel synthétique, un litre renferme
sensiblement la même énergie qu'un litre de carburant diesel pétrolier.

48. D. Pimentel et M.H. Pimentel, *op. cit.*
49. OECD/IEA (Organisation for Economic Cooperation and Development/International Energy Agency),
World Energy Outlook 2006, Paris, 2006. Disponible sur le site www.iea.org.

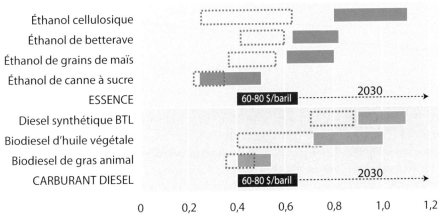

Figure 4.20 – Coûts de production de divers carburants pour l'année 2005 (sans subventions) et projection pour l'année 2030 (en pointillé) ($ US/litre), d'après les données de l'IEA (World Energy Outlook 2006).

À cause des subventions de toutes sortes, le coût de production de l'éthanol de maïs était de 0,30 $ le litre (0,45 $ le litre d'équivalent essence) aux États-Unis en 2006, alors qu'il était de 0,55 $ le litre (0,80 $ le litre d'équivalent essence) pour l'éthanol de betterave à sucre en Europe, la même année[50]. Mais la forte demande exerce une pression à la hausse sur les prix.

En regardant la figure 4.20, on constate que les deux filières de biocarburant offrant les plus bas coûts de production sont l'éthanol de canne à sucre et le biodiesel fait à partir de gras animal (en provenance des abattoirs). Ces biocarburants sont déjà compétitifs avec les carburants pétroliers. Le coût de production du biodiesel fait à partir d'huiles de cuisson recyclées (non illustré sur la figure) est sensiblement le même que pour le biodiesel fait à partir des gras animaux, et donc déjà compétitif également.

Pour ce qui est du biodiesel d'huile de colza ou de tournesol, sans subventions, il est compétitif avec le carburant diesel pétrolier lorsque le baril de pétrole vaut 125 $. L'éthanol de grain de maïs et de betterave à sucre sera compétitif, sans subventions, avec l'essence lorsque le baril de pétrole vaudra 150 $ environ.

En ce qui concerne les coûts de production des carburants pétroliers, ils proviennent toujours des données de l'IEA[51] en considérant que le baril de pétrole brut varie entre 60 $ et 80 $. Sachant que le prix du baril était de 140 $ en juin 2008, à cette date, le coût de production des carburants pétroliers devait alors avoisiner 0,90 $ le litre. Avec le déclin pétrolier imminent (voir le chapitre 1), les coûts de production vont sûrement dépasser les limites du graphique en 2030, ce qui est signifié par les flèches pointillées sur la figure.

---

50. OECD/IEA, *op. cit.*
51. OECD/IEA, *op. cit.*

Par ailleurs, plusieurs frais cachés font en sorte que le coût réel de production du pétrole est beaucoup plus élevé qu'on pense. **La National Defense Council Foundation (www.ndcf.org) a évalué les frais cachés dus à l'importation de pétrole par les États-Unis, qui sont reliés aux dépenses militaires pour contrôler le flux du pétrole et à la dégradation de l'économie** (pertes d'emplois, pertes de revenus pour les entreprises et le gouvernement dues à la sortie des capitaux)[52]. Le résultat de cette étude est qu'il faut ajouter pour 2006 des frais de 825 milliards de dollars. Les Étatsuniens ont consommé 1200 milliards de litres de pétrole cette année-là (20,7 millions de barils par jour). Ça fait donc **des frais additionnels d'approximativement 0,70 $ par litre de carburant pétrolier**, ce qui ramènerait le coût de production réel moyen d'un litre d'essence à environ 1,60 $ le litre, en considérant le pétrole à 140 $ le baril! Et dans ce montant, les coûts environnementaux et les coûts de santé ne sont même pas inclus. Quand les consommateurs ne paient pas le vrai prix à la pompe, ils le paient à même leurs impôts.

Ce qui risque de révolutionner le monde des carburants, c'est le procédé de fabrication d'éthanol hybride développé par la compagnie Coskata (www.coskata.com), dont nous avons parlé dans ce chapitre. Si les évaluations sont justes, le procédé devrait ramener le coût de production de l'éthanol à 0,30 $ le litre (0,45 $ le litre d'équivalent essence) d'ici 2012 environ. L'éthanol pourrait alors être produit localement à partir d'à peu près tout matériau riche en carbone et en hydrogène (bois, paille, vieux pneus, boues organiques des usines d'épuration d'eau, plastiques non recyclables, déchets municipaux...). C'est un dossier à suivre, de même que celui des autres procédés de fabrication de biocarburants de deuxième génération.

4.20 – Des usines d'éthanol qui consomment 45 % moins d'énergie et moins d'eau

Une nouvelle technologie révolutionnaire est sur le point de voir le jour dans les usines de production d'éthanol, à partir de 2008. Cette technologie, développée par la compagnie canadienne Vaperma (www.vaperma.com), permet d'économiser de 40 % à 50 % de l'énergie dépensée dans une usine d'éthanol, et environ la même portion des gaz à effet de serre normalement émis par l'usine! Elle s'applique à tous les genres de biomasse utilisée pour fabriquer l'éthanol, tels les grains de maïs, la canne à sucre ou la biomasse cellulosique.

Il s'agit de filtres moléculaires très efficaces qui séparent directement les vapeurs d'éthanol des vapeurs d'eau, à la sortie du système d'évaporation du mélange fermenté. On peut ainsi éliminer l'unité de distillation et l'unité de déshydratation par tamis moléculaires. La technologie Vaperma a été testée dans l'usine d'éthanol de Éthanol Greenfield, à Tiverton au Canada en 2006-2007.

---

52. The National Defense Council Foundation, *The Hidden Cost of Oil: An Update*, 8 janvier 2007. Téléchargement à www.ndcf.org.

Les membranes de filtration sont constituées de fibres creuses en polymères, regroupées dans des cartouches de filtration (figure 4.21). Les molécules d'eau et les molécules d'éthanol sont séparées de façon tellement efficace par ce système de filtration que l'éthanol en ressort avec une pureté supérieure à 99%, alors que l'eau teintée d'un peu d'éthanol (le perméat) est retournée en tête d'usine. Cette technologie permet non seulement de diminuer la consommation en énergie et

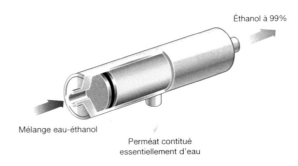

Éthanol à 99%

Mélange eau-éthanol

Perméat contitué
essentiellement d'eau

Figure 4.21 – Cartouche de filtration moléculaire par fibres polymériques creuses mise au point par la compagnie canadienne Vaperma (www.vaperma.com) pour séparer l'éthanol de l'eau, éliminant ainsi les étapes de rectification et de déshydratation de l'éthanol dans les usines. Ce procédé permet d'économiser de 40% à 50% d'énergie dans le fonctionnement d'une usine d'éthanol et beaucoup d'eau normalement utilisée pour le refroidissement des procédés. (Source : Vaperma)

les émissions de CO_2 de l'usine d'environ 45%, mais également de diminuer considérablement la consommation d'eau servant à refroidir les procédés.

Cette amélioration importante dans les procédés de fabrication de l'éthanol ne change en rien, toutefois, les problèmes environnementaux reliés à certaines cultures intensives, comme celle du maïs. L'éthanol cellulosique fait à partir d'une biomasse convenable et l'éthanol de canne à sucre sont toujours à privilégier pour un développement plus durable, si de bonnes pratiques de culture sont utilisées. **Les filtres Vaperma vont rendre les usines d'éthanol plus efficaces, tout en leur permettant de consommer beaucoup moins d'eau. Une raison de plus pour regarder l'industrie des biocarburants de demain avec optimisme.**

4.21 – Le gaz naturel pour les véhicules (GNV) et le biogaz

Plusieurs véhicules utilitaires brûlent du gaz naturel comme carburant, particulièrement des autobus, des camions à ordures municipaux et des véhicules appartenant à des flottes captives, avec un rayon d'action limité et un retour journalier à une entreprise où ils peuvent faire le plein.

Le gaz naturel pour les véhicules (GNV) est constitué en très grande partie de méthane, une molécule gazeuse composée d'un atome de carbone entouré de 4 atomes d'hydrogène (figure 4.22), et dont la formule chimique est CH_4. Ce gaz doit être comprimé dans des réservoirs et, de ce fait, nécessite un compresseur à la station-service où les véhicules font le plein. De plus, la quantité de GNV qu'on peut mettre dans ces réservoirs confère aux véhicules des autonomies réduites de moitié environ par rapport aux véhicules à essence. On comprend dès lors pourquoi les véhicules fonctionnant au GNV sont principalement des véhicules d'entreprise captifs. Toutefois, depuis le début des années 2000, on peut se procurer des compresseurs domestiques qui permettent de faire le plein à la maison, la nuit, pour ceux qui sont connectés sur le réseau de distribution du gaz. De plus, plusieurs voitures ont désormais un système de double carburation essence/GNV, qui donne la possibilité de rouler entièrement à l'essence, lorsque le GNV n'est pas disponible.

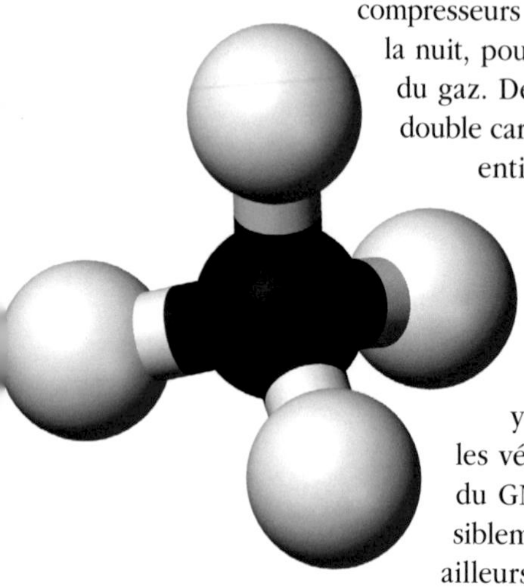

Les avantages du GNV sont une réduction des émissions des véhicules au lieu d'utilisation et un prix inférieur à l'essence de 20% à 60%, selon les pays (en 2007). Mais, en ce qui concerne le CO_2, même s'il y a une réduction des émissions de l'ordre de 25% par les véhicules, si on considère la chaîne d'approvisionnement du GNV (cycle de vie), globalement les émissions sont sensiblement les mêmes[53] que pour le diesel et le biodiesel. Par ailleurs, le gaz naturel demeure un carburant fossile dont les ressources sont limitées.

Figure 4.22 – Représentation schématique d'une molécule de méthane, constituée par un atome de carbone entouré de quatre atomes d'hydrogène.

Mais, ce qui rend le GNV particulièrement intéressant est qu'on peut fabriquer son principal constituant, le méthane, à partir de matières organiques. En effet, la fermentation de déchets organiques dans un environnement sans air dégage un biogaz constitué principalement de méthane et de dioxyde de carbone (CO_2), avec des petites quantités de gaz toxiques et corrosifs. Pour obtenir du biométhane, il suffit d'extraire le méthane du biogaz.

Les sites d'enfouissement, les fosses à lisier ou les boues des usines d'épuration génèrent naturellement du biogaz. Plusieurs installations industrielles de production de biométhane sont présentement en activité, principalement dans les pays scandinaves et en Allemagne, et des projets pilotes démarrent un peu partout. C'est une excellente façon de valoriser les déchets organiques, surtout qu'on peut utiliser les résidus solides pour faire du compost ou de la terre de remplissage.

L'appellation biométhane, quoique plus précise, est rarement utilisée. À la station-service, c'est plutôt l'appellation biogaz qui est usuelle. Toutefois, il faut se rappeler que c'est en fait du biométhane à plus de 95%.

L'aspect particulièrement intéressant du biogaz pour les véhicules est la réduction importante des gaz à effet de serre (GES) que son utilisation entraîne. La réduction est de 80% lorsqu'on fabrique le biogaz à partir des déchets municipaux organiques, et de 95% lorsqu'il est fabriqué à partir de fumiers[54]. Par ailleurs, le biogaz produit à partir de lisiers peut occasionner une diminution des

53. N.N Clark *et al.* (U.S. Department of Transportation), Transit Bus Life Cycle Cost and Year 2007 Emissions Estimation, rapport, juin 2007.
54. R. Edwards *et al.*, *Well-To-Wheels Analysis of Future Automotive Fuels and Powertrains in the European Context*, Well-to-Wheels Report, Version 2c, European Commission, EUCAR et CONCAWE, mars 2007. Téléchargement à http://ies.jrc.ec.europa.eu/wtw.html.

GES de près de 200%[55]. Ces diminutions importantes sont dues en partie à l'utilisation de matières organiques qui participent au cycle du carbone, en piégeant le CO_2 de l'atmosphère. Par ailleurs, en captant le méthane dégagé par ces matières organiques en décomposition, on l'empêche de contribuer aux GES. Il ne faut pas oublier que le méthane est 23 fois plus actif que le CO_2 pour ce qui est des GES. Lorsqu'on brûle le méthane dans un moteur à combustion interne, il est transformé en CO_2, ce qui est 23 fois moins dommageable.

Le biogaz est donc un excellent biocarburant, qui convient particulièrement bien aux autobus et aux véhicules utilitaires captifs, à faible rayon d'action. Pour les voitures, l'autonomie restreinte des réservoirs de biogaz comprimé demeure un handicap. Les voitures à bicarburation biogaz/essence offrent une autonomie normale, mais ne constituent pas une solution à long terme. Ce qu'il faut viser, dans le futur, c'est une hybridation électrique-biocarburant et non essence-biocarburant.

4.22 – Le plan Pickens pour des véhicules utilisant du gaz naturel comprimé

Depuis le mois de juin 2008, T. Boone Pickens, un milliardaire du pétrole et du gaz naturel, fait beaucoup parler de lui dans les médias étatsuniens, en raison de son plan, le Plan Pickens, pour éviter les catastrophes énergétiques et financières dans lesquelles les États-Unis sont piégés (voir le site www.pickensplan. com). Ce que dit Pickens, c'est que les Étatsuniens consomment beaucoup de pétrole et en importent près de 70% de l'étranger, ce qui leur coûte environ 700 milliards de dollars par année, au prix actuel (juin 2008) de l'or noir. Il estime, avec raison, que cette situation va empirer dans les années qui viennent et fait valoir que pour les dix prochaines années c'est 10 000 milliards de dollars qui devraient partir à l'étranger, ce qui est absolument insoutenable pour l'économie étatsunienne. Et là, on ne parle même pas des sommes requises pour les interventions militaires ayant pour but de sécuriser leur approvisionnement en pétrole. Sans compter que la sécurité nationale des États-Unis est en cause en raison de leur dépendance grandissante au pétrole étranger et à la diminution mondiale de la ressource.

Bref, M. Pickens a parfaitement raison de mettre en garde les Étatsuniens. Le plan qu'il propose pour remédier à la situation est assez simple. Il fait d'abord remarquer que l'approvisionnement en gaz naturel des États-Unis est excellent, puisque seulement 2% environ vient de l'extérieur de l'Amérique du Nord. Ensuite, **il suggère de fermer graduellement les centrales électriques au gaz naturel, sur une période de 10 ans, et mettre ce gaz naturel à la disposition des transports routiers, puisque déjà plusieurs véhicules utilisent du gaz naturel comprimé dans leur moteur à combustion interne. Le manque à gagner en électricité de 22% qui résulterait de la fermeture des centrales au gaz, il propose de le**

---

55. *Ibid.*

remplacer par des éoliennes installées dans une bande nord-sud au centre des États-Unis, une région qui offre des conditions de vent exceptionnelles. **En faisant tout ça, M. Pickens souligne qu'on réduirait les importations de pétrole des États-Unis de plus du tiers.**

À première vue, ce plan semble logique et même très souhaitable, puisqu'il ne comporte que des actions qui améliorent l'environnement, l'économie et la sécurité nationale. Mais, regardons d'un peu plus près.

Tout d'abord, en allant sur le site de l'Energy Information Administration (www. eia.doe.gov), on découvre que le prix annuel moyen du gaz naturel, à la sortie du puits, est passé de 2,95 $ les 1000 pieds cubes en 2002 à 6,39 $ en 2007. Par ailleurs, le prix en janvier 2008 était de 6,99 $ et il a subi une augmentation de 55 % de janvier à juin 2008, pour arriver à 10,82 $ (**figure 4.23**). Le prix du gaz naturel a donc presque quadruplé en 6 ans! En fait, avec des prix semblables, le kilowattheure électrique produit par des éoliennes est désormais moins cher que celui produit par des centrales au gaz naturel. On a besoin de 0,216 m^3 (7,65 pi^3), en moyenne sur l'ensemble des centrales au gaz naturel étatsuniennes, pour produire un kilowattheure d'électricité (voir l'encadré plus loin). Or, en juin 2008, si on prend 12 $ les 1000 pieds cubes comme prix du gaz naturel rendu aux centrales, un mètre cube coûte 0,43 $. C'est donc dire qu'**en juin 2008, le coût du gaz naturel pour produire un kilowattheure d'électricité est de 9,2 ¢ environ, auquel coût il faut ajouter celui de la centrale proprement dite. Bref, les centrales au gaz naturel ne sont plus compétitives avec les éoliennes, puisque le prix du kilowattheure produit par le vent revient à environ 0,06 $, en 2008, pour les éoliennes construites sur la terre.**

Les centrales électriques représentant près de 30 % du marché du gaz naturel aux États-Unis. Ce sont donc des pertes importantes qui sont en vue pour la prochaine décennie. Face à cette situation, il n'est pas difficile d'imaginer que ceux qui sont dans le commerce du gaz naturel doivent s'inquiéter. Il est, par conséquent, tout à fait logique pour eux de rechercher d'autres marchés potentiels, et les transports routiers semblent tout indiqués.

Comme nous le verrons plus loin (voir l'encadré), il faut environ 0,9 mètre cube de gaz naturel pour remplacer un litre d'essence. Le prix de vente du gaz naturel pour le secteur commercial étant approximativement 50 % plus élevé que pour les centrales électriques[56] le prix du mètre cube de gaz naturel avoisinait 0,64 $ en juin 2008. Il en coûterait donc 0,58 $ pour remplacer un litre d'essence! Sachant que le prix du litre d'essence en juin 2008 était de 1,10 $ le litre (4,20 $/gal) aux États-Unis, et que ce prix comporte environ 10 % de taxes, on constate que **le gaz naturel est un carburant très compétitif dans le secteur des transports, alors qu'il ne l'est plus pour la production d'électricité.**

---

56. Energy Information Administration (EIA), *Natural Gas Year-In-Review 2007*, mars 2008. Téléchargement à www.eia.doe.gov.

Par ailleurs, une étude de Navigant Consulting, parue en juillet 2008[57], démontre la progression rapide, depuis 1998, de la production de gaz naturel en Amérique du Nord à partir des sources non conventionnelles, en particulier les schistes gazéifères. Cette croissance du gaz naturel non conventionnel s'accentue toujours, en raison de nouvelles technologies de forage. Le rapport de Navigant Consulting conclut que la production globale de

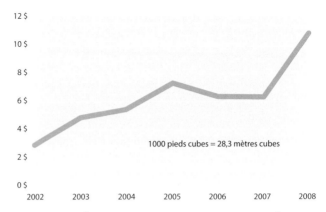

Figure 4.23 – Évolution du prix du gaz naturel aux États-Unis ($ US / 1 000 pieds cube). Les prix pour les années 2002 à 2007 représentent les prix annuels moyens, à la sortie du puits, alors que le prix pour 2008 est celui de juin 2008. (Source : Energy Information Administration, www.eia.doe.gov)

gaz naturel en Amérique du Nord en 2020 devrait être 50 % plus élevée qu'elle ne l'est en 2008! On comprend mieux, dès lors, la campagne de M. Pickens pour remplacer une partie importante du pétrole dans les véhicules par du gaz naturel.

Les véhicules routiers utilisant du GNV (gaz naturel pour les véhicules) sont principalement des autobus, des camions et des voitures appartenant à des flottes commerciales dont le kilométrage journalier est limité à environ 250 km. Pour mettre le GNV à la disposition des automobilistes en général, il faudrait mettre en place un réseau de distribution très coûteux.

La véritable question qu'on doit se poser, si on s'intéresse vraiment à diminuer la consommation de pétrole à l'aide du gaz naturel, c'est quelle est la meilleure façon de le faire? Et là, il faut bien le dire, M. Pickens n'a pas identifié la meilleure, loin de là. En fait, les automobiles électriques ou hybrides branchables qui rechargeraient leur batterie avec l'électricité issue d'une centrale au gaz naturel pourraient parcourir deux fois plus de kilomètres que des voitures consommant du GNV dans leur moteur à combustion interne! **Ainsi, au lieu de réduire les importations de pétrole du tiers avec le Plan Pickens, les Étatsuniens pourraient en éliminer les deux tiers, s'ils laissaient le gaz naturel dans les centrales électriques et utilisaient des voitures à motorisation électrique rechargeables sur le réseau!**

On peut faire cette démonstration de plusieurs façons. Mais, au chapitre 2 (section 2.17), nous avons déjà démontré qu'avec 22 % de l'électricité consommée par les Étatsuniens (le pourcentage fourni par les centrales au gaz), on pouvait faire

---

57. R. G. Smead *et al.*, *North American Natural Gas Supply Assessment*, rapport de Navigant Consulting Inc. préparé pour l'American Clean Skies Foundation (ACSF), 4 juillet 2008. Téléchargement sur le site de l'ACSF à www.cleanskies.org.

parcourir 70 % des kilomètres, en moyenne, à l'ensemble des véhicules routiers des États-Unis. Or, le pétrole consommé par les véhicules routiers de ce pays, en 2006, était de 11,4 millions de barils par jour (Mb/j), comparativement à des importations nettes de pétrole de 12,4 Mb/j pour la même année[58]. Ainsi, 70 % du kilométrage des véhicules sans pétrole représente 64 % du pétrole importé en moins.

L'efficacité moyenne du parc de centrales électriques au gaz naturel des États-Unis est d'environ 43 % (voir l'encadré plus loin). Or, en 2008, les meilleures centrales au gaz naturel à cycles combinés ont une efficacité de 60 %. C'est donc dire qu'on pourrait produire encore plus d'électricité avec la même quantité de gaz naturel, ce qui ferait diminuer les importations de pétrole des Étatsuniens davantage que le 64 % que nous avons évalué au paragraphe précédent. **En remplaçant les vieilles centrales au gaz naturel par des centrales plus efficaces, les Étatsuniens pourraient vraisemblablement diminuer leurs importations de pétrole de 80 %, avec des véhicules électriques et hybrides branchables, au lieu du tiers seulement avec des véhicules au gaz naturel. C'est toute une différence !**

En fait, le Plan Pickens ressemble beaucoup à un plan pour déplacer encore une fois les voitures électriques, après qu'on ait essayé de le faire dans un premier temps avec de l'hydrogène (produit à 96 % à partir de carburants fossiles). Dans les deux cas, les lobbies des compagnies pétrolières et gazières sont derrière et insistent pour qu'on utilise leurs carburants dans les véhicules, ce qui est très profitable pour eux, vous en conviendrez.

Il faut toutefois donner à M. Pickens le crédit d'un lobby intensif pour augmenter l'énergie éolienne jusqu'à 22 % dans le portefolio énergétique des États-Unis, d'ici 2020, ce que nous endossons bien sûr. En fait, laisser le gaz naturel dans les centrales électriques et ajouter les éoliennes est comme remplacer plus de 70 % du pétrole servant au transport routier par de l'énergie renouvelable propre, ce qui n'est pas peu dire. Mais les pétrolières et gazières n'aiment pas beaucoup qu'on fasse le plein avec l'électricité du réseau, ou encore à même les rayons du soleil avec des panneaux solaires sur le toit de nos maisons. **Ces compagnies vont donc tout faire pour nous rendre dépendants du gaz naturel, maintenant que l'économie hydrogène a déraillé.**

À cet égard, il est bon de savoir qu'à Montréal, par exemple, 12 m² de panneaux solaires photovoltaïques, avec une efficacité de 16 %, produisent suffisamment d'électricité dans une année pour faire parcourir 13 000 kilomètres à une voiture intermédiaire électrique ou hybride branchable ! Par ailleurs, une éolienne de 6 mégawatts, fonctionnant en moyenne à 25 % de sa capacité, peut produire suffisamment d'électricité annuellement pour faire parcourir, en moyenne, 70 % des kilomètres à l'ensemble des véhicules routiers d'une petite

Combien de gaz naturel faut-il pour produire un kWh d'électricité?

Selon les données de l'Energy Information Administration (www.eia.doe.gov), les centrales au gaz naturel des États-Unis ont consommé 6220 Gpi^3 de gaz naturel en 2006 (1 Gpi^3 = 1 milliard de pieds cube). En mètres cubes, cela donne une consommation de 176 Gm^3 (1 m^3 = 35,3 pi^3). Par ailleurs, toujours selon l'EIA, ces centrales ont produit 813 milliards de kilowattheures d'électricité avec ce gaz. On en déduit donc que **les centrales au gaz naturel étatsuniennes ont besoin, en moyenne, de 7,65 pi^3/kWh ou 0,216 m^3/kWh.**

Combien faut-il de gaz naturel pour remplacer un litre d'essence?

Pour ce qui est de la quantité de gaz naturel requise pour remplacer un litre d'essence, le calculateur d'énergie du site de l'EIA (voir la section www.eia.doe.gov/kids) donne comme contenu en énergie d'un mètre cube de gaz naturel une valeur de 38,1 MJ [évaluée à son pouvoir calorique supérieur, PCS (*High Heating Value, HHV*)]. Par ailleurs, ce même calculateur nous donne pour un gallon d'essence 130,9 MJ (évalué au PCS) ce qui fait 34,6 MJ par litre d'essence (1 gallon US = 3,785 litres). Par conséquent, **0,9 m^3 de gaz naturel contient la même énergie chimique qu'un litre d'essence.**

Quelle est l'efficacité moyenne des centrales au gaz naturel aux États-Unis?

On la déduit en sachant qu'on utilise, en moyenne, 0,216 m^3 de gaz naturel pour produire un kilowattheure (kWh) d'électricité, et qu'un mètre cube de gaz contient 38,1 mégajoules (MJ) d'énergie chimique. On a donc besoin de 8,23 MJ d'énergie chimique pour produire 1 kWh d'électricité. Par ailleurs, les mégajoules et les kilowattheures sont deux unités d'énergie, et 3,6 MJ équivalent à 1 kWh. En convertissant 8,23 MJ en kWh on obtient donc 2,29 kWh, ce qui correspond à l'énergie chimique requise pour produire 1 kWh d'électricité. **L'efficacité énergétique moyenne des centrales au gaz naturel étatsuniennes est donc de 1 ÷ 2,29, ce qui donne, en pourcentage, 43%.**

ville de 10 000 habitants, au Canada! Il ne manquerait plus alors que de remplacer 7,5% des carburants pétroliers consommés actuellement par des biocarburants de deuxième génération pour éliminer complètement le pétrole des transports routiers dans cette petite ville. Ce ne sont pas des véhicules au gaz naturel qu'il nous faut mais des véhicules électriques et hybrides branchables! Le gaz naturel devrait plutôt être utilisé dans des centrales électriques pour remplacer les centrales au charbon, beaucoup plus polluantes. Surtout que ces dernières émettent deux fois plus de CO_2 que les centrales au gaz naturel, de la terre à la prise électrique (voir la section 2.17).

4.23 – Les carburants synthétiques faits avec du charbon ou du gaz naturel

La décroissance imminente dans la production mondiale de pétrole va exercer une très forte pression pour produire des carburants alternatifs, dont font partie les biocarburants. Il est possible également de fabriquer d'autres carburants alternatifs à partir du charbon ou du gaz naturel, mais leurs impacts sur les gaz à effet de serre sont encore plus néfastes que le pétrole.

Le carburant liquide fait à partir du gaz naturel, qu'on appelle le GTL (*Gas To Liquid*) produit environ 10 % plus de CO_2 que le carburant diesel traditionnel, lorsqu'on considère les émissions du puits à la roue[59]. **Le carburant fait à partir du charbon, qu'on appelle le CTL (*Coal To Liquid*), produit, lui, environ 120 % plus de CO_2 que le carburant diesel traditionnel.** Les procédés de fabrication s'apparentent à celui du carburant diesel synthétique BTL (*Biomass To Liquid*) dont nous avons parlé à la section 4.3.

Il serait irresponsable d'envisager l'utilisation des carburants CTL et GTL pour pallier le problème de rareté du pétrole. Le CTL, en particulier, qui fait appel à l'exploitation minière du charbon, entraînerait une pollution considérable de l'air et de l'eau en plus des émissions excessives de CO_2 (plus du double).

4.24 – Le dopage à l'hydrogène des carburants

Lors de la crise pétrolière de 1973, les pays de l'Occident ont soudainement réalisé leur dépendance et leur fragilité vis-à-vis du pétrole. Plusieurs programmes de recherche ont alors vu le jour sur les carburants alternatifs et sur l'augmentation de l'efficacité des moteurs, pour faire face à ce problème.

C'est ainsi que certains travaux pour l'amélioration de la combustion dans les moteurs thermiques se sont concentrés sur le dopage à l'hydrogène. Y. Jamal et M.L. Wyszynski ont publié, en 1994, un article de revue sur le sujet[60]. On y apprend que l'ajout d'une petite quantité d'hydrogène au carburant augmente son inflammabilité ainsi que la vitesse de propagation de la flamme, ce qui permet au carburant de mieux brûler, même lorsque le mélange est pauvre. Par ailleurs, le dopage à l'hydrogène de l'essence permet d'utiliser un moteur à haut taux de compression avec une turbocompression forte, sans que l'essence s'enflamme prématurément, avant que les bougies n'aient produit leur étincelle. Cet auto-allumage de l'essence, responsable des cognements, est très néfaste pour les moteurs (chapitre 2, section 2.4). Donc, grâce au dopage à l'hydrogène, on peut construire des moteurs à essence avec une turbocompression forte et un taux de compression plus élevé, ce qui réduit la consommation de carburant. Par ailleurs, une meilleure combustion du carburant (essence ou diesel) se traduit évidemment par moins de pollution et par une efficacité plus élevée du moteur, donc, encore là, une plus faible consommation de carburant.

---

59. R. Edwards *et al.*, *op. cit.*
60. Y. Jamal, M.L. Wyszynski, «Onboard Generation Of Hydrogen-Rich Gaseous Fuels – A Review», *International Journal of Hydrogen Energy*, vol. 19, n° 7, p. 557 à 572, 1994.

Poursuivant cette voie, les chercheurs Alexander Rabinovich, Daniel Cohn et Leslie Bromberg du Massachusetts Institute of Technology (MIT) ont mis au point, dans les années 1990, un reformeur à plasma pour le carburant, de manière à générer l'hydrogène à bord du véhicule. Leur dispositif peut utiliser ou non de la vapeur d'eau, quoique dans leur brevet[61], les inventeurs indiquent leur préférence pour la version qui fonctionne avec un mélange d'eau et de carburant. C'est en faisant passer le carburant et l'eau dans un arc électrique que l'hydrogène est produit. Dans leur brevet, les chercheurs du MIT mentionnent que la température atteinte dans l'arc électrique se situe entre 1000°C et 3000°C et que la production d'hydrogène par reformage à la vapeur du carburant, sans catalyseur, est alors très efficace. Pour fonctionner, le reformeur à plasma est alimenté en électricité à partir de l'alternateur et la batterie du véhicule, avec une consommation d'environ 100 watts sur les derniers prototypes. Malgré cet emprunt d'énergie au moteur, l'équipe du MIT estime, selon les tests effectués, qu'on peut économiser entre 20% et 30% d'essence et éliminer 80% des oxydes d'azote, responsables du smog[62], avec un moteur conçu pour tirer profit des possibilités du dopage à l'hydrogène!

Par ailleurs, pour produire de l'hydrogène à bord d'un véhicule on peut également faire appel à l'électrolyse, qui sépare l'eau en ses composants, l'oxygène et l'hydrogène, par le simple passage d'un courant électrique dans de l'eau dont on améliore la conductivité à l'aide d'un peu d'acide ou d'un produit alcalin. Déjà, plusieurs compagnies ont développé et commercialisé de tels systèmes pour les camions semi-remorque, utilisant comme source de tension l'alternateur du véhicule. Ces compagnies sont:

– Hydrive Technologies Ltd: http://www.hy-drive.com,

– Canadian Hydrogen Energy Company Ltd: http://www.chechfi.ca,

– Innovative Hydrogen Solutions Inc.: http://www.ihsresearch.com.

Dans ces systèmes, l'oxygène et l'hydrogène sont collectés à la sortie de la cellule d'électrolyse et sont acheminés dans l'entrée d'air du moteur. Il en résulte une meilleure combustion qui se traduit par une diminution de la consommation de carburant d'environ 10%, et une légère augmentation de la puissance du moteur. On peut d'ailleurs constater la meilleure combustion du carburant diesel par son effet sur la diminution importante des émissions polluantes. On constate, en effet, une diminution de 40% à 80% pour les particules de suie (PM) et les hydrocarbures imbrûlés (HC), et de 10% à 30% pour les oxydes d'azote (NO_x) et le monoxyde de carbone (CO). Par ailleurs, la meilleure combustion du carburant fait en sorte que l'huile du moteur reste propre plus longtemps et les cylindres s'encrassent moins, ce qui réduit les coûts d'entretien. L'installation d'un tel système prend généralement quelques heures de travail.

---

61. A. Rabinovich, D.R. Cohn et L. Bromberg, Plasmatron-internal combustion engine system, brevet étatsunien 5,425,332, accordé le 20 juin 1995. Visionnement à http://patft.uspto.gov.

62. Pour en savoir davantage, on peut consulter le site du Plasma Science and Fusion Center du MIT à l'adresse http://www.psfc.mit.edu/research/plasma_tech/pt_plasmatron.html. On peut y télécharger un document pdf d'une conférence donnée en 2004, en cliquant sur More about the Plasmatron.

La quantité d'hydrogène injectée dans le moteur est normalement inférieure à 1% par volume, et la consommation d'eau se limite à 3 ou 4 litres par 10 000 kilomètres. L'hiver on ajoute du méthanol comme antigel.

Les systèmes à électrolyse ont été testés par plusieurs flottes de camions aux États-Unis et au Canada, et les millions de kilomètres parcourus confirment l'efficacité du dopage à l'hydrogène. Les tests ont démontré des performances supérieures lorsqu'on injecte également l'oxygène (issu de l'électrolyse) dans l'entrée d'air du moteur.

Par ailleurs, un certain nombre de compagnies prétendent avoir développé des technologies d'électrolyse beaucoup plus efficaces que les méthodes traditionnelles, ce qui leur permet d'intégrer des unités d'électrolyse dans les voitures et d'annoncer des économies de carburant supérieures à 20%! Parmi ces compagnies, on retrouve:

– H2O Utopia Technology : www.utopiatech.fr
– Green Future Technology : www.greenfuturetechnology.com
– Hydrogen Technology Applications Inc. : www.hytechapps.com
– Hydrorunner Inc. : www.hydrorunner.com

Les entreprises H2O Utopia Technology, Green Future Technology et Hydrorunner mentionnent qu'elles utilisent seulement de l'eau distillée ou ordinaire, sans les additifs chimiques qu'on retrouve normalement dans les systèmes d'électrolyse traditionnels. Par ailleurs, H2O Utopia Technology précise que son système se sert des impulsions de tension aux fréquences adéquates, contrairement aux courants continus normalement utilisés. De plus, la faible puissance électrique consommée par son unité d'électrolyse fait en sorte que l'eau qu'elle contient ne s'échauffe presque pas, contrairement aux systèmes d'électrolyse traditionnels, pour un même débit. Il semble donc que des mécanismes physicochimiques différents soient en cause. H2O Utopia Technology n'est pas la seule à avoir expérimenté cette nouvelle forme d'électrolyse ultra-efficace. En effet, un brevet étatsunien a été accordé à Stanley Meyer, en 1990, pour une méthode de décomposition de l'eau distillée, sans additifs chimiques, basée sur des impulsions de tension et, encore là, avec une consommation très réduite d'électricité et pas d'échauffement de l'eau[63]. La compagnie canadienne Xogen (http://xogen.ca) a également mis au point un système similaire, pour lequel elle a obtenu un brevet aux États-Unis en 2000[64].

Selon Jean-Marc Moreau, fondateur de H2O Utopia Technology, le gaz qui sort de son réacteur contiendrait de l'hydrogène monoatomique et de l'oxygène monoatomique, pouvant dégager plus d'énergie pour un même volume de gaz. Il précise que ce gaz hybride est normalement utilisé sous forme de plasma dans des chalumeaux aux performances bien supérieures à toutes les autres techniques pour la soudure.

---

63. S.A. Meyer, Method for the production of a fuel gas, brevet étatsunien 4,936,961, 26 juin 1990. Visionnement à http://patft.uspto.gov ou à www.rexresearch.com/meyerhy/4936961.htm.
64. S.B. Chambers, Apparatus for producing orthohydrogen and/or parahydrogen, brevet étatsunien 6,126,794, 3 octobre 2000. Visionnement à http://patft.uspto.gov.

D'ailleurs, à ce propos, la compagnie Hydrogen Technology Applications Inc., que nous avons mentionnée plus haut, avait d'abord développé un chalumeau pour la soudure et la découpe, avec leur électrolyseur ultra-efficace. Le gaz qui s'en dégage et qui permet aux chalumeaux d'atteindre des températures supérieures à 5000 °C est, selon cette compagnie, constitué d'associations différentes d'atomes d'hydrogène et d'oxygène pour former du HHO au lieu de H_2O. On donne également le nom de gaz de Brown au composé gazeux produit pour les chalumeaux, à partir de l'eau électrolysée. En effet, c'est Yull Brown qui a introduit cette technologie en 1977[65]. Présentement, un des plus gros producteurs d'appareils générant et utilisant le gaz de Brown est la compagnie chinoise Epoch Energy Technology Corp (www.oxy-hydrogen.com). Son ambition est de pouvoir remplacer, à terme, les carburants fossiles dans tout ce qui utilise une flamme, de la cuisinière aux incinérateurs, ce qui suppose, bien entendu, une bonne source d'électricité.

L'auteur doit avouer, cependant, qu'il n'a trouvé aucune étude scientifique analysant, avec une méthode et une instrumentation adéquates, le contenu réel du gaz Brown ou HHO. Ce genre d'étude revêt pourtant une importance cruciale, compte tenu des économies de carburant annoncées par autant de sources différentes.

L'auteur est très conscient que les prétentions d'économies importantes de carburant, dues aux systèmes de dopage à l'hydrogène de diverses compagnies, puissent susciter le scepticisme. Après tout, c'est presque trop beau pour être vrai! Et pourquoi ne l'aurait-on pas utilisé auparavant dans des voitures commerciales?

Et bien, il semble que cette situation va changer très bientôt. En effet, la jeune compagnie Ronn Motors (www.ronnmotors.com) présentera, en novembre 2008, une voiture sport à haute performance bien spéciale, la Scorpion, qui se vend 150 000 $ (voir figure 4.24). Son «arme secrète» est à l'arrière de la voiture, comme le dard du scorpion. Il s'agit d'un système de dopage à l'hydrogène utilisant l'électrolyse de l'eau. Ce système, fabriqué par Hydrorunner (www.hydrorunner.com) que nous avons mentionné plus haut, devrait permettre des économies d'essence de 20% à 40%, selon Ronn Motors, qui le teste présentement. L'alimentation en électricité du système d'électrolyse provient de l'alternateur de la voiture. Le plein du petit réservoir d'eau se fait à tous les changements d'huile. C'est un dossier à suivre de près.

Une des difficultés rencontrées par ceux qui veulent implanter un système de dopage à l'hydrogène performant sur un moteur à essence est le calculateur de gestion du moteur. Ce dernier contrôle la quantité d'essence admise en se basant, entre autres, sur le pourcentage d'oxygène contenu dans les gaz d'échappement, mesuré à l'aide de la sonde lambda (sonde à oxygène). La directive programmée dans le calculateur est de maintenir le mélange air-essence dans des proportions précises pour un bon fonctionnement du pot catalytique. Or, l'ajout d'un dopage à l'hydrogène modifie la composition des gaz d'échappement et si le calculateur n'est pas «éduqué», il interprète

---

65. Y. Brown, Welding, brevet étatsunien 4,014,777, 29 mars 1977. Visionnement à http://patft.uspto.gov ou à www.rexresearch.com.

Figure 4.24 – La Scorpion de Ronn Motors, dont les premiers exemplaires vont être livrés à l'automne 2008, comporte un dispositif de dopage à l'hydrogène par électrolyse qui diminue la consommation d'essence de 20 % à 40 %, selon la compagnie. (Source : Ronn Motor)

la propreté des gaz d'échappement comme un manque de carburant et en injecte davantage, ce qui diminue, bien entendu, l'effet bénéfique du dopage à l'hydrogène.

L'auteur doit préciser qu'il n'a pas mis à l'essai lui-même un système de dopage à l'hydrogène. Il sait cependant que certaines personnes l'ont fait sans résultats probants, alors que d'autres se sont dites satisfaites. Il y a certainement des systèmes meilleurs que d'autres, puisque plusieurs dispositifs offerts sur le marché n'interagissent pas avec les calculateurs de gestion des moteurs et que certains systèmes consomment plus d'énergie que d'autres. La prudence est donc de mise. Ceux qui voudraient tenter l'expérience ont intérêt à s'enquérir de la satisfaction des clients qui ont installé le système qu'ils veulent se procurer. Cela vaut particulièrement pour les systèmes supposés donner des diminutions de consommation supérieures à 20 %.

Mais n'oublions pas que des recherches très sérieuses effectuées dans des laboratoires universitaires et gouvernementaux renommés (dont le MIT) ont démontré l'intérêt réel du dopage à l'hydrogène pour réduire les émissions polluantes et la consommation de carburant des moteurs à combustion interne.

Le dopage à l'hydrogène des carburants peut aussi s'appliquer à l'essence synthétique et au carburant diesel synthétique produits avec des matières organiques non fossilisées. La production de petites quantités d'hydrogène à l'aide d'une décharge électrique dans les vapeurs de carburant (plasmatron) ou par électrolyse de l'eau apparaît donc particulièrement intéressante pour réduire au maximum les besoins en biocarburants et les émissions polluantes de façon durable.

4.25 – Le dopage à l'eau des carburants

Le dopage à l'eau des moteurs thermiques est plus ancien que le dopage à l'hydrogène. En fait, il remonte à la fin du 19e siècle et servait principalement à contrôler la combustion dans les moteurs à fort taux de compression, en éliminant les allumages intempestifs responsables des cognements. On injectait directement une petite quantité d'eau dans les cylindres, conjointement avec du carburant.

Le premier motoriste à avoir fait une étude détaillée des performances d'un moteur en fonction des paramètres de dopage de l'eau semble avoir été Pierre Clerget. Cet ingénieur français a construit, en 1901, un moteur expérimental à triple injection (possibilité de trois liquides différents). Gérard Hartmann a publié un livre étoffé, en 2004, pour mieux nous faire connaître cet homme de génie et ses travaux[66]. Cet auteur a également mis à la disposition de tous de l'information historique sur les moteurs au site Internet www.hydroretro.net. Vous y trouverez, entre autres, un article très intéressant sur «Le moteur à eau», daté du 9 octobre 2006, en format pdf. On y apprend que, **dès 1901, grâce à l'injection d'eau, Clerget pouvait doubler la puissance d'un moteur diesel, diminuer la fumée émise et adoucir le régime du moteur**. Mais les moteurs diesel n'étaient qu'une curiosité de laboratoire à cette époque et il faudra attendre la fin des années 1920 avant que leur perfectionnement en fasse des moteurs usuels.

Il faut savoir que, lorsqu'un moteur thermique tourne à haut régime et fonctionne à haute puissance, la température maximale dans les chambres de combustion peut atteindre 2200 °C. Or, une telle température induit souvent des explosions très violentes du carburant au mauvais moment dans le cycle du moteur, ce qui peut le détruire. C'est le phénomène de la détonation, que l'on peut contrôler grâce à l'injection d'eau dans les moteurs, laquelle abaisse sa température et augmente la résistance à la détonation du carburant. On peut ainsi faire travailler un moteur à haute puissance sans risquer de le détruire.

Ces connaissances, qu'on avait élaborées dans les premières décennies du 20e siècle, ont été utilisées à la Deuxième Guerre mondiale pour augmenter la puissance des moteurs d'avion, afin, entre autres, de pouvoir décoller sur de courtes distances. Par exemple, l'avion F4U Corsair, avait un moteur de 1850 hp au début, qui est passé à 2450 hp lorsqu'on l'a équipé d'un système d'injection d'eau vers la fin de la guerre[67]. L'injection d'eau a également été utilisée dans les moteurs des voitures de course F1, dans les années 1980, toujours pour augmenter la puissance des moteurs. Ces systèmes ont ensuite été interdits pour éviter une trop grande escalade dans la puissance des moteurs.

66. G. Hartmann, *Pierre Clerget 1875-1943 – Un motoriste de génie*, Les éditions de l'officine, Paris, 2004.
67. C. Hawks, *The Chance Vought F4U Corsair*, article en ligne sur le site www.chuckhawks.com dédié à l'histoire des technologies militaires (www.chuckhawks.com/corsair_F4U.htm).

Mais, l'augmentation de puissance des moteurs n'est pas la seule vertu du dopage à l'eau. La diminution des fumées crachées par les moteurs diesel ainsi que la diminution des autres émissions polluantes sont d'autres conséquences de plus en plus recherchées. En fait, en 2008 en Europe, plus de 10 000 autobus utilisent des carburants diesel dopés avec 10% à 15% d'eau sous forme de microscopiques gouttelettes dont le diamètre est inférieur à un micron. Un agent émulsifiant est également ajouté, afin de stabiliser l'émulsion pour qu'elle puisse être stockée pendant quatre mois tout en gardant ses propriétés. Les carburants diesel émulsifiés à l'eau ont l'avantage de pouvoir faire bénéficier d'un dopage à l'eau aux véhicules qui les utilisent, sans qu'on ait à modifier les moteurs.

La pétrolière BP, par exemple, a mis sur le marché son carburant diesel émulsifié Aspira, qui comporte 13% d'eau. Ce carburant a été testé par une importante compagnie de transport en commun londonienne qui l'a utilisé dans six de ses autobus urbains pendant une année. Les résultats ont été publiés dans la revue *Frontiers* du mois d'août 2002 (une revue d'information de la compagnie BP). Les fumées noires ont été réduites de 65%, les oxydes d'azote de 15%, et le CO_2 de 12%. Pour ce qui est de la consommation de carburant, on pourrait s'attendre à ce que la présence de 13% d'eau dans chaque litre d'Aspira augmente la consommation pour compenser la plus faible teneur en carburant diesel qu'on y retrouve. Mais, à ce sujet, voici un extrait de l'article paru dans la revue *Frontiers* :

> *Tests with London buses have shown no fuel consumption différences at all. This is due to the improve combustion process.*
>
> *Les essais avec les autobus de Londres n'ont montré absolument aucune différence dans la consommation de carburant. Ceci est dû à l'amélioration du processus de combustion.* (Traduction libre de l'auteur)

Par conséquent, les tests sur les autobus londoniens démontrent bien qu'il y a eu une diminution de la consommation de carburant diesel de 13% environ, ce qui se reflète dans la diminution de 12% des émissions de CO_2. Toutefois, BP souligne également dans l'article, qu'ils ont utilisé un nouveau lubrifiant en même temps que le carburant émulsifié Aspira et que ce lubrifiant a contribué à une diminution de la consommation pouvant aller jusqu'à 5% dans des autobus qui utilisaient du carburant diesel traditionnel. On peut donc en conclure que **la contribution de l'eau à la diminution de consommation de carburant diesel des autobus londoniens est de l'ordre de 8%.**

Plus récemment, en 2006, le professeur Tajima de l'Université de Kanagawa, au Japon, a mis au point un procédé qui permet de faire une émulsion stable de 30% d'eau et 70% de carburant diesel. Son équipe a testé leur carburant SEF (Super Emulsion Fuel) avec un camion à ordure de 30 tonnes. Ils ont ainsi pu vérifier une diminution de plus de 95% des particules de suie (voir la **figure 4.25**), une diminution de 70% à 80% des oxydes d'azote, et une réduction de 10% à 15% de la

Figure 4.25 – Comparaison de l'état des filtres à particules après usage dans les mêmes conditions. L'encrassement du filtre de droite, qui a été utilisé avec du carburant diesel ordinaire, est très éloquent. L'amélioration de la combustion avec le carburant émulsifié à l'eau est bien visible sur le filtre de gauche en avant-plan.

Photo : Université de Kanogawa

consommation de carburant[68]. À la simple vue des filtres à particules dans la figure, on peut en déduire qu'il doit nécessairement y avoir une réduction de la consommation de carburant, car les particules de carbone non brûlées correspondent à deux termes de perte d'énergie : l'énergie chimique non utilisée et la chaleur perdue dans ces particules qui sortent incandescentes du moteur.

Toujours concernant la réduction de consommation due à l'eau, voici un témoignage précieux, transmis à l'auteur, en juin 2008, par Jean-Jacques Olivier, un ingénieur agricole français, cultivateur et éleveur. Ce dernier a conduit, en 1942, un tracteur McCormick-Deering de 1929, muni de trois réservoirs : un pour l'essence, un pour le kérosène (pétrole à lampe de l'époque) et un pour l'eau. L'eau était introduite dans le moteur via un carburateur qui lui était dédié (il y avait deux carburateurs). Voici son témoignage :

> *J'avais un tracteur carburant au pétrole et à l'eau McCormick-Deering 15-30 modèle 1929 avec trois réservoirs : un pour le pétrole (18 gallons), un pour l'eau (9 gallons) et un petit pour l'essence.*

> *Mise en route à l'essence, passage au pétrole quelques minutes après. Dès que l'on demandait un effort au tracteur, on ouvrait le robinet d'eau. La puissance semblait*

68. Green Car Congress (site sur la mobilité durable), Kanagawa University Develops New Diesel Emulsion Fuel, 4 octobre 2006 (www.greencarcongress.com/2006/10/kanagawa_univer.html).

augmenter, les flammes exhalées par les deux échappements viraient du rouge fuligineux au bleu clair et la pétarade changeait de registre. Au pétrole seul, on ne faisait pas la journée; avec l'eau on pouvait poursuivre tard dans la nuit.

C'était en 1942 et on appréciait l'économie. Il y avait deux carburateurs très semblables l'un pour le pétrole, l'autre pour l'eau dont les gicleurs se rejoignaient dans le venturi d'aspiration. Leur réglage demandait un certain feeling... Le collecteur d'admission était noyé dans le collecteur d'échappement et, la nuit, en plein effort, on pouvait le voir rouge sombre.

Ce modèle a été fabriqué à 50 130 exemplaires. Dans les 49 750 suivants, le système avait été simplifié: l'eau était aspirée directement, sans réchauffage, depuis le carburateur d'eau par deux tubes de cuivre piqués sur le collecteur d'admission près des entrées de culasse. Allez comprendre comment ça marchait, mais ça marchait très bien.

Monsieur Olivier a également fait parvenir à l'auteur les numérisations de la figure, à partir du catalogue des pièces qu'il a conservé.

Curieusement, alors que le dopage à l'eau a débuté dans les tracteurs agricoles au début du 20ᵉ siècle, c'est encore via les tracteurs agricoles qu'il revient en force, depuis 2001, grâce à un agriculteur biologique français bien spécial, **Antoine Gillier**. Ce dernier a installé un système de dopage à l'eau sur un de ses tracteurs, au printemps 2001, en s'inspirant du réacteur développé par Paul Pantone dans les années 1990.

Le réacteur Pantone est décrit dans le brevet étatsunien numéro 5,794,601 obtenu le 18 août 1998, et intitulé «Fuel Pretreater Apparatus and Method». En fait, Paul Pantone a publié les détails de son invention dans Internet en 1999, et ces informations ont été traduites par Bernadette et Jean Soarès qui les ont publiées en français dans leur site **Quant'Homme** (www.quanthomme.fr). Or, alors qu'Antoine Gillier cherchait un moyen de réduire les fumées noires de ses tracteurs, quelqu'un lui parle du réacteur Pantone et du site Quant'Homme. Il entre alors en contact avec Bernadette et Jean Soarès, qui lui rendent visite avec leur ami Michel David. Ce dernier apporte avec lui le premier système Pantone reproduit en France, à l'aide d'un petit moteur de rotoculteur installé sur un rectangle en bois. On est en décembre 2000, juste avant Noël, et Antoine Gillier regarde le montage de Michel David très attentivement. Dès que le réacteur Pantone est réchauffé, les fumées et les odeurs disparaissent du tuyau d'échappement du petit moteur à essence! Antoine se dit que c'est exactement ce qu'il lui faut pour ses tracteurs.

Avant d'aller plus loin, expliquons un peu en quoi consiste le système Pantone. Il s'agit de mélanger un carburant avec de l'eau dans un réservoir qui est chauffé par une partie des gaz d'échappement. Les vapeurs de ce mélange sont alors aspirées dans les cylindres, à travers une canalisation, en raison du vide créé par les pistons du moteur. En se dirigeant vers les cylindres, le mélange de vapeurs de carburant et d'eau passe dans un tube d'acier (appelé réacteur) placé au centre du tuyau d'échappement, afin de réchauffer davantage les vapeurs (voir la **figure 4.27**). Ces dernières entrent par la suite dans le moteur par le carburateur. Précisons que pour favoriser un bon échange de chaleur entre les gaz d'échappement et les vapeurs, on limite la circulation de celles-ci

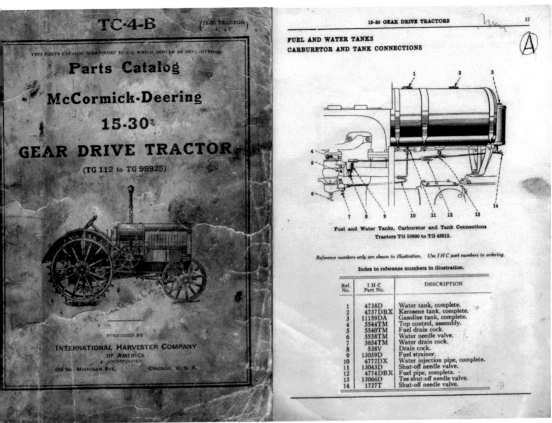

Figure 4.26 – Catalogue des pièces du tracteur McCormick-Deering 15-30, modèle 1929, avec trois réservoirs : un pour l'essence, un pour le kérosène (pétrole à lampe de l'époque) et un pour l'eau. L'eau est introduite dans les chambres de combustion via un carburateur dédié à l'eau. (Numérisations : Jean-Jacques Olivier)

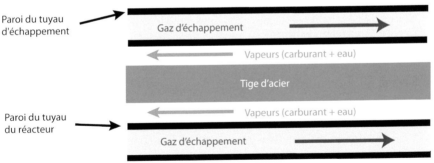

Figure 4.27 – Schéma du réacteur Pantone, au centre du tuyau d'échappement.

à une portion annulaire près de la surface intérieure du tuyau du réacteur. Pour ce faire, on introduit une tige d'acier au centre, qui ne laisse qu'un espace de un millimètre d'épaisseur au passage des vapeurs de carburant et d'eau. Seule la paroi extérieure du réacteur sépare alors les gaz d'échappement des vapeurs qu'on veut réchauffer.

Plusieurs expérimentateurs ont observé que la tige d'acier au centre du réacteur s'aimantait, ce qui dénote qu'il y a probablement une ionisation des vapeurs qui se produit et l'établissement d'une circulation hélicoïdale des vapeurs ionisées autour de la tige. Mais, personne, à notre connaissance, n'a fait une étude expérimentale sérieuse de ce qui se passe réellement dans ce réacteur. On en est donc réduit à faire des hypothèses qui ne restent que des hypothèses, pour le moment. Mais, une chose est certaine, le réacteur Pantone agit comme un échangeur thermique efficace, entre les gaz d'échappement et les vapeurs du mélange eau-carburant avec lesquelles on alimente le moteur.

Figure 4.28 – Banc d'essai sur le système Pantone réalisé par Christophe Martz pour son mémoire de fin d'études, comme ingénieur en génie mécanique.

Photo : Christophe Martz

Dans un système Pantone complet, il y a plusieurs vannes, principalement pour permettre un démarrage du moteur à l'essence, au début, et passer ensuite au mélange eau-carburant vaporisés, lorsque le moteur est chaud. Ceux qui voudraient en savoir davantage peuvent consulter le site www.quanthomme. fr, qui contient une information abondante sur tout ce dossier, ou encore le site www.eco-nologie.com, tenu par Christophe Martz, un jeune ingénieur mécanique qui a consacré son mémoire de fin d'études au système Pantone, à l'École nationale supérieure des arts et industries de Strasbourg (ENSAIS), en 2001[69]. Il a monté, pour cela, un banc d'essai autour d'une petite génératrice à essence modifiée et instrumentée (voir la **figure 4.28**) pour mesurer certaines émissions polluantes et la diminution de consommation. On peut télécharger ce rapport du site de Éconologie.

Christophe Martz a ainsi pu démontrer une diminution des hydrocarbures imbrûlés (HC) et du monoxyde de carbone (CO) de plus de 95%, ce qui traduit une bien meilleure combustion! Il a également établi que les vapeurs à la sortie du réacteur Pantone ne contenaient pas d'hydrogène et qu'elles étaient plus volatiles, ce qui signifie que les molécules d'essence ont été fractionnées en plus petites molécules d'hydrocarbures. Enfin, en ce qui concerne la consommation d'essence de la génératrice «pantonée», il n'a pas observé de gain par rapport à la consommation de la génératrice non modifiée. Toutefois, comme on peut le constater dans la figure, il a fallu ajouter à la génératrice d'origine tout un enchevêtrement de tubulures et

---

69. C. Martz, *Élaboration d'un banc d'essai et caractérisations du procédé GEET de P. Pantone à reformage*, Projet de fin d'études en génie mécanique réalisé à l'École nationale supérieure des arts et industries de Strasbourg (ENSAIS), octobre 2001. Téléchargement gratuit sur le site Éconologie à www.econologie.com, dans la section Téléchargements, sous la rubrique Moteur Pantone.

d'appareils de mesure qui augmentent nécessairement la charge de la génératrice en raison de la résistance à l'écoulement des gaz qui en résulte. Lorsque Christophe Martz compare les deux à armes égales, en faisant passer les gaz de la génératrice non «pantonée» dans les mêmes tubulures de son banc d'essai, il obtient alors une consommation d'essence inférieure de 60% pour le système Pantone!

Maintenant que nous en savons un peu plus sur ce système, revenons à Antoine Gillier, notre agriculteur biologique du centre de la France, qui regarde fonctionner le petit moteur de rotoculteur «pantoné» de Michel David, en décembre 2000. Il n'y a aucun doute, les gaz d'échappement qui sortent du moteur sont beaucoup plus propres! Alors, la question qu'il se pose est comment adapter un système Pantone à ses tracteurs diesel? Car, il faut bien le dire, les systèmes Pantone ont été conçus pour fonctionner avec des moteurs à essence munis de carburateurs. Mais les moteurs diesel n'ont pas de carburateur. Ce sont des injecteurs qui alimentent les cylindres en carburant et pas question de modifier le système d'injection avec un bricolage artisanal, il y a trop de risques!

Antoine essaie d'abord de faire pénétrer les vapeurs eau-carburant par l'entrée d'air du moteur diesel. Mais ça ne marche pas car ces vapeurs s'ajoutent au carburant diesel introduit par les injecteurs et le moteur devient incontrôlable. C'est alors que notre pragmatique paysan a l'éclair de génie! Il se dit que puisque les injecteurs fournissent le carburant, il pourrait peut-être enlever le carburant de son mélange et ne faire entrer que de la vapeur d'eau par l'entrée d'air du moteur. Chose dite, chose faite et, **au printemps 2001, le voilà dans ses champs avec un tracteur muni d'un système Gillier-Pantone, qui ne crache plus de fumées noires et qui consomme 25% moins de carburant**. Le fonctionnement est expliqué dans le texte qui accompagne la figure. La beauté en est que toutes les vannes du système Pantone ont disparu, puisque le carburant entre dans le moteur en permanence par les injecteurs. Le système Gillier-Pantone est on ne peut plus simple, et le moteur ne subit aucune modification. Seul le tuyau d'échappement est modifié, et un raccord est ajouté à l'entrée d'air. (Voir figure 4.29)

La consommation du tracteur d'Antoine a diminué encore par la suite, probablement en raison du désencrassement de son moteur par la vapeur d'eau. En fait, c'est un vieux truc de mécanicien d'introduire lentement un peu d'eau dans un moteur en marche pour nettoyer la calamine qui s'y est accumulée (ne l'essayez surtout pas vous-même, car il faut s'y connaître, sinon on peut briser le moteur si on met trop d'eau). Or, la calamine réduit l'étanchéité des cylindres et augmente la consommation de carburant. Ainsi, en l'enlevant progressivement avec la vapeur d'eau du système Gillier-Pantone, on diminue progressivement la consommation de carburant, jusqu'à la rétablir près de son niveau original[70].

---

70. Si l'auteur, un Québécois, peut vous raconter cette histoire, c'est qu'il est allé passer une journée avec Antoine Gillier, ainsi qu'avec Bernadette et Jean Soarès, en janvier 2008, juste après avoir participé à la finale du Prix Roberval, à Compiègne et Paris (http://prixroberval.utc.fr). D'ailleurs, il y a remporté la mention spéciale du jury pour le meilleur livre de communication en science et technologie de la Francophonie, catégorie Grand Public. C'était son deuxième livre (*Sur la route de l'électricité*, vol. 2, Éditions MultiMondes, Québec, 2006), alors que celui que vous tenez entre les mains est le troisième.

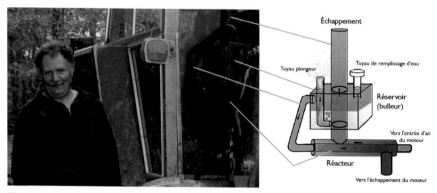

Figure 4.29 – Antoine Gillier, son tracteur et le principe de fonctionnement du système Gillier-Pantone. Les gaz d'échappement arrivent du moteur par le bas, dans la figure. Le tuyau d'échappement passe à travers un réservoir d'eau et les vapeurs d'eau, aspirées par le moteur, sortent du réservoir par le tuyau bleu à gauche, pour pénétrer ensuite dans le réacteur, en plein milieu du tuyau d'échappement. Les gaz d'échappement réchauffent davantage la vapeur, et cette dernière se dirige vers l'entrée d'air du moteur. (Photo : Jean Soarès)

La suite de l'histoire ? Eh bien ! Antoine communique les plans de son système à Bernadette et Jean Soarès, les fondateurs et administrateurs du site Quant'Homme (www.quanthomme.fr). Ces derniers rendent rapidement l'information disponible sur leur site et maintiennent depuis lors un registre sur les multiples reproductions qui ont été réalisées un peu partout dans le monde, avec les témoignages de leurs responsables sur les économies de carburant réalisées. En fait, **en 2008, il y a des centaines d'agriculteurs français qui ont équipé leurs tracteurs avec un système Gillier-Pantone, leur apportant généralement entre 20 % et 40 % d'économie de carburant diesel, le tout remplacé par quelques litres d'eau à l'heure. En prime, finies les fumées noires !** Il y a même des kits Gillier-Pantone, de conception très compacte (appelés SPAD), qui sont vendus maintenant pour les tracteurs, afin de faciliter les choses, par la société française Hypnow (www.hypnow.fr). La société Ecopra, quant à elle, vend des kits pour les tracteurs et pour les automobiles diesel (www.ecopra.com).

Il est à noter qu'Antoine Gillier n'a pas de brevet et ne retire aucun bénéfice des réacteurs Gillier-Pantone autres que l'économie de carburant de ses tracteurs. Il a donné son invention au public et il est demeuré anonyme jusqu'à l'automne 2007. Jusque-là, on parlait de systèmes Pantone-G. Mais, quelqu'un s'est fait passer pour lui sur Internet et tenait des propos avec lesquels Antoine n'était pas d'accord, d'où sa décision de sortir de l'ombre.

Il n'y a pas que les individus qui bricolent leur tracteur. La Chambre agricole du Département de l'Aisne, en France, effectue des tests en 2006, sur deux tracteurs identiques dont l'un est équipé avec un système Gillier-Pantone. Pour ces tests, ils utilisent un dynamomètre et font traîner une lourde charge sur le même trajet, à la même vitesse. Ils démontrent ainsi que le tracteur avec un réacteur Gillier-Pantone

Figure 4.30 – L'auteur, à droite, était accompagné de Yvon Tremblay, à gauche, pour une visite, en janvier 2008, chez Antoine Gillier, au centre. Ce dernier nous explique le fonctionnement du système qu'il a installé sur un autre de ses tracteurs. Yvon et moi nous nous sommes connus dans l'avion Québec-Paris alors que nous allions participer tous les deux à la finale du prix Roberval 2008, pour les meilleurs ouvrages de la Francophonie en communication scientifique et technique. Yvon est professeur d'agronomie au Cégep d'Alma, et le livre pour lequel il était nominé, dans la catégorie Enseignement supérieur, s'intitule *Choix et entretien des tracteurs agricoles*, aux éditions Berger (2006). Il y parle même sommairement du système Gillier-Pantone. N'était-ce pas un heureux hasard ! C'est lors du «voyage Roberval» que nous sommes allés faire cette visite mémorable, après la remise des prix. (Photo : Bernadette Soarès)

consomme 25 % moins de carburant diesel, alors que les deux tracteurs affichent sensiblement la même puissance. Pour plus de détails, consulter la section Téléchargements du site Éconologie (www.econologie.com), à la rubrique Moteur Pantone. Le dossier s'intitule «Moteur Pantone sur tracteur New Holland au banc d'essais».

Enfin, au printemps 2007, Luc Corradi, maire de Vitry-sur-Orne, en France, fait équiper une fourgonnette municipale diesel C15 de Citroën, modèle 1993, avec un système de dopage à la vapeur d'eau. Les tests effectués dans un garage agréé démontrent une diminution de l'opacité des fumées en sortie d'échappement de 82 %. Du côté de la consommation de carburant diesel, la diminution constatée est de 36 % ! De 8,25 litres/100 km, elle est passée à 5,28 litres/100 km, en moyenne sur 919 km parcourus après l'installation du système de dopage à la vapeur. La consommation d'eau, quant à elle, a été mesurée à 0,8 litre/100 km. Il y a même eu un reportage de France 3 sur le sujet, diffusé le 1er juin 2007. C'est l'association La Pierre Angulaire (dédiée à la promotion du biohabitat et à la maîtrise de l'énergie :

http://lapierreangulaire.free.fr) qui a conçu et installé le système innovant et compact, mieux adapté pour les voitures diesel. Il n'est pas dit qu'on puisse atteindre une diminution de consommation aussi élevée avec une voiture diesel récente, car ces dernières se sont beaucoup améliorées. Ça reste à vérifier. Mais il n'en demeure pas moins que la vapeur d'eau aide énormément à améliorer la combustion dans un moteur diesel, à peu de frais.

Ce qui est très particulier dans la saga Gillier-Pantone de dopage à la vapeur d'eau des moteurs, c'est le fait que ce sont les paysans et les bricoleurs qui font évoluer le dossier et non les grands laboratoires des fabricants d'automobiles ou des instituts de recherche nationaux! L'auteur a pu constater du scepticisme parmi de nombreux scientifiques. C'est un peu normal face à une nouvelle invention dont le mécanisme défie nos connaissances établies sur les moteurs, surtout lorsque c'est un néophyte qui en est à l'origine. Mais lorsque des centaines de personnes l'ont essayé et confirment les bienfaits de la nouvelle invention, alors là, un véritable scientifique doit s'interroger sérieusement et se demander s'il n'y a pas quelque chose qui lui a échappé. C'est ce qu'ont fait plusieurs ingénieurs d'un fabricant d'automobiles français bien connu, en rendant visite à Antoine Gillier, comme il me l'a raconté lors de notre rencontre.

Pour ceux et celles qui ont une bonne connaissance des moteurs thermiques, le système Gillier-Pantone apparaît comme une hérésie, et avec raison! Après tout, on utilise bien un radiateur pour refroidir l'air comprimé par un turbo avant qu'il entre dans le moteur. Pourquoi? Simplement parce que de l'air plus froid contient plus de molécules d'oxygène pour un même volume. On a donc intérêt à ce qu'il y en ait le plus possible pour augmenter la puissance des moteurs et/ou réduire la grosseur de ceux-ci. Alors, envoyer de la vapeur à 300 °C dans les pistons va à l'encontre du bon sens!

Mais regardons si on ne peut pas identifier des pistes intéressantes. L'hydrogène semble en être une, car toutes les études effectuées depuis les années 1970 démontrent que ce gaz très léger diminue la consommation des carburants auxquels on l'associe en petite quantité. Ce n'est pas l'énergie de l'hydrogène lui-même qui diminue la consommation (il y en a trop peu), mais plutôt le fait que l'hydrogène favorise une meilleure combustion du carburant, en raison de la plus grande vitesse de propagation de sa flamme. En effet, à la même température, une molécule légère comme l'hydrogène se déplace beaucoup plus vite que les autres molécules plus lourdes du mélange air-carburant.

Mais comment l'hydrogène serait-il fabriqué me demanderez-vous? Et bien, les conditions de température et de pression qui règnent dans les cylindres d'un moteur diesel robuste sous bonne charge (température maximale >2000 °C, pression jusqu'à 70 bars) sont semblables à celles qu'on trouve dans les usines de fabrication d'hydrogène par oxydation partielle des carburants fossiles (température de 1200 à 1500 °C, pression de 20 à 90 bars)[71]. De plus, dans ces usines, on mélange les carburants avec

71. C. Beaudoin, S. His et J.-P. Jonchère, «Comment produire l'hydrogène – La production à partir de combustibles fossiles», *Clefs CEA* (publication interne de la Commission de l'Énergie Atomique), n° 50/51, p. 31 à 33, hiver 2004-2005.

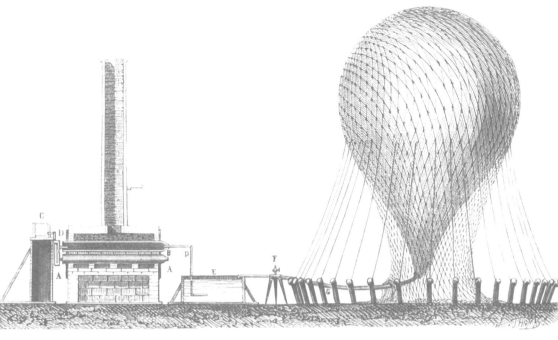

Figure 4.31 – Un four à hydrogène utilisé au début du 19ᵉ siècle pour produire l'hydrogène servant à remplir les aérostats. On chauffe au rouge des rognures de fer à travers lesquelles on fait passer de la vapeur d'eau, qui se décompose en oxydant le fer et en libérant l'hydrogène. Au milieu du 19ᵉ siècle, on envoyait plutôt la vapeur d'eau sur un lit de charbon incandescent et on en retirait le CO_2 dans un bain d'eau et de chaux.

de l'air et de la vapeur d'eau, sans catalyseurs. Cette pratique ne date pas d'hier. À l'exposition universelle de Paris de 1867, il était possible de faire des vols d'aérostats captifs (attachés au sol par un câble) où on offrait aux visiteurs les sensations uniques d'une ascension à 300 mètres d'altitude au-dessus de la ville. Cette opération commerciale se poursuivit après l'exposition et il fallait trouver une façon économique de produire l'hydrogène. On utilisa alors de la vapeur d'eau qu'on envoyait au travers un lit de charbon incandescent, en présence d'air[72]. (Voir la figure 4.31)

Il est donc possible que la vapeur d'eau injectée dans les cylindres d'un moteur diesel favorise la production rapide d'hydrogène par une réaction semblable. On retrouve bien des particules de carbone incandescentes dans les cylindres (responsables des fumées noires). L'hydrogène agirait par la suite comme catalyseur pour améliorer la combustion.

Une autre piste intéressante pour tenter de comprendre les systèmes de dopage à la vapeur des moteurs diesel est l'inertie thermique élevée des molécules d'eau qui empêche les changements brusques de température. Ainsi, le fait d'introduire de la

---

72. L. Figuier, *Les merveilles de la science*, volume 2, Furne, Jouvet et Cie, Éditeurs, Paris, 1868.

vapeur d'eau dans les cylindres va diminuer la température maximale de la combustion mais également empêcher un refroidissement trop brusque des gaz lorsque le volume de la chambre de combustion s'agrandit subitement après l'explosion. Ces conséquences ont été vérifiées expérimentalement par Pierre Clerget, le célèbre motoriste français du début du 20e siècle[73].

Ce qui permet à la vapeur d'eau de se comporter ainsi, c'est sa capacité de stocker beaucoup d'énergie sous forme de rotation et de vibration de ses molécules. En effet, la température d'un gaz est en fait une mesure de la vitesse de déplacement des molécules qui le composent (vitesse de translation). Ainsi, les molécules de carburant, qui ne peuvent stocker autant d'énergie sous forme de rotation et de vibration, vont nécessairement augmenter davantage leur vitesse avec l'énergie qu'on leur transfère et donc s'échauffer plus que les molécules d'eau. Si on mélange de la vapeur d'eau avec du carburant, une partie de l'énergie donnée aux molécules de carburant est transférée aux molécules d'eau qui vont en stocker une partie en rotation et vibration, entraînant une élévation moins grande de la température.

D'un autre côté, lorsqu'on veut diminuer la vitesse de translation des molécules d'eau (refroidissement), leur énergie stockée sous forme de rotation et de vibration est alors transférée à l'énergie de translation dans un processus d'équilibrage, ce qui ralentit le refroidissement. Maintenant, on sait qu'en prenant de l'expansion après l'explosion, les gaz se refroidissent en poussant sur les pistons, dans les cylindres. Or, la vapeur d'eau permet à la température des gaz dans les cylindres du moteur de se maintenir à une valeur élevée plus longtemps, ce qui donne plus de temps pour effectuer une combustion complète du carburant et assure une poussée plus importante et uniforme sur les pistons du moteur. En fait, à ce moment, les molécules d'eau redonnent au piston l'énergie qu'elles avaient stockée en rotation et vibration, y compris celle qui provient des gaz d'échappement. **La vapeur d'eau agirait donc comme une pompe à chaleur qui puise l'énergie calorique perdue par le tuyau d'échappement pour la transformer en énergie utile qui pousse sur les pistons plus fort, plus longtemps et plus uniformément.** D'ailleurs, le fait que ceux qui ont installé un système Gillier-Pantone sur leur véhicule témoignent d'un fonctionnement plus doux du moteur confirme cette poussée plus uniforme sur les pistons.

L'inertie thermique de la vapeur d'eau a une autre conséquence bénéfique sur l'amélioration de l'efficacité d'un moteur en diminuant les pertes thermiques dans le bloc-moteur. Celles-ci sont proportionnelles à la température dans la chambre de combustion. Le moment où ces pertes sont les plus importantes est lorsque le piston atteint le haut de sa course et que le carburant est injecté dans le cylindre. Le volume de la chambre de combustion est alors le plus petit et la température peut atteindre plus de 2000 °C, s'il n'y a pas d'eau, alors que le cylindre passe une partie important de son cycle dans cette position (sommet d'un cycle sinusoïdal). De plus, lorsque le piston est au sommet de sa course dans le haut du cylindre, c'est à cet endroit que le rapport de la surface de la chambre sur son volume est le plus

73. G. Hartmann, *op. cit.*

grand, ce qui contribue à de plus grandes pertes thermiques par les parois. Donc, si on empêche la température de grimper trop haut à l'aide de la vapeur d'eau, on diminue nécessairement les pertes thermiques dans le bloc-moteur et on augmente par le fait même l'énergie disponible pour pousser sur les pistons.

Enfin, voici une dernière piste intéressante. Il y a des gens qui disent que l'eau est la cendre de la combustion de l'hydrogène et qu'il est insensé de prétendre qu'on peut tirer de l'énergie de la «combustion de l'eau». Ils ont parfaitement raison, l'eau est la cendre de l'hydrogène qui a brûlé. Il n'y a pas un scientifique qui va contredire ça et j'en suis un. Par ailleurs, en brûlant de l'hydrogène, on dégage beaucoup d'énergie, comme nous le démontre chaque lancement de la navette spatiale qui brûle de l'hydrogène liquide avec de l'oxygène liquide dans ses tuyères, ce qui forme de l'eau, comme cendre.

Ceci étant dit, il est tout de même curieux de constater que l'industrie nucléaire qui planifie sa prochaine génération de réacteurs, justifie en partie ces futures centrales, dites de génération IV, en mentionnant qu'elles vont utiliser une cendre, de l'eau, pour fabriquer de l'hydrogène afin de produire de l'électricité avec des piles à combustible. Comment se fait-il qu'ils puissent penser faire une chose pareille? Après tout, il faut plus d'énergie pour fabriquer l'hydrogène que l'hydrogène en redonne dans les piles à combustible…

Pourtant c'est très logique, car pour faire renaître l'hydrogène de sa cendre, l'eau, ils veulent utiliser la chaleur qui serait normalement perdue par les centrales nucléaires en décomposant l'eau grâce à des réactions thermochimiques. Il ne faut pas oublier, en effet, que les deux tiers de l'énergie de l'uranium sont perdus en chaleur et qu'un tiers seulement est transformé en électricité. La fission des atomes d'uranium chauffe de l'eau en vapeur qui actionne une turbine pour faire fonctionner un générateur électrique. Et oui, les centrales nucléaires sont en fait des machines à vapeur, très inefficaces, comme les moteurs thermiques de nos voitures!

Alors, on a le choix, soit on perd les deux tiers de l'énergie des centrales nucléaires en chaleur dans l'atmosphère et dans l'eau de la rivière qui la refroidit, soit on fait renaître l'hydrogène de sa cendre avec cette énergie perdue, afin d'en faire quelque chose d'utile. Est-ce si insensé de penser de la sorte? Non, bien sûr, vous en conviendrez. Mais n'allez pas déduire de cet exemple que l'auteur est pour l'énergie nucléaire, ou en faveur des voitures à hydrogène, c'est simplement pour mieux faire comprendre ce qui suit.

Maintenant, revenons aux moteurs diesel des tracteurs. Ces moteurs perdent en chaleur près de 40 % de l'énergie du carburant dans les gaz d'échappement. Alors, si on peut utiliser une partie de cette énergie pour aider à décomposer les molécules d'eau en hydrogène et en oxygène, et qu'on puisse par la suite transférer l'énergie de la combustion de ces deux gaz aux pistons, ça serait une façon de faire travailler l'énergie normalement perdue par le système d'échappement. La décomposition des molécules d'eau peut se faire par la chaleur, à des températures au-delà de 2000 °C et efficacement dépassé 2500 °C. Nous avons vu que des températures supérieures à 2000 °C peuvent survenir dans un moteur diesel qui travaille fort. Il est donc plausible qu'une partie des molécules d'eau, qui reste à déterminer, puisse être dissociée uniquement par la chaleur.

Mais, il ne faut pas oublier que l'énergie déployée pour les amener à la température requise a été fournie en partie par la chaleur des gaz d'échappement, par la compression des pistons et par la combustion du carburant. Lorsque les atomes d'oxygène et d'hydrogène se recombinent pour former de l'eau, c'est l'ensemble de ces énergies différentes qui serait transmis aux pistons, incluant l'énergie récupérée dans les gaz d'échappement, qui se transformerait alors en énergie utile. **Il est important de noter, ici, qu'Antoine Gillier a confié à l'auteur que les économies de carburant dues au dopage à la vapeur sont d'autant plus grandes que les tracteurs travaillent fort, correspondant à des températures élevées dans les cylindres.**

L'inertie thermique de la vapeur d'eau et la production d'hydrogène dans les cylindres semblent des pistes prometteuses à explorer pour mieux comprendre les «mystères» du dopage à la vapeur. L'auteur ne prétend pas les avoir toutes identifiées, bien sûr. Il est très possible également que les divers mécanismes et réactions contribuent ensemble à rendre les phénomènes observés plus importants. Il va de soi qu'il est important de valider les différentes hypothèses par une étude détaillée dans des laboratoires bien équipés, où travaillent des scientifiques compétents. MAIS IL FAUT LE FAIRE, la situation actuelle de la planète et le déclin imminent de la production de pétrole ne nous autorisent pas à prendre à la légère quelque technologie que ce soit, surtout lorsque plusieurs centaines de personnes ont transformé leur tracteur ou leur voiture et en ont constaté les bienfaits.

Par ailleurs, **il n'est pas indispensable de comprendre tous les détails d'un phénomène avant d'utiliser des technologies qui en tirent profit.** Par exemple, lorsqu'on a mis les premières automobiles sur le marché, on était loin de comprendre tous les détails de la combustion des carburants dans un moteur à combustion interne. Par ailleurs, on a longtemps utilisé les supraconducteurs alors qu'on en avait une connaissance très réduite et déficiente. De même, on a longtemps utilisé la boussole sans comprendre les forces magnétiques...

En fait, **nos gouvernements devraient mettre en place des laboratoires d'essai pour valider les différents systèmes de dopage à l'eau, à la vapeur ou à l'hydrogène, et élaborer des politiques qui favorisent l'intégration des systèmes jugés performants dans les véhicules existants.** On ne pourra disposer de véhicules électriques et hybrides branchables à grande échelle avant 2020 environ et, d'ici là, il faut se donner tous les moyens pertinents pour diminuer au maximum notre consommation de pétrole le plus vite possible.

4.26 – En résumé

Les biocarburants produits à partir de monocultures intensives de plantes alimentaires, comme le maïs ou le soya, ont des incidences négatives importantes sur l'environnement. Ils présentent également un risque réel pour la sécurité alimentaire des plus démunis, en exerçant une pression à la hausse des prix des aliments et en réduisant les surfaces de cultures vivrières.

Il est toutefois possible de développer les biocarburants de façon durable, sans affecter la sécurité alimentaire, si on limite leur production à des quantités raisonnables, si on utilise les bonnes plantes, non alimentaires, et si on transforme la biomasse avec les bonnes technologies. Les hautes herbes sauvages vivaces des prairies, comme le panic érigé et le miscanthus offrent beaucoup d'avantages pour la production des biocarburants de deuxième génération (éthanol cellulosique ou diesel synthétique BTL). Ces herbes produisent plus de biomasse pour une même superficie de culture, sans avoir besoin d'être arrosées. De plus, elles protègent les sols contre l'érosion, et n'ont besoin que de peu d'engrais, et pratiquement pas de pesticides, comparativement à la culture des plantes alimentaires comme le maïs ou du soya.

Par ailleurs, le recyclage des huiles de friture et des déchets organiques municipaux, de même que l'utilisation de résidus forestiers permettraient de produire le tiers des biocarburants, sans avoir à cultiver la terre. **Dans notre scénario, il ne reste alors qu'à faire des cultures énergétiques pour produire en biocarburant l'équivalent de 5% des carburants pétroliers consommés par des véhicules traditionnels. Les superficies de culture requises pourraient être libérées simplement en diminuant notre consommation de viande de 15%.** On diminuerait ainsi doublement le CO_2, car l'ensemble du bétail dans le monde est responsable de plus de gaz à effet de serre que tous les véhicules routiers de la planète!

Pour éliminer le pétrole, la plupart des pays ne devraient pas avoir besoin de remplacer plus de 10% des carburants pétroliers par des biocarburants, s'ils utilisent des véhicules hybrides avancés branchables, et l'électricité du réseau pour 70% de leurs kilomètres, en moyenne, incluant les camions.

En ce qui concerne la diminution des gaz à effet de serre occasionnée par l'utilisation des biocarburants au lieu du pétrole, l'éthanol de grains de maïs ne diminue le CO_2 que de 20% par rapport à l'essence, alors qu'on peut atteindre 90% de diminution avec les biocarburants de deuxième génération (alcool cellulosique ou le diesel synthétique BTL), et jusqu'à 200% si on utilise un mélange de hautes herbes vivaces des prairies. Dans ce dernier cas, le CO_2 serait stocké sous terre grâce à l'imposant réseau de racines qui se développe lorsqu'on cultive simultanément plusieurs herbes sauvages dans un même champ. La canne à sucre est également très efficace dans la réduction du CO_2 (85% de réduction).

Toutefois, pour réduire les gaz à effet de serre reliés au transport, il est impératif de diminuer d'abord la consommation en carburant des véhicules et non de développer trop rapidement et intensément les biocarburants, de façon improvisée et non durable.

En ce qui concerne les émissions polluantes des futurs véhicules hybrides avancés occasionnées par les biocarburants, il faut garder à l'esprit que ces véhicules ne consommeront que 7% à 8% de ce que les véhicules traditionnels consomment actuellement en carburant. De plus, les biocarburants émettent globalement moins de polluants que les carburants pétroliers, et des technologies très efficaces de réduction des émissions polluantes sont présentement en développement. Si on tient compte de tous ces facteurs, **les biocarburants utilisés par les futurs véhicules hybrides avancés branchables devraient émettre de 50 à 100 fois moins de polluants** que les véhicules traditionnels de ce début du 21e siècle.

Avec le prix du pétrole qui ne cesse d'augmenter, certains biocarburants sont déjà compétitifs, comme l'éthanol de canne à sucre et le biodiesel fait de matières grasses alimentaires recyclées. Par contre, l'éthanol de maïs nécessite encore des subventions importantes pour rivaliser avec l'essence. En ce qui concerne les biocarburants de deuxième génération (éthanol cellulosique et diesel synthétique BTL) les coûts de production devraient être similaires à ceux des carburants pétroliers vers 2012.

Par ailleurs, les technologies de fabrication des biocarburants s'améliorent constamment et rendent cette filière toujours plus intéressante. **La possibilité de diminuer de 45% la consommation d'énergie des usines d'éthanol, annoncée en 2007 par la compagnie Vaperma, est particulièrement stimulante** à cet égard. Cette technologie révolutionnaire effectue la séparation des vapeurs d'eau et d'éthanol par un processus de filtration moléculaire efficace, sans avoir besoin de recourir à la distillation, d'où l'économie d'énergie, la diminution des gaz à effet de serre, de la consommation d'eau et des coûts de production.

D'ailleurs, la filtration moléculaire a été intégrée dans un nouveau procédé thermo-biologique de production d'éthanol, annoncé par **la compagnie Coskata**, en 2008. Cette compagnie, qui a conclu un partenariat avec le géant de l'automobile GM, annonce la construction d'une usine pour 2010, qui **devrait produire l'éthanol à un coût deux à trois fois moins élevé que les autres technologies, en utilisant trois à six fois moins d'eau**. De plus, toutes les matières riches en carbone et en hydrogène pourront être utilisées pour la fabrication de l'éthanol (déchets municipaux, résidus forestiers, vieux pneus, plastiques difficiles à recycler, plantes énergétiques, boues organiques des usines d'épuration d'eau, etc.). Si l'usine de *Coskata* fonctionne tel que prévu, ça risque de bouleverser le monde des biocarburants.

Par ailleurs, **l'ajout d'hydrogène dans la fabrication du diesel de synthèse BTL constitue une autre technologie prometteuse** qui permettrait de diminuer les superficies de culture de moitié. Les chercheurs de Sandia National Laboratories viennent justement d'annoncer la construction d'un four solaire expérimental, qui produira efficacement de l'hydrogène, en 2008, grâce à un procédé catalytique à haute température.

Finalement, **le développement du biodiesel à partir des algues microscopiques offre la possibilité, à terme, de diminuer les superficies de culture énergétique de 10 à 80 fois**, selon les plantes cultivées, pour une même quantité de biocarburants produits. De plus, la culture des algues hydroponique peut être faite sur des terrains non agricoles et leur eau n'a pas besoin d'être potable. Le défi des cultures d'algues demeure la réduction des coûts de production.

En plus des biocarburants liquides, il y a également le biogaz, qui résulte de la fermentation de matières organiques en l'absence d'air, une réaction naturelle qui se produit dans les sites d'enfouissement, les fosses à purin ou les piles de fumier. Le biogaz étant comprimé dans les réservoirs des véhicules, on a besoin d'un compresseur pour faire le plein, et l'autonomie réduite qu'offrent ces réservoirs rend le biogaz plus attrayant pour les véhicules utilitaires captifs, à court rayon d'action, qui reviennent faire le plein chaque soir à l'entreprise. **Le biogaz, utilisé comme carburant dans les véhicules, permet de réduire les GES de 80% à 95%, et constitue un élément de choix dans le portfolio des biocarburants durables du futur.**

On peut aussi produire des carburants alternatifs à partir du charbon et du gaz naturel, en remplacement des carburants pétroliers. Mais, au lieu de diminuer les gaz à effet de serre, comme c'est le cas avec les biocarburants, on les augmenterait, particulièrement avec le charbon où le CO_2 émis ferait plus que doubler. Il serait donc très mal avisé de s'orienter dans cette direction, même si les réserves de charbon sont abondantes.

Enfin, il apparaît très important de mettre en place rapidement des normes internationales pour encadrer la production et l'importation des biocarburants, afin d'en assurer un développement durable, sans compétition avec l'agriculture vivrière. Et, au risque de nous répéter, on devrait remplacer moins de 10% des carburants pétroliers par des biocarburants, dont le tiers et plus proviendrait du recyclage de déchets et résidus de toutes sortes. La principale source d'énergie qu'on a tout intérêt à utiliser pour nos futurs véhicules étant l'électricité des réseaux ou de nos panneaux solaires.

Il est aberrant de constater que les États-Unis visent à remplacer environ 30% des carburants pétroliers par des biocarburants, vers 2030, avec une forte proportion de maïs. Par ailleurs, le Brésil a l'ambition de fournir l'éthanol partout sur la planète, en cultivant la canne à sucre sur d'immenses étendues, ce qui risque de conduire indirectement à une déforestation dévastatrice. De tels scénarios relèvent du délire, comme l'a si bien exprimé l'ex-ministre québécois de l'environnement, Thomas Mulcair, dans le reportage «Éthanol, la fièvre verte» diffusé le 28 février 2008 à l'émission *Enquête* de la société Radio-Canada.

Il y a également un autre projet très médiatisé aux États-Unis depuis juin 2008. Il s'agit du plan élaboré par T. Boone Pickens, un entrepreneur milliardaire qui a travaillé toute sa vie dans l'industrie du pétrole et du gaz naturel. **Le Plan Pickens,** comme on l'appelle, a pour but de réduire du tiers les importations de pétrole, qui comptent pour plus de 60% de la consommation des Étatsuniens et envoient 700 milliards de dollars à l'étranger annuellement. Pour y arriver, il préconise de remplacer une partie du pétrole utilisé dans les véhicules routiers par du gaz naturel. Ce dernier serait récupéré en fermant les centrales électriques au gaz naturel des États-Unis qui produisent 22% de l'électricité, et en les remplaçant par des éoliennes. T. Boone Pickens fait valoir que seulement 2% du gaz naturel consommé aux États-Unis vient de l'extérieur de l'Amérique du Nord et que son approvisionnement ne pose pas de problèmes, comme pour le pétrole.

A priori, ce plan semble intéressant, puisqu'il augmente l'énergie renouvelable, réduit la consommation de pétrole, n'augmente pas la consommation de gaz naturel et améliore l'économie et la sécurité nationale des États-Unis. L'auteur est tout à fait d'accord, bien entendu, avec l'idée d'augmenter l'énergie éolienne. Mais en ce qui concerne l'utilisation du gaz naturel, il est préférable de le laisser dans les centrales pour recharger les batteries des futurs véhicules électriques et hybrides branchables. Ce faisant, ces véhicules à motorisation électrique pourront parcourir plus de deux fois les kilomètres parcourus par des véhicules au gaz naturel. Par conséquent, les Étatsuniens pourraient diminuer leurs importations de pétrole des deux tiers et plus, au lieu d'un tiers seulement!

En fait, on n'a pas besoin d'être un devin pour imaginer que les compagnies de pétrole et de gaz ne se réjouissent pas tellement de la perspective de nous voir faire le plein d'électricité en nous branchant à la maison ou à notre travail, au lieu d'acheter du carburant aux stations-service. Il est dans leur intérêt de repousser le plus loin possible l'avènement des véhicules électriques. C'est à nous et à nos gouvernements d'être vigilants.

Par ailleurs, comme nous l'avons dit à plusieurs reprises, le développement durable des biocarburants passe par le fait qu'on en utilise des quantités raisonnables, inférieures à l'équivalent d'environ 10% des carburants pétroliers utilisés actuellement. Toute technologie qui peut améliorer l'efficacité des moteurs revêt donc une importance capitale. Nous avons vu au chapitre 2 plusieurs d'entre elles. Mais, dans le présent chapitre, nous avons découvert que le seul fait d'introduire des petites quantités d'hydrogène ou d'eau dans les moteurs, avec certains biocarburants, comme l'essence synthétique ou le diesel synthétique, peut en réduire la consommation de 10% à 40%. C'est ce qu'on appelle le dopage des carburants ou dopage des moteurs.

Les chercheurs du MIT ont mis au point dans les années 1990 un petit accessoire, le Plasmatron, qui produit de l'hydrogène à bord des véhicules, à partir du carburant lui-même, en utilisant des décharges électriques alimentées par l'alternateur. L'hydrogène ainsi produit permet de diminuer la consommation de carburant de 20% à 30%, selon eux, pour deux raisons. D'abord, l'hydrogène améliore la combustion des carburants, en raison de sa flamme qui se propage beaucoup plus rapidement que celle des hydrocarbures et ensuite parce que l'hydrogène augmente la résistance au cognement des carburants (augmente l'indice d'octane), ce qui permet d'utiliser des moteurs à plus haut taux de compression et avec une plus forte turbocompression, de tels moteurs étant plus efficaces que les moteurs traditionnels. Ce dernier avantage d'un indice d'octane plus élevé bénéficie principalement aux moteurs à essence (issue du pétrole ou essence synthétique à partir de la biomasse).

Des systèmes d'électrolyse ont également été développés et testés pour produire des petites quantités d'hydrogène et doper le carburant diesel utilisé par les moteurs des camions semi-remorque. Des millions de kilomètres sur la route ont démontré des réductions importantes des émissions polluantes. On observe, en effet, une diminution de 40% à 80% pour les particules de suie (PM) et les hydrocarbures imbrûlés (HC), et de 10% à 30% pour les oxydes d'azote (NO_x) et le monoxyde de carbone (CO). Pour ce qui est de la consommation de carburant, elle est réduite d'environ 10% pour les systèmes d'électrolyse classiques.

Par ailleurs, certaines compagnies ont développé des systèmes évolués de dopage à l'hydrogène à partir de la décomposition de l'eau, applicables autant à des voitures diesel qu'à des voitures à essence. Ces compagnies annoncent des économies de carburant dépassant 20%. Un de ces systèmes, fabriqué par Hydrorunner, est présentement intégré dans une voiture sport performante commerciale, la Scorpion, de Ronn Motors. Ce nouveau fabricant d'automobiles prétend que le dopage à l'hydrogène va faire économiser de 20 à 40% d'essence à la Scorpion. Les premiers exemplaires sortent de l'usine, à l'automne 2008, au prix de 150 000 $.

En ce qui concerne le dopage à l'eau, on savait depuis le début du 20e siècle, grâce aux travaux du célèbre motoriste français Pierre Clerget, qu'en injectant de l'eau dans les moteurs diesel, on réduisait beaucoup les fumées noires émises et on pouvait doubler la puissance du moteur. Cette puissance accrue est rendue possible par le refroidissement que permet l'eau dans les chambres de combustion. L'injection d'eau a été utilisée dans les avions de la Deuxième Guerre mondiale pour augmenter la puissance des moteurs et leur permettre de décoller sur de courtes distances. Elle a également été utilisée dans les moteurs de voitures de course formule 1 au cours des années 1980. Dans les années 1990, c'est plutôt la diminution de pollution des moteurs diesel en milieu urbain qui a apporté un regain d'intérêt pour le dopage à l'eau.

Une façon simple d'introduire de l'eau dans les moteurs sans les modifier est d'inclure l'eau dans le carburant diesel, en fines gouttelettes dont le diamètre est inférieur à un millième de millimètre. C'est ce qu'on appelle une émulsion de deux liquides qui normalement ne se mélangent pas. Pour maintenir stables les carburants émulsifiés à l'eau, on ajoute de petites quantités de produits émulsifiants. Ces carburants contiennent généralement de 10% à 15% d'eau. Le carburant émulsifié Aspira de BP (13% d'eau) a été testé dans les autobus de Londres en 2001, et on a constaté que les fumées noires ont été réduites de 65%, les oxydes d'azote de 15%, et le CO_2 de 12%. La contribution de l'eau à la diminution de consommation de carburant diesel proprement dit a été d'environ 8%. Plus récemment, en 2006, le professeur Tajima de l'Université de Kanagawa, au Japon, a développé un procédé qui permet de faire une émulsion stable de 30% d'eau et 70% de carburant diesel. Son équipe a testé leur carburant SEF (Super Emulsion Fuel) avec un camion à ordure de 30 tonnes. Ils ont ainsi pu vérifier une diminution de plus de 95% des particules de suie, une diminution de 70% à 80% des oxydes d'azote, et une réduction de 10% à 15% de la consommation de carburant.

En s'inspirant du système Pantone, breveté en 1998 pour les moteurs à essence, Antoine Gillier, agriculteur biologique français, a développé une autre façon astucieuse pour doper à l'eau ses moteurs de tracteur, en 2001, afin d'éliminer les fumées noires. Le système Gillier-Pantone consiste à faire passer le tuyau d'échappement au centre d'un réservoir d'eau en acier et de diriger la vapeur qui s'en dégage à travers une tubulure qui la conduit à un réacteur au centre du tuyau d'échappement, pour pénétrer ensuite dans le moteur diesel par son entrée d'air. Les résultats sont une réduction remarquable des fumées noires et, en prime, des économies de carburant diesel de 20% à 40%!

L'information sur la façon de faire ayant été mise à la disposition du public dans Internet, des centaines d'agriculteurs ont répété l'expérience sur leur propre tracteur et témoigné des performances remarquables qui en résultent. Les motoristes s'interrogent sur cette anomalie, car normalement on essaie de refroidir l'air qui pénètre dans les cylindres. Toutefois plusieurs pistes nous rendent plausible un tel phénomène. Parmi elles, on retrouve la production d'hydrogène dans les cylindres du moteur et l'inertie thermique de la vapeur d'eau, qui améliorent la combustion, diminuent les pertes dans le bloc-moteur, et permettraient de récupérer une partie de l'énergie perdue par les gaz d'échappement. Ces hypothèses doivent, bien sûr, être validées dans des laboratoires compétents, mais ON DOIT LE FAIRE. On ne peut se permettre de négliger aucune technologie ayant le potentiel de réduire de façon importante notre dépendance au pétrole, sous prétexte qu'elle origine d'un agriculteur, ou qu'elle semble incompréhensible.

Les biocarburants de deuxième génération, dopés à l'eau ou à l'hydrogène, vont donc être de fiers partenaires de la motorisation électrique, dans nos véhicules hybrides branchables avancés de demain!

Épilogue

Chers lecteurs qui m'avez suivi jusqu'ici, vous avez certainement perçu dans le premier chapitre l'urgence d'effectuer des changements majeurs dans nos technologies et nos habitudes, en particulier dans le domaine des transports routiers. Le *statu quo* n'est simplement plus possible ; on doit quitter l'ère des carburants fossiles dans les plus brefs délais. Devant nous se profilent des changements climatiques potentiellement catastrophiques et une très grave crise économique liée au prix du pétrole qui va nécessairement s'emballer, dès qu'on aura amorcé la décroissance de sa production à l'échelle mondiale, sous peu.

Malgré le fait que les gens prennent de plus en plus conscience de ces dangers très sérieux, l'augmentation des émissions de gaz à effet de serre (GES) se poursuit à un rythme supérieur aux pires scénarios envisagés par le Groupe intergouvernemental d'experts sur l'évolution du climat (GIEC). On parle beaucoup des GES, mais les actions gouvernementales, corporatives et citoyennes sont encore timides, pour la plupart. Le monde des transports routiers nous offre une très belle occasion de réduire les GES rapidement en adoptant des véhicules électriques et hybrides branchables, ainsi que des biocarburants de deuxième génération, comme nous l'avons vu dans ce livre. Les technologies sont prêtes, pour un bon nombre d'entre elles, et elles vont encore s'améliorer au cours de la prochaine décennie. Dans un premier temps, il faut que les gouvernements créent les incitatifs importants pour atteindre des productions en grande série, de manière à faire chuter les prix.

Toutefois, il ne faut pas être naïfs, il va y avoir beaucoup de résistance de la part des pouvoirs économiques en place. Prenons le pétrole, on sait qu'il en reste plus de 1000 milliards de barils à exploiter, alors que nous en consommons présentement environ 30 milliards de barils par année. En calculant 200 $ le baril, en moyenne, d'ici l'épuisement du pétrole, on obtient 200 000 milliards de dollars de chiffre d'affaires à réaliser par les compagnies pétrolières, dans les 50 prochaines années, en gros. Un tel montant représente **pour les pétrolières environ un milliard de dollars de profits par jour durant 50 ans, en moyenne** ! Et il s'agit d'une vision conservatrice.

Les magnats du pétrole sont donc incités très fortement à retarder le plus possible l'arrivée en grand nombre des véhicules électriques et hybrides branchables! Par ailleurs, les pétrolières ont les moyens financiers de promouvoir les solutions qui vont satisfaire leurs intérêts. Et là, nous ne parlons pas de conspiration, mais simplement de pratiques capitalistes vigoureuses, ayant pour but d'augmenter le chiffre d'affaires, ce qui est le but de toute entreprise dans le système économique actuel.

Évidemment, les entreprises pétrolières et gazières ont intérêt à ce qu'on fasse le plein de leurs carburants aux stations-service. Par contre, nous croyons avoir amplement démontré, dans ce livre, qu'il est beaucoup plus avantageux pour la planète et ses habitants de faire le plein d'électricité sur le réseau électrique, ou à partir de panneaux solaires sur le toit des édifices et au-dessus des stationnements. Les grands fabricants d'automobiles savent très bien que les voitures électriques ou hybrides branchables vont avoir besoin de beaucoup moins d'entretien, et qu'ils vont perdre une partie significative du chiffre d'affaires qu'ils font normalement avec les pièces de rechange. Alors, même si ces entreprises annoncent des véhicules électriques ou hybrides branchables à grand renfort de publicité, en partie pour leur image, la grande question demeure : à quel rythme vont-ils les sortir des usines? N'oublions pas qu'il se construit 70 millions nouveaux véhicules routiers par année sur la planète (voitures, VUS, camions, autobus). Ainsi, si on ne met sur le marché que quelques centaines de milliers de véhicules à motorisation électrique annuellement, ça ne va pas changer grand-chose!

On risque d'entendre de certains fabricants des phrases comme :

– «La technologie n'est pas prête.»

– «Les voitures coûtent trop cher.»

– «Les voitures électriques ont une autonomie trop limitée.»

– «Les consommateurs n'en veulent pas.»

Toutefois, il serait surprenant que ces mêmes fabricants insistent sur les économies de carburant et d'entretien que vous allez pouvoir réaliser, ou sur les diminutions de pollution et de gaz à effet de serre.

Mais, **n'oublions pas que la population détient un grand pouvoir : celui des choix qu'elle fait en consommant.** Lorsque les gens sont déterminés à changer les choses, les choses changent! Regardons les leçons de l'histoire à cet égard; ce ne sont pas les compagnies de télégraphe qui ont développé l'industrie du téléphone, ni les compagnies de lampes à l'huile qui ont fait la promotion des ampoules électriques. Ce ne sont pas non plus les fabricants de gros ordinateurs qui ont amené sur le marché les ordinateurs personnels. Les pouvoirs économiques en place voulaient simplement conserver leur hégémonie le plus longtemps possible. Mais les gens, eux, voulaient les nouvelles technologies, et ils les ont eues!

Si le passé est garant de l'avenir, on peut donc s'attendre à ce que certains gros fabricants d'automobiles, qui ne voudront pas s'adapter assez rapidement, doivent céder la place à de nouveaux joueurs et réduire de façon importante leur chiffre d'affaires, ou même de faire faillite.

Du côté des carburants, les industries pétrolières et gazières savent très bien que le pétrole n'a plus la cote et qu'il s'épuise rapidement. Leur tendance sera de privilégier de nouveaux carburants comme l'hydrogène, qui est fabriqué à 96 % à partir du pétrole, du gaz naturel et du charbon. Les pétrolières et gazières vont également promouvoir le gaz naturel lui-même, qui peut être utilisé dans les moteurs à combustion interne des véhicules. Le gaz naturel fait d'ailleurs l'objet d'une très grosse campagne de publicité aux États-Unis à l'été 2008. Un ami de l'auteur, habitant la Floride, lui a confié qu'il voit des publicités quotidiennes à la télévision au sujet du **Plan Pickens**. **Ce plan vise, entre autres, à promouvoir l'utilisation du gaz naturel dans nos voitures**, afin de diminuer les importations de pétrole des États-Unis. Comme nous l'avons démontré au chapitre 4, **il est de beaucoup préférable de laisser le gaz naturel dans les centrales électriques, et de recharger les batteries de voitures électriques ou hybrides branchables avec l'électricité produite**. On déplace alors deux fois plus de pétrole avec le même gaz naturel. Pour ce qui est de l'hydrogène dans les véhicules, nous avons consacré le chapitre 3 en entier pour démontrer le non-sens flagrant de cette approche qui ne profite qu'à ceux qui produisent et vendent l'hydrogène.

L'utilisation de l'hydrogène et du gaz naturel entraîne des émissions de gaz à effet de serre beaucoup plus importantes que l'utilisation de l'électricité des réseaux pour des véhicules électriques ou hybrides branchables. De plus, ces derniers offrent la possibilité d'utiliser des énergies renouvelables pour faire le plein sans émettre de CO_2. Si on essaie d'en faire autant en fabriquant l'hydrogène par électrolyse de l'eau, avec des énergies renouvelables, il faut trois fois plus d'électricité que pour recharger simplement les batteries des véhicules électriques ou hybrides branchables. Faire le plein avec de l'hydrogène est donc très inefficace comparativement à l'électricité. Et puisque le développement durable est synonyme d'efficacité énergétique, on en conclut que **l'hydrogène pour les véhicules CE N'EST PAS du développement durable**.

Par ailleurs, James Woolsey, l'ex-directeur de la CIA, ne cesse de montrer une extension électrique à 4,99 $, dans ses exposés, en mentionnant que c'est la seule infrastructure dont il a besoin pour faire le plein d'électricité, contrairement aux centaines de milliards de dollars qu'il faudrait dépenser pour mettre en place une infrastructure de distribution pour l'hydrogène, ce qui, selon lui, n'a aucun sens. Les administrateurs publics qui financent de tels projets doivent retomber sur terre rapidement et réaligner le tir vers les véritables solutions, malgré les puissants lobbies. C'est notre argent qu'ils utilisent.

La seule option qui ferait changer l'auteur d'avis concernant les voitures à hydrogène serait qu'on lui démontre une technologie capable de produire l'hydrogène en grande quantité à bord d'un véhicule, à partir de l'eau, de façon durable et très efficace sous l'angle de la consommation d'énergie. Par ailleurs, nous avons vu au chapitre 4 qu'**on produit déjà de l'hydrogène en PETITE quantité, à bord des véhicules et à partir de l'eau, pour doper les carburants et en diminuer la consommation.** Cette approche est, il va de soi, très souhaitable.

Toutes ces choses étant dites, **l'auteur rappelle rapidement les technologies efficaces et durables pour éliminer le pétrole des transports routiers.** Dans notre scénario, pratiquement tous les véhicules ont une motorisation électrique et les trois quarts environ ont en plus un moteur-générateur thermique, utilisé pour les longs trajets. Ainsi, 80% du kilométrage des voitures et des véhicules légers est parcouru grâce à l'électricité du réseau, en branchant les véhicules la nuit, de préférence. Pour l'ensemble des véhicules routiers d'un pays, c'est 70% du kilométrage de ces véhicules, en moyenne, qui devrait se faire à l'aide de l'électricité des réseaux. Le 30% des kilomètres qui restent sera parcouru à l'aide de biocarburants de deuxième génération. Nous avons démontré que les futurs véhicules hybrides avancés consommeront quatre fois moins de carburant qu'aujourd'hui, lorsque leur batterie aura été déchargée jusqu'à son niveau de maintien et que l'électricité du réseau ne sera pas utilisée. **Ces importantes économies de consommation sont dues principalement à l'hybridation avancée des véhicules, à une réduction de la consommation des moteurs-générateurs thermiques de 33%, à l'allégement des véhicules de 30% et à l'utilisation de moteurs-roues performants.**

Cette réduction de consommation d'un facteur 4 implique que le 30% des kilomètres restants nécessitera, en fait, l'équivalent en biocarburants de 7,5% des carburants pétroliers consommés aujourd'hui. Plus du tiers de ces biocarburants pourra être produit à partir de déchets municipaux, de résidus forestiers ou du recyclage des huiles de cuisson. Il ne restera donc que l'équivalent de 5% des carburants pétroliers consommés aujourd'hui à produire en biocarburants de deuxième génération à l'aide de cultures énergétiques non alimentaires. Pour les pays industrialisés, diminuer notre consommation de viande de 15% seulement libérerait plus de terres qu'il en faut, puisque 70% des terres agricoles de la planète sont dédiées à l'industrie du bétail! Et n'oublions pas que l'industrie du bétail émet 50% de plus de gaz à effet de serre que tous les véhicules routiers de la planète! Par conséquent, en utilisant une partie des terres agricoles dédiées au bétail pour des cultures non alimentaires qui vont servir à remplacer le pétrole, on réduit deux fois plus les gaz à effet de serre.

Ce qui rend possible un développement durable des biocarburants, c'est d'abord d'en réduire les quantités requises le plus possible et d'utiliser les technologies de deuxième génération qui transforment les fibres des plantes et non leurs fruits et leurs graines. Il est totalement aberrant de voir que certains pays, comme les États-Unis et le Brésil veulent remplacer, à terme, 30% et plus des carburants pétroliers consommés actuellement avec des biocarburants. Ça relève du délire! Encore là, de puissants lobbies sont vraisemblablement derrière ces politiques.

Remplacer le pétrole par l'électricité du réseau et les biocarburants comporte d'énormes avantages, comparativement à l'hydrogène qu'on essaie de nous imposer, malgré le gros bon sens. Tout d'abord, les réseaux de distribution sont déjà en place, alors qu'il faudrait dépenser des centaines de milliards de dollars pour implanter un réseau de distribution de l'hydrogène. Ensuite, on peut installer des bornes de recharge pour les batteries des véhicules un peu partout dans les rues et les stationnements, ce qu'il n'est pas possible de faire avec un gaz explosif comme l'hydrogène, de façon sécuritaire et pratique. Enfin, l'hydrogène sera toujours au moins cinq fois plus cher que l'électricité. **Alors, dites-moi qui va vouloir payer cinq fois plus cher pour faire le plein dans des stations-service difficiles à trouver? Qui?**

Nous avons vu au chapitre 2 que les gaz à effet de serre seraient réduits de beaucoup en utilisant les centrales électriques pour alimenter les voitures au lieu de l'essence. L'importance de la diminution dépend bien sûr des types de centrales qu'on retrouve aux différents endroits. Au Québec, lorsque les voitures vont rouler à l'électricité, elles vont émettre 61 fois moins de gaz à effet de serre qu'avec de l'essence. En France, les voitures réduiront leurs émissions d'un facteur 27, lorsqu'elles rouleront à l'électricité au lieu d'utiliser de l'essence. Au Canada, les voitures émettront 6 fois moins de gaz à effet de serre en mode électrique. Enfin, les Étatsuniens, dont 50% de l'électricité provient de centrales au charbon et 20% de centrales au gaz naturel, réduiraient quand même les émissions de CO_2 de leurs voitures d'un facteur 2 pour les kilomètres parcourus à l'électricité, comparativement à l'utilisation de l'essence dans leurs voitures d'aujourd'hui.

Pour accomplir une telle prouesse environnementale, il faut augmenter la production d'électricité des différents pays. Le pourcentage d'augmentation varie d'un endroit à l'autre, selon les ressources énergétiques disponibles et les habitudes de transport des habitants. Par exemple, au Québec, on a besoin seulement de 7% d'électricité supplémentaire pour mettre en place notre scénario, alors que c'est 10% dans l'ensemble du Canada, environ 15% en France, 23% aux États-Unis et 34% en Californie. Mais n'oublions pas que ces besoins supplémentaires se feront sentir sur une période de 20 ans environ, et non du jour au lendemain. Par ailleurs, ces quantités ne tiennent pas compte des changements d'habitudes (transport en commun, covoiturage...) qui aideront encore à diminuer l'électricité requise.

Plusieurs avenues sont possibles pour accroître la disponibilité de l'électricité. La plus simple et la moins coûteuse est d'**augmenter l'efficacité de notre consommation d'électricité**, ce qui permettrait de récupérer de 15% à 25% de notre électricité, de façon économique, selon diverses études.

Par ailleurs, déjà, en 2008 en Californie, installer des **panneaux solaires** sur le toit des édifices pour alimenter des véhicules électriques coûte deux fois moins cher que d'acheter de l'essence pour rouler avec une voiture traditionnelle. Sans compter que les experts s'entendent pour dire que le prix des panneaux solaires photovoltaïques va chuter d'un facteur deux à trois d'ici 2020, alors que le prix de l'essence risque de doubler, voire tripler, d'ici là.

Pour ce qui est des centrales solaires thermiques, l'électricité qu'elles produisent est déjà moins chère que celle des centrales au gaz naturel. De plus, les centrales solaires thermiques permettent désormais de produire de l'électricité 24 heures par jour, en stockant de la chaleur dans du sel fondu pour pouvoir fonctionner la nuit.

Plus au nord, au Québec par exemple, nous avons vu qu'en installant des thermo-pompes géothermiques dans la moitié des bâtiments, on économiserait 7% d'électricité, soit ce qu'on a besoin pour y implanter notre scénario de mobilité propre.

Avec des dizaines de millions de véhicules munis de grosses batteries, il est possible d'**utiliser ces batteries pour réguler l'électricité** produite par les éoliennes et augmenter ainsi leur pénétration, pour atteindre possiblement 30% de l'électricité d'un pays. Il faudrait, bien sûr, installer un large réseau d'éoliennes, connectées ensemble, qui s'étendent sur plus de 1000 kilomètres, afin de réduire les fluctuations (il vente toujours quelque part).

Enfin, une autre technologie de régulation des réseaux très prometteuse est **la centrale hydroélectrique souterraine pompée**, présentement sur les planches à dessin. Elle est constituée d'un puits de deux mètres de diamètre et 2 à 3 kilomètres de profondeur, creusé à même le rock, avec de grosses cavernes artificielles au fond. Lorsque la demande est trop forte, l'eau s'écoule dans les cavernes en générant de l'électricité, et on la remonte en surface lorsque la demande diminue.

Bref, ce ne sont pas les solutions propres qui manquent pour produire plus d'électricité, et ces solutions ne sont pas nécessairement les mêmes aux différents endroits.

Il est bien évident qu'il ne faut pas augmenter le nombre de centrales au charbon, pour produire plus d'électricité, car elles sont trop polluantes. En fait, ce sont les seules centrales qui pourraient faire augmenter certaines émissions polluantes (comme les particules de suie) dans l'atmosphère à cause des voitures électriques, si ces centrales produisent un trop grand pourcentage de l'électricité. On peut toujours filtrer davantage, mais il est de beaucoup préférable d'augmenter graduellement la portion d'énergies renouvelables pour suivre ou dépasser l'augmentation des véhicules électriques et hybrides branchables. Ce qui est intéressant avec ces véhicules c'est qu'ils deviennent toujours plus propres en vieillissant, en raison des réseaux électriques qui mettent au rancard leurs vieilles centrales polluantes et augmentent constamment la proportion d'énergies renouvelables.

La révolution imminente des véhicules électriques et hybrides branchables va nous libérer du pétrole et améliorer notre environnement. Toutefois, pour que cela se réalise correctement, nous allons devoir mettre en place des programmes très stricts de recyclage des batteries et des autres composants d'un véhicule, appuyés par les réglementations appropriées. Le cuivre, en particulier, devra faire l'objet d'une attention particulière dans ces programmes de recyclage.

Par ailleurs, les voitures à air comprimé hybrides (air comprimé–carburant) vont également contribuer à rouler sans pétrole, en utilisant l'électricité du réseau pour comprimer l'air dans leurs réservoirs et les biocarburants de deuxième génération. Toutefois, comme nous l'avons fait remarquer au chapitre 2, ces voitures consomment trois fois plus d'électricité que des voitures électriques de même poids. Ainsi, en Californie, il faudrait non pas 34 % plus d'électricité (avec des véhicules électriques hybrides branchables), mais 100 % de plus avec des véhicules à air comprimé de même poids que les véhicules traditionnels. Aussi, afin de diminuer leur consommation d'électricité, les voitures à air comprimé devront être ultralégères et limiter leur autonomie en mode air comprimé à environ 25 km avant de passer en mode carburant, avec une consommation de 2 litres/100 km.

Le faible coût d'achat des véhicules à air comprimé hybrides joue en leur faveur. De plus, les voitures à air comprimé consomment peu de cuivre, dont la disponibilité deviendra restreinte d'ici une cinquantaine d'années (figure E.1). Enfin, n'ayant pas de batteries, les voitures à air comprimé n'ont pas à se préoccuper de leur recyclage ni de l'épuisement des ressources qui leur sont associées. Tous ces facteurs font en sorte que ces voitures peuvent contribuer à la durabilité des transports routiers de demain, en autant qu'on limite leur autonomie en mode air comprimé pur, afin de diminuer leur consommation d'électricité des réseaux.

Même si nous avons beaucoup insisté sur les technologies dans le présent ouvrage, il n'en demeure pas moins qu'il n'est pas très sage de déplacer constamment un véhicule de 1500 kg pour transporter une personne de 75 kg. Il ne faut pas considérer seulement la dépense d'énergie des véhicules. Il faudra aussi se montrer très vigilants sur la consommation des matières premières. La figure E.1 fait voir toute l'ampleur du problème. Elle indique le nombre d'années de réserves, avant épuisement, des différentes ressources naturelles, en supposant qu'on continue leur exploitation géologique au taux de 2006[1]. Elle prend aussi

---

1. Pour élaborer le graphique E.1, l'auteur a fait appel aux statistiques de l'US Geological Survey, en particulier les *Mineral Commodity Summaries* (http://minerals.usgs.gov/minerals/pubs/commodity/myb) pour les métaux, au rapport *BP Statistical Review of World Energy*, June 2008 (voir www.bp.com) pour le pétrole et le gaz naturel et, pour l'uranium, à un article de Paul Mobbs intitulé «Uranium Supply and the Nuclear Option», publié dans le *Oxford Energy Forum*, le journal trimestriel du Oxford Institute for Energy Studies, no 61, mai 2005 (voir www.fraw.org.uk/mei). Pour les réserves d'aluminium, les prévisions sont basées sur les réserves de bauxite, le seul minerai à partir duquel on peut produire l'aluminium de façon économique. Les argiles contiennent beaucoup d'aluminium également, mais on ne sait pas comment l'extraire de façon efficace. Pour le pétrole et le gaz naturel, les réserves données par BP sont les réserves prouvées (*proved reserves*), en incluant, pour le pétrole, les sables bitumineux canadiens. Pour les réserves des métaux, nous avons considéré ce que l'USGS appelle Reserve Base, et qu'il définit comme suit:

   Reserve Base.That part of an identified resource that meets specified minimum physical and chemical criteria related to current mining and production practices, including those for grade, quality, thickness, and depth. The reserve base is the in-place demonstrated (measured plus indicated) resource from which reserves are estimated. It may encompass those parts of the resources that have a reasonable potential for becoming economically available within planning horizons beyond those that assume proven technology and current economics. The reserve base includes those resources that are currently economic (reserves), marginally economic (marginal reserves), and some of those that are currently subeconomic (subeconomic resources).

   Réserves de base. Parties des ressources identifiées qui rencontrent des critères physiques et chimiques minimum spécifiés en ce qui a trait aux pratiques minières et d'exploitation courantes, incluant la teneur, la qualité, l'épaisseur et la profondeur. Les réserves de base sont la ressource démontrée sur place (mesurée et manifeste) de laquelle on déduit les réserves. Elles peuvent comprendre les parties des ressources qui ont un potentiel raisonnable de devenir économiquement disponibles à l'intérieur

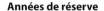

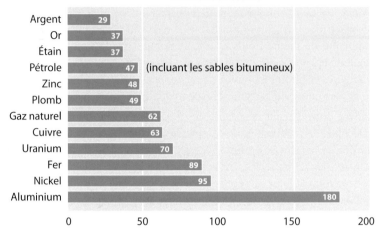

Figure E.1 – Nombre d'années avant l'épuisement de diverses ressources au niveau planétaire, en supposant une exploitation géologique égale à celle de 2006 et en tenant compte du recyclage effectué cette année-là, lorsque applicable. Les données proviennent de l'US Geological Survey (http://minerals.usgs.gov/minerals/pubs/commodity/myb), du rapport *BP Statistical Review of World Energy,* June 2008 (voir www.bp.com) et d'un article de Paul Mobbs sur les réserves d'uranium (voir www.fraw.org.uk/mei).

en compte le recyclage des métaux. De plus, il ne faut pas oublier que notre consommation est en forte croissance du fait que des pays émergents, comme la Chine et l'Inde, entrent dans une ère industrielle intense. Aussi, si rien n'est fait pour corriger le tir, les années de réserve vont être moins nombreuses que celles de la **figure E.1** ! En dépit de programmes de recyclage rigoureux, le pourcentage de récupération ne sera jamais de 100%. Il faudra donc que les véhicules fabriqués soient moins nombreux, plus petits et durent plus longtemps.

Face à ce constat sur les ressources planétaires, l'auteur tient à réaffirmer sa conviction qu'un véritable développement durable des transports routiers passe par un investissement très important dans les transports en commun, que nos gouvernements ont le devoir d'améliorer, pour attirer une plus grande clientèle. Les monorails interurbains à grande vitesse vont devoir être développés, de même que les autobus urbains électriques biberonnés. Le covoiturage et les voitures communautaires électriques, comme la City Car du MIT (**figure E.2**), sont d'autres éléments très importants pour nous aider à éliminer notre dépendance au pétrole tout en diminuant notre consommation de matières premières. Le vélo et la marche complètent bien l'ensemble des moyens écologiques responsables.

d'horizons planifiables, au-delà de ceux que supposent des technologies démontrées et les critères économiques actuels. Les réserves de base incluent les ressources qui sont présentement économiquement rentables (réserves), marginalement économiques (réserves marginales) et certaines ressources qui sont présentement sous le seuil de rentabilité (ressources subéconomiques). (traduction libre de l'auteur)

Figure E.2 – Les voitures électriques compactes communautaires, telles que conçues par le groupe de recherche Smart Cities, du MIT, offrent le double avantage de diminuer la consommation d'énergie et de limiter notre ponction des ressources planétaires. (Image : Franco Vairani/MIT Smart Cities)

Pour les véhicules personnels, il faut choisir le véhicule le plus petit capable de répondre efficacement à nos besoins véritables, en fonction du climat. Lorsque les véhicules électriques ou hybrides branchables seront disponibles, il faudra exercer des pressions pour que les employeurs installent des prises de recharge dans les stationnements des entreprises. Cela permettra de rouler sans pétrole en utilisant une batterie deux fois plus petite, diminuant ainsi notre ponction sur les ressources planétaires.

Dans cette même ligne de pensée, il sera préférable de louer les batteries des futures voitures électriques ou hybrides branchables, pour adapter leur capacité de stockage au gré des besoins, qui évoluent d'une année à l'autre. Pensons à une personne qui déménage plus près de son travail ou de son institution d'enseignement. Il faut que cette personne puisse diminuer la grosseur de sa batterie pour éviter un gaspillage de ressources et d'argent. Les voitures à motorisation électriques devront donc être offertes avec un choix de trois ou quatre grosseurs différentes de batteries, avec possibilité de les interchanger, au besoin.

Pour minimiser la consommation de matières premières dans la construction d'un véhicule, le groupe de traction à moteurs-roues est celui qui permet la plus grande économie. En effet, la structure extérieure des moteurs-roues sert également de soutien pour les roues proprement dites et il n'y a pas de différentiel, ni de transmission, ni d'embrayage, ni de radiateur, ni de pompe à eau. De plus, la consommation réduite d'énergie qu'offrent les moteurs-roues (environ 25 % de moins en conduite mixte) permet de diminuer la grosseur de la batterie, du moteur-générateur thermique et du réservoir de carburant (pour les véhicules hybrides branchables).

Sans compter que les moteurs-roues sont idéaux pour le transport en commun urbain, puisqu'ils permettent aux autobus de récupérer le maximum d'énergie lors de leurs nombreux freinages, ce qui réduit au maximum leur consommation d'énergie. En fait, les autobus constituent probablement les véhicules qui bénéficieraient le plus de la technologie des moteurs-roues.

Le plus gros défi d'ici 2020 sera de produire des véhicules électriques et hybrides branchables en très grand nombre. Il est très probable que les gros fabricants d'automobiles traînent la patte, pour les raisons que nous avons mentionnées plus haut. Nos gouvernements vont avoir un rôle crucial à jouer afin de faciliter et d'accélérer la transition vers la mobilité électrique, vers la diminution de consommation des moteurs thermiques, ainsi que vers les biocarburants de deuxième génération. Dans les années qui viennent, en attendant des parcs imposants de véhicules à motorisation électrique, hybrides ou non, toutes les mesures devront être prises pour faire face à la grave crise du pétrole qui pointe à l'horizon, afin d'en diminuer au maximum notre consommation, le plus rapidement possible.

À cet égard, **l'auteur suggère à nos élus les actions suivantes.**

1. Mettre en place des comités spéciaux, au sein des gouvernements, afin de préparer des politiques de diminution rapide de la consommation de pétrole, en particulier pour le transport routier, et d'en assurer le suivi;

2. Diminuer de beaucoup les subventions pour la recherche sur les véhicules à piles à combustible consommant de l'hydrogène et augmenter les subventions pour la recherche sur les véritables solutions à court et moyen terme (batteries, supercondensateurs, stations de recharge rapide, moteurs thermiques compacts à faible consommation, biocarburants de deuxième génération, dopage des carburants à l'hydrogène et à l'eau, moteurs électriques, légèreté des véhicules);

3. Rendre obligatoire l'installation, en équipement régulier, d'un dispositif de mesure et d'affichage de la consommation de carburant, en temps réel, dans les véhicules neufs;

4. Réglementer de façon sévère la consommation en carburant des véhicules neufs;

5. Améliorer et subventionner davantage les transports en commun, en faisant participer les employeurs. C'est un choix de société.

6. Subventionner les utilisateurs de voitures communautaires (autopartage) et favoriser la mise en place de centres de gestion par Internet du covoiturage pour les déplacements quotidiens;

7. Installer plus de pistes cyclables en milieu urbain et mettre en place des services de vélos communautaires;

8. Faire des campagnes d'information sur les modes alternatifs de transport (transport en commun, covoiturage, autopartage, vélo, marche), et sur les avantages de la mobilité électrique ;

9. Mettre sur pied des centres d'essai et de validation des différents systèmes proposés sur le marché qui peuvent se greffer aux moteurs thermiques des véhicules, après leur achat, afin de réduire la consommation de carburant et la pollution (ex. dopage à l'hydrogène, à l'eau ou à la vapeur, additifs dans l'huile à moteur et les carburants, vaporisation de l'essence, conditionnement électrique des carburants). Établir une certification pour les dispositifs qui auront démontré un réel avantage.

10. Favoriser l'implantation d'entreprises qui installent ces dispositifs de réduction de consommation certifiés, et subventionner les gens qui veulent en faire installer ;

11. Favoriser l'implantation d'usines de véhicules électriques et hybrides branchables, ainsi que d'usines de batteries performantes de qualité ;

12. Les différents paliers de gouvernement devraient être les premiers à acheter beaucoup de véhicules électriques et hybrides branchables ;

13. Mettre en place des systèmes de bonus et malus pour stimuler l'achat de voitures neuves à faible consommation. Depuis le 5 décembre 2007, la France montre l'exemple à cet égard, en accordant un bonus aux acquéreurs de voitures qui émettent moins de 130 g CO_2/km et un malus à ceux qui achètent des voitures qui en émettent plus (voir le site du Ministère de l'Écologie, de l'Énergie, du Développement durable et de l'Aménagement du territoire, à www.developpement-durable.gouv.fr). Les réductions et les augmentations sur les prix d'achat sont d'autant plus importantes qu'on s'éloigne, dans un sens ou dans l'autre, de la frontière du 130 g CO_2/km. En dessous de 60 g CO_2/km (principalement les voitures électriques), c'est une remise de 5 000 euros (7200 $) dont peuvent bénéficier les nouveaux propriétaires ;

14. Favoriser l'implantation d'ateliers de conversion de véhicules traditionnels en véhicules électriques et subventionner les gens qui achètent des véhicules convertis ;

15. Favoriser l'implantation d'entreprises qui transforment les véhicules hybrides en véhicules hybrides branchables et favoriser l'offre de contrats de location pour les batteries supplémentaires installées ;

16. Négocier avec les fabricants le maintien de leurs garanties sur les véhicules convertis ou modifiés, pour les défectuosités qui ne concernent pas les modifications effectuées. Créer un fond spécial pour offrir une garantie couvrant les défectuosités des véhicules qui auraient pour origine les modifications réalisées ;

17. Installer des bornes de recharge payantes pour les véhicules, dans les rues et les stationnements, avec un sigle pour rappeler que seuls les véhicules branchables peuvent s'y stationner. Subventionner les employeurs qui voudraient en faire autant sur les stationnements de leurs employés;

18. Mettre le stationnement gratuit pour les véhicules branchables dans tous les stationnements qui relèvent des municipalités et autoriser la circulation de ces véhicules dans les voies réservées;

19. Mettre en place une politique sévère de recyclage des batteries et du cuivre;

20. Mettre en place des comités internationaux pour établir des normes uniformes concernant, entre autres, les bornes de branchement des véhicules branchables, sur les réseaux électriques et les prises arrière sur les voitures électriques pour brancher un groupe électrogène sur remorque (ces remorques qui prolongent l'autonomie pourraient être louées pour les longs trajets).

Il reste un dernier point qu'il ne faut pas passer sous silence, celui des taxes sur les carburants perçues par les gouvernements. Ces taxes sont particulièrement importantes en Europe. En France, par exemple, la proportion de taxes sur un litre de carburant atteint, en juin 2008, un pourcentage moyen de 59%, incluant la taxe de vente. Ce pourcentage est de 30% au Canada et de 10% aux États-Unis, en juin 2008. C'est donc dire qu'en France, une économie de carburant de 2,3% entraîne une perte de revenu pour l'État d'un milliard d'euros! Cette situation place les élus en conflit d'intérêt face à la mobilité électrique. Il faudra donc procéder à un transfert de la taxation des carburants vers l'électricité utilisée par les véhicules. Cependant, les gouvernements ne devraient pas effectuer ce transfert avant que les véhicules électriques et hybrides branchables (avec une autonomie électrique de 50 km et plus) ne constituent 5% environ des véhicules sur la route. Ceci aidera à atteindre des productions en grande série pour ces véhicules et leurs batteries, rendant ainsi les prix compétitifs.

Le défi du transport routier sans pétrole est de taille, mais l'avenir de nos enfants et petits-enfants en dépend! Les technologies existent déjà, l'important maintenant est de passer aux actes et de diriger nos actions vers des solutions durables, tout en restant très vigilants à l'égard des propositions venant des puissants lobbies.

La situation est critique, mais l'espoir est au rendez-vous, comme vous avez pu le constater en lisant ce livre. Nous avons le pouvoir de changer les choses, en privilégiant des habitudes responsables et en consommant judicieusement.

Un jour, j'ai rêvé que des gens paisibles avaient leurs résidences dans les flans sud de grandes collines artificielles (le sol rafraîchit l'été et réchauffe l'hiver). Toutes ces collines étaient percées d'un tunnel au centre où passait un monorail pour le transport en commun. Il y avait de grands espaces verts, avec des aires de récréation et de jardinage, procurant un milieu de vie sain et agréable.

Le défi qui nous attend n'est rien de moins que de réinventer le monde tout en se réinventant soi-même, à travers de nouvelles façons de penser et d'agir. Les nations qui opteront RAPIDEMENT pour ce monde plus durable vivront les prochaines décennies de façon plus sereine.

Pierre Langlois
www.planglois-pca.com